Em Busca de um Final Feliz

Katherine Boo

VENCEDORA DO PULITZER PRIZE

Em Busca de um Final Feliz

Quando a existência é definida pelos
sonhos, e quando descobrimos que estes
são sonhos de pessoas reais,
a esperança surge.

PREFÁCIO DE ZECA CAMARGO

Tradução:
Maria Angela Amorim De Paschoal

Editora Novo Conceito

Tradução publicada sob acordo com Random House, um selo de The Random House Publishing Group, uma divisão de Random House, Inc.

1ª Impressão — 2013

Edição: Edgar Costa Silva
Preparação de Texto: Ana Issa, Lívia Fernandes
Revisão de Texto: Alline Salles, Erika Sá, Tamires Cianci, Elisabete B. Pereira
Diagramação: Futura, Vanúcia Santos
Impressão e Acabamento RR Donnelley

Este livro segue as regras da Nova Ortografia da Língua Portuguesa.

Dados Internacionais de Catalogação na Publicação (CIP)
(Câmara Brasileira do Livro, SP, Brasil)

Boo, Katherine
Em busca de um final feliz / Katherine Boo; tradução Maria Angela Amorim de Paschoal. -- Ribeirão Preto, SP: Novo Conceito Editora, 2013.
Título original: Behind the beautiful forevers.
ISBN 978-85-8163-032-8
1. Índia - Condições sociais 2. Pobres - Índia - Mumbai I. Título.

13-00626 CDD-305.5690954792

Índices para catálogo sistemático:
1. Índia : Pobres : Sociologia 305.5690954792

Editora Novo Conceito

Rua Dr. Hugo Fortes, 1.885 — Parque Industrial Lagoinha
14095-260 — Ribeirão Preto — SP
www.editoranovoconceito.com.br

Para os dois Sunil
e o que eles ensinaram sobre não desistir

Prefácio

CONHECI A ÍNDIA ANTES DE CONHECER a literatura indiana — e isso criou uma confusão na minha ideia a respeito desse país e de sua cultura. Foi só depois da minha primeira visita a Nova Déli, em meados dos anos 1980, que comecei a me interessar por autores indianos — começando pelo mais acessível deles na época, Salman Rushdie, e depois seguindo com outros grandes nomes, como Vikram Seth e Rohinton Mistry. Em cada leitura dessas, porém, justamente porque eu já tinha passado por uma "experiência indiana" nessa primeira viagem, que incluía turismo e estudos (de danças clássicas, como o bharatanatyam e o kathak), eu experimentava sempre a estranha sensação de visitar um universo que não era exatamente inventado, mas ricamente transcrito de uma observação da realidade.

Imagine ter lido *Vidas Secas*, de Graciliano Ramos, depois de uma temporada em uma região miserável do sertão nordestino. Ou, se fosse possível voltar no tempo, circular pela Londres do século 19 e só depois mergulhar em *Tempos Difíceis*, de Charles Dickens (algo que, se não pode ser exatamente vivido, pode ao menos ser evocado em alguns cantos da capital inglesa atualmente). Essa sensação de estranha familiaridade com um cenário de ficção era exatamente o que me ocorria quando eu juntava minhas memórias da Índia à leitura das aventuras de Salim Sinai em *Os Filhos da Meia-noite*, de Rushdie; ou da saga de um bom casamento arranjado em *A Suitable Boy*, de Seth; ou dos intrincados laços sociais descritos por Mistry em *Um Delicado Equilíbrio*, com sua até então incomparável descrição da rotina de uma favela em Mumbai. Como era possível Mistry revelar ao leitor de maneira tão viva um cotidiano tão absurdo como esse? Bem, como Katherine Boo mostra de maneira brilhante neste livro, basta abrir os olhos.

Annawadi, a favela que é o foco da autora, não é a maior de Mumbai — sequer a mais miserável (ou a mais produtiva, em termos de reciclagem de lixo, que é uma das principais atividades econômicas para os moradores à margem da dinâmica e frenética população dessa cidade moderna). Dharavi, que visitei em 2010, com cerca de 1 milhão de habitantes, é a mais conhecida e populosa favela, com sua surpreendente organização funcional, surreais camadas sociais e a capacidade de definir novos e impensáveis extratos de miséria. Diante dela, Annawadi (com seus "meros" 3 mil moradores) é apenas um microcosmo — e Boo acertou ao escolher este lugar para sua grande reportagem. Uma favela maior — e mais complexa — oferece tentações demais até mesmo ao mais astuto dos observadores. Em Annawadi, ela pôde não só exercitar seu já bem treinado olhar de jornalista, mas também costurar de forma abrangente, contudo não desorientadora, personagens que, bem... parecem ter saído da ficção de Rushdie, Seth, Mistry...

Como Fátima, por exemplo — a Perna Só —, conhecida em Annawadi por seu desejo sexual "tão agressivo quanto seu batom", como descreve Boo. "Se ela fosse outro tipo de mulher, seus casos seriam um escândalo; o fato de ela ser deficiente fazia deles uma piada." Rejeitada pela família desde a infância — como se não bastasse o "infortúnio" de ter nascido menina (uma desgraça para uma família pobre indiana), ela também veio ao mundo com uma desculpa ainda maior para seus pais terem vergonha dela —, Fátima, mal-casada (Quem quer uma noiva aleijada na favela?), constrói sua vingança usando o sexo. Seu poder com os homens — que podem ou não deixar algum dinheiro depois de satisfeitos — é a matéria-prima da armadura que a protege da hostilidade do mundo e a faz segura o suficiente para maldizer todos os seus vizinhos e provocar brigas homéricas. Ao mesmo tempo vítima e vilã, ela não é muito diferente de outros moradores que Katherine Boo encontra na favela — gente que ela descreve com um desprendimento quase sempre digno de quem não está assistindo àquilo tudo, a todos aqueles horrores, mas criando um elaborado "mar de histórias" (pegando emprestado o título tão bem cunhado da rica antologia de contos organizada durante décadas por Paulo Rónai e Aurélio Buarque de Holanda Ferreira).

Contudo, lembrando mais uma vez, este livro não trata de ficção. Os ataques histéricos de Fátima têm de fato consequências na vida real dos moradores de Annawadi — desdobramentos terríveis que servem à autora como ponto de partida para *Em Busca de um Final Feliz*. Um dia, em sua fúria vingativa, a Perna Só ateia fogo a si mesma e acusa a família do adolescente Abdul de ser culpada pelo crime. É a partir de Abdul, então, que vamos conhecer a tapeçaria das vidas naquela favela — das histórias de seus amigos, como o sonhador Rahul, que consegue escapar, mesmo que por algumas horas, para o mundo encantado das festas dos hotéis de luxo (que ficam ali, logo atrás do muro alto que tenta canhestramente esconder Annawadi), os representantes do poder corrupto, como a implacável Asha (mãe de Rahul), talvez a mais baixa representação de um modelo podre que domina até as mais altas esferas da Índia.

Boo desfila esses retratos com uma linguagem que seria de uma delicada beleza se o que estivesse descrito não fosse tão repugnante. Como neste trecho, entre tantos outros, em que explica a postura de Manju, a filha adolescente de Asha, no momento em que vai para a escola dar aulas de inglês para crianças: "Manju sempre tinha cara de brava quando saía do barraco da família. Todos que saíam de sua casa ficavam de boca bem fechada, a menos que quisessem engolir um punhado de moscas, as únicas criaturas da favela que estavam animadas com os produtos rançosos do novo armazém de sua mãe". Mas é exatamente nessa capacidade de extrair uma certa poesia de cenas hediondas que está o talento da autora.

Não, a vida na favela — ou em qualquer periferia — não é bonita. Sou particularmente avesso à qualquer "glamorização" da pobreza — especialmente porque, como jornalista também, mais de uma vez a vi de perto: na Índia, em Bangladesh, em Angola, no Peru, no Brasil. Porém, o que é celebrado neste livro não é o que poderíamos chamar toscamente de "o encanto da lama", mas a riqueza das pessoas que — para o bem e para o mal — compõem um tronco social que está cada vez mais presente no nosso mundo moderno. E que é, pelo menos do jeito que se apresenta hoje, tristemente sem solução. O triunfo deste livro não está em enfeitar com belas palavras o que seria mais fácil não ver, mas em nos contar, de maneira distante e ao mesmo tempo íntima, o que só é concebível, pelo ponto de vista de quem tem uma confortável vida urbana, se pensarmos que sai da cabeça de um grande escritor de ficção.

No entanto, esse mundo inimaginável para muitos está lá, sim, em todas as suas formas, cores, seus contornos, cheiros e defeitos. Abdul, como a autora nos conta logo no início, está sempre *chaukanna* — alerta. E é assim que embarcamos na narrativa, que logo de cara anuncia: "Ser pobre em Annawadi, ou em qualquer favela de Mumbai, era ser, invariavelmente, culpado de uma coisa ou outra". Nós também, ao entrarmos nas ruelas atrás "do muro comprido que anunciava os pisos de cerâmica que ficavam lindos para sempre", acabamos culpados por um voyeurismo que até poderia ser considerado perverso, se quem nos conduzisse por elas não fosse alguém tão hábil com as imagens e com a alma humana como Katherine Boo.

Zeca Camargo

Sumário

PRÓLOGO: ENTRE ROSAS

17 de julho de 2008 — Mumbai

JÁ ERA QUASE MEIA-NOITE, A MULHER de uma só perna jazia penosamente queimada, e a polícia de Mumbai vinha em busca de Abdul e seu pai. Em um barraco da favela, ao lado do aeroporto internacional, os pais de Abdul tomaram sua decisão com uma economia de palavras pouco usual. O pai, um homem doente, esperaria dentro do barraco de telhado de zinco onde a família de onze pessoas morava. Não resistiria à prisão. Abdul, o provedor da casa, era quem deveria fugir.

Como de costume, a opinião de Abdul sobre o plano não fora solicitada. Àquela altura, ele já estava aterrorizado pelo pânico. Tinha 16 anos, ou talvez 19, os pais eram péssimos com datas. Alá, em Sua sabedoria impenetrável, o havia talhado pequeno e irrequieto.

— Um covarde — dizia Abdul de si mesmo. Ele não entendia nada de enganar policiais. Do que entendia basicamente era de lixo. Praticamente todas as horas de praticamente todos os anos de que conseguia recordar tinham sido passadas comprando e vendendo, aos recicladores, todas as coisas que os ricos jogam fora.

Agora, Abdul entendia a necessidade de desaparecer, entretanto sua imaginação não ia além disso. Começou a correr, mas voltou para casa. O único lugar em que podia pensar em se esconder era em seu lixo.

Entreabriu a porta do barraco da família e espiou a noite lá fora. Sua casa ficava no meio de uma desalinhada fileira de habitações feitas à mão; o pequeno galpão torto onde armazenava o lixo ficava ao lado. Chegar lá sem ser visto tiraria dos vizinhos o prazer de entregá-lo à polícia.

Mas a lua não estava a seu favor: um brilho pleno e estúpido, iluminando o empoeirado terreno baldio em frente a casa. Do outro lado do terreno ficavam os barracos de outras duas dezenas de famílias, e Abdul temia não ser o único espreitando por trás de uma porta de compensado. Alguns naquela favela desejavam o mal de sua família por causa de velhos ressentimentos entre hindus e muçulmanos. Outros se melindravam por uma razão mais moderna: inveja econômica. Mexendo com lixo, trabalho que muitos indianos achavam desprezível, Abdul havia mantido sua extensa família acima da linha da miséria.

Pelo menos o terreno baldio estava silencioso, até demais, aliás. Espécie de praia em frente à vasta piscina de esgoto a céu aberto que marcava a fronteira oriental da favela, o lugar era um pandemônio na maioria das noites: gente brigando, cozinhando, paquerando, lavando-se, pastoreando cabras, jogando críquete, esperando para pegar água em uma bica pública, esperando na fila do lado de fora de um pequeno bordel, ou dormindo para curar a carraspana da pinga servida em um barraco duas portas adiante da casa de Abdul. As tensões acumuladas em barracos superlotados, nas vielas estreitas das favelas, só têm esse lugar, o *maidan*[1], como válvula de escape. Mas, depois da briga e de a mulher apelidada Perna Só ter sido queimada viva, o povo havia se recolhido a seus barracos.

Agora, em meio aos porcos selvagens, ao búfalo d'água e aos bêbados de sempre, estirados de barriga no chão, parecia haver apenas uma presença espectadora: um destemido rapazinho do Nepal. Estava sentado perto do lago de esgoto, os braços em volta dos joelhos, imerso em uma bruma azul de lan-

[1] Termo do urdu que designa "praça, espaço aberto" (N. T.).

tejoulas, reflexo do letreiro de neon do hotel luxuoso do outro lado da poça. Abdul não se importava que o nepalês o visse se escondendo. Esse garoto, Adarsh, não era um espião da polícia. Apenas gostava de ficar até tarde na rua, para escapar da mãe e suas iras noturnas.

Era o momento mais seguro que Abdul teria. Precipitou-se galpão adentro e fechou a porta atrás de si.

Dentro estava escuro como breu, fervilhante de ratos e, ainda assim, reconfortante. Seu depósito, pouco mais de dez metros quadrados, entulhados até o teto gotejante com as coisas que Abdul sabia manejar neste mundo. Garrafas vazias de água e uísque, jornais embolorados, aplicadores de absorvente interno usados, papel-alumínio amassado, guarda-chuvas reduzidos a varetas pelas monções, cadarços rompidos, cotonetes amarelados, fitas cassete embaraçadas, estojos de plástico trincados que um dia abrigaram imitações de Barbie. Em algum lugar na escuridão, havia mesmo uma "Berbee" ou "Barblie" aleijada por um dos experimentos aos quais as crianças que têm brinquedos demais parecem submeter aqueles que já não lhes agradam. Ao longo dos anos, Abdul se tornara um especialista em minimizar fontes de distração. Ele havia colocado todas essas bonecas na pilha de lixo com os seios para baixo.

"Evite problemas." Esse era o princípio operacional de Abdul Hakim Husain, uma ideia tão furiosamente cultivada que parecia incutida em sua forma física. Tinha olhos fundos e bochechas encovadas, o corpo rijo e curvado pelo trabalho, o tipo físico que exigia menos do que sua fatia justa de espaço ao se esgueirar por vielas e becos abarrotados de gente. Praticamente tudo nele era contido, exceto as orelhas proeminentes e o cabelo que se encarapinhava para cima, como o de uma garota, sempre que ele limpava o suor da testa.

Uma presença modesta e imperceptível era algo útil em Annawadi, a alagadiça área de barracos onde ele morava. Ali, no próspero subúrbio oeste da capital financeira indiana, três mil pessoas amontoavam-se dentro, ou em cima, de 335 barracos. Era um constante ir e vir de migrantes de toda a Índia, hindus principalmente, pertencentes a todo tipo de castas e subcastas. Seus vizinhos representavam crenças e culturas tão diversas que Abdul, um dos 30 e tantos muçulmanos da favela, não conseguia entendê-los. Simplesmente reconhecia

Annawadi como um campo minado de conflitos, onde ele estava determinado a não se arriscar. Além disso, Annawadi também tinha uma localização fabulosa para quem lidava com o lixo de gente rica.

Abdul e seus vizinhos ocupavam, irregularmente, um terreno que pertencia à autoridade aeroportuária da Índia. Somente uma travessa ladeada por coqueiros separava a favela da entrada para o terminal internacional. Para atender à clientela do aeroporto, havia cinco hotéis caríssimos ao redor de Annawadi: quatro megalíticos de mármore entalhado e um Hyatt[2] de lustroso vidro azul, em cujo último andar Annawadi e várias outras ocupações irregulares pareciam vilarejos atirados de um avião, no espaço entre um edifício moderno e outro.

— Tudo ao nosso redor são rosas. — Era como o irmão caçula de Abdul, Mirchi, colocava as coisas. — E nós somos a bosta no meio disso.

No novo século, à medida que a economia indiana crescia mais rápido do que qualquer outra no mundo, exceto a chinesa, condomínios cor-de-rosa e torres de escritório envidraçadas multiplicavam-se nos arredores do aeroporto internacional. Uma das empresas denominava-se simplesmente "Mais". Mais guindastes para erguer mais edifícios ainda mais altos que, cada vez mais, interferiam na aterrissagem de mais aviões. Com a prosperidade, uma esfumaçada corrida de obstáculos acontecia lá em cima, no espaço aéreo, de onde uma enxurrada de possibilidades desaguava sobre as favelas.

A cada manhã, milhares de catadores de lixo espalhavam-se pela área do aeroporto em busca de todo excedente que pudesse ser comercializado, uns poucos quilos das oito mil toneladas de lixo que Mumbai produzia diariamente. Esses garimpeiros estavam atrás de maços de cigarro amassados, atirados de carros com vidros escurecidos, dragavam esgotos e vasculhavam caçambas em busca de garrafas vazias de água ou cerveja e, toda noite, percorriam de volta a rua da favela com sacos de estopa cheios de lixo jogados às costas, como uma procissão de papais-noéis desdentados e ávidos.

[2] Rede mundial de hotéis de luxo (N. E.).

Abdul estaria lá esperando com sua balança enferrujada. Na hierarquia do setor de recicláveis, o adolescente estava um nível acima dos demais catadores: um comerciante que avaliava e comprava o que eles achavam. Obtinha seu lucro revendendo o lixo no atacado, para pequenas usinas de reciclagem, a alguns quilômetros dali.

A mãe de Abdul era a pechincheira da família, despejando vibrantes impropérios sobre os catadores que pediam demais pelo lixo. Para Abdul, as palavras vinham emperradas e lentas. Ele era bom mesmo na classificação, o processo crucial e minucioso de separar o lixo em um dos 60 tipos de papel, plástico, metal e outras categorias, para, então, poder vendê-lo.

É claro que ele era rápido. Classificava os recicláveis desde os 6 anos, pois a tuberculose e o trabalho com o lixo arruinaram os pulmões do pai. A coordenação motora de Abdul fora desenvolvida em torno do trabalho.

— Seja como for, você não tem cabeça para a escola — observara seu pai recentemente. Abdul não tinha certeza se tinha estudo suficiente para questionar isso, de qualquer modo. Nos primeiros anos, estivera sentado em uma classe onde não acontecia muita coisa. Depois houvera apenas trabalho. Trabalho que espalhava tanta sujeira no ar que enegrecia seu ranho. Trabalho mais chato do que sujo. Trabalho que ele esperava continuar fazendo pelo resto da vida. Na maior parte dos dias, aquela perspectiva pesava sobre seus ombros como uma sentença. Mas, nessa noite, escondendo-se da polícia, parecia-lhe como uma esperança.

O cheiro de queimado de Perna Só estava mais brando dentro do galpão, vencido pelo fedor do lixo e pelo suor de medo que encharcavam a roupa de Abdul. Ele se despiu, escondendo as calças e a camiseta atrás de uma instável pilha de jornais próxima à porta.

Sua grande ideia era galgar os dois metros e meio do emaranhado de lixo e, então, cavar uma toca contra a parede de trás, o mais longe possível da porta. Era ágil e, na luz do dia, poderia escalar em 15 segundos aquela bem arranjada montanha. Mas um passo em falso no escuro poderia provocar uma avalanche de garrafas e latas, o que alertaria toda a vizinhança, já que os barracos eram separados por uma única e fina parede.

Para desconcerto de Abdul, de sua direita vinha um ronco baixo: um lacônico primo recém-chegado de um vilarejo rural que, provavelmente, concluíra que, na cidade, toda noite se queimava uma mulher. Movendo-se para a esquerda, Abdul tateou a escuridão em busca de uma massa de sacos plásticos azuis. Ímãs de sujeira, aqueles sacos. Ele odiava classificá-los. Mas lembrava-se de ter depositado os fardos de sacos sobre uma pilha de papelão encharcado, os ingredientes perfeitos para uma escalada silenciosa.

Achou os sacos e as caixas achatadas na parede lateral, aquela que separava o galpão de sua casa. Içou-se e esperou. O papelão comprimiu-se, os ratos reorganizaram-se, mas não se ouviu o ruído de nada metálico caindo ao chão. Agora ele podia usar a parede lateral como ponto de equilíbrio para o que considerava seu próximo passo.

Ouvia-se um arrastar de pés do outro lado da parede. Seu pai, provavelmente. Àquela hora, ele já devia estar sem a roupa de dormir, vestindo a camisa de poliéster que ficava frouxa nos ombros, provavelmente estudando um punhado de tabaco. O homem tinha passado todo o entardecer brincando com o tabaco, desenhando círculos com o dedo, triângulos, depois círculos de novo. Era o que ele fazia quando não sabia o que estava fazendo.

Alguns passos a mais, alguns ruídos inconvenientes, e Abdul tinha chegado à parede de trás. Deitou-se no chão. Agora se arrependia de ter tirado as calças. Mosquitos. Pontas de embalagens quebradas espetando-lhe a parte de trás das coxas.

O cheiro de queimado que persistia no ar era amargo, mais de querosene e sândalo derretido que de carne. Se Abdul, por acaso, tivesse se deparado com isso em uma das vielas da favela, não teria se dobrado em náuseas. Era flor de laranjeira em comparação à comida estragada que toda noite o hotel despejava em Annawadi, para a delícia de 300 porcos recobertos de merda. O problema em seu estômago vinha de saber de quem, e do que, era aquele cheiro.

Abdul conhecia a Perna Só desde o dia em que sua família chegara a Annawadi, oito anos antes. Aliás, ele não tivera outra escolha, já que apenas uma placa de metal separava seu barraco do dela. Mesmo naquela época, seu cheiro já o perturbava. Apesar da pobreza, ela dava um jeito de se perfumar. A mãe de Abdul, que cheirava a leite materno e cebolas fritas, desaprovava aquilo.

Nos tempos da placa de metal (e, na verdade, até hoje), Abdul acreditava que a mãe, Zehrunisa, estava certa sobre a maioria das coisas. Ela era doce e brincalhona com os filhos, e seu único grande defeito, na opinião de Abdul, o filho mais velho, era a linguagem que usava ao pechinchar. Embora a barganha vulgar fosse norma no setor de recicláveis, ele achava que a mãe aderia a essa norma com exagerada volúpia.

— Cafetão estúpido com cérebro de azeitona! — dizia, em afetada indignação. — Você acha que meus filhos vão morrer de fome sem suas latas? Eu devia baixar suas calças e cortar fora a minhoca que está aí dentro!

Isso vindo de uma mulher nascida em um vilarejo no meio do nada, criada para ser devota e andar metida em uma burca.

Abdul se considerava "90% antiquado" e censurava a mãe abertamente.

— E o que seu pai diria se ouvisse você xingando em plena rua?

— Ele diria coisa pior — Zehrunisa respondeu um dia —, e foi ele quem me obrigou a casar com um homem doente. Se eu ficasse quietinha em casa, como minha mãe fazia, todas estas crianças teriam morrido de fome.

Abdul não ousava verbalizar o grande defeito do pai, Karam Husain: ser doente demais para separar o lixo, mas não doente o bastante para manter distância da esposa. A corrente islâmica Wahhabi, na qual ele havia sido criado, não admitia o controle de natalidade. Dos dez filhos de Zehrunisa, nove sobreviveram.

A cada gestação, Zehrunisa consolava-se:

— Estou gerando uma força de trabalho para o futuro.

Porém, Abdul era a força do presente, e seus novos irmãos e irmãs aumentavam sua ansiedade. Cometia erros, pagava generosamente por sacos de bugigangas inúteis.

— Vá mais devagar — o pai lhe dizia delicadamente. — Use o nariz, a boca e as orelhas, não apenas as balanças. Dê uma batidinha com a unha no ferro-velho. O ruído vai lhe dizer do que é feito. Mastigue o plástico para identificar sua categoria. Se for duro, quebre-o no meio e aspire. Um aroma fresco indica poliuretano de boa qualidade.

Abdul havia aprendido. Em um ano, tinha o suficiente para comer. Mais um ano, e a casa ganhou cara de lar. A chapa metálica foi trocada por uma divisória feita de sobras de alumínio e, mais tarde, por uma parede de tijolos refugados que fez de sua moradia a mais sólida da vizinhança. Ao contemplar a parede de tijolos, foi inundado por uma imensidão de sentimentos: orgulho, medo de que os tijolos fossem de má qualidade e a parede desmoronasse, alívio sensorial. Havia agora uma barreira de quase oito centímetros entre ele e Perna Só, que recebia amantes enquanto o marido catava lixo por aí.

Nos últimos meses, Abdul tinha tido oportunidade de notá-la apenas nos momentos em que ela passava tilintando as muletas de metal, a caminho do mercado ou do banheiro público. As muletas da Perna Só pareciam curtas demais, porque, quando ela andava, a bunda projetava-se para fora, ondeava como um chicote no ar, arrancando o riso do povo. O batom provocava ainda mais riso. "Ela pinta a cara para viver num cu de mundo como este?" Às vezes, os lábios estavam cor de laranja, outras violeta, como se ela tivesse trepado no pé de jamelão, perto do Hotel Leela, e se fartado de frutos.

O nome de batismo de Perna Só era Sita. Tinha pele clara, em geral um atributo valorizado, mas a perna atrofiada tinha feito seu preço despencar no mercado de noivas. Os pais hindus aceitaram a única oferta que receberam: pobre, feio, trabalhador, muçulmano, velho.

— Uma múmia, mas quem mais vai querê-la? — a mãe havia dito certa vez franzindo o sobrolho.

O improvável marido rebatizou-a como Fátima, e dessa desacertada união vieram três meninas esquálidas. A mais doente morreu em casa, afogada em um balde. Fátima não pareceu lamentar a perda, o que deu o que falar na vizinhança. Após alguns dias, emergiu do barraco, ainda com o quadril bamboleante e os altivos olhos salpicados de ouro a espiar fixamente os homens.

Ultimamente havia desejos demais em Annawadi, ou pelo menos assim parecia a Abdul. Quando a Índia começou a prosperar, velhas crenças a respeito de aceitar a vida determinada pela casta a que se pertencia, ou pelas divindades, estavam dando lugar à crença na reinvenção terrena. Os annawadianos, agora, falavam casualmente de uma vida melhor, como se a fortuna fosse uma prima chegando no domingo, como se o futuro pudesse ser diferente do passado.

Mirchi, um dos irmãos de Abdul, não pretendia separar lixo. Antevia-se envergando um uniforme engomado e batendo ponto em um hotel de luxo. Tinha ouvido falar de garçons que passavam o dia todo espetando palitos em cubos de queijo, ou alinhando facas e garfos nas mesas do salão. Queria um trabalho limpo como esse.

— Olhe bem pra mim! — rosnou para a mãe um dia. — Ainda vou ter um banheiro do tamanho deste barraco!

O sonho de Raja Kamble, um faxineiro doente que vivia na viela de trás, era de renascimento médico. Se seu coração ganhasse uma nova válvula, ele sobreviveria para ver os filhos crescerem. Meena, de 15 anos, que morava no barraco da esquina, queria trocar um casamento arranjado e a submissão doméstica pela sensação de liberdade e aventura que via nas séries de TV. Sunil, um mirrado catador de 12 anos, queria comer o bastante para começar a crescer. Asha, uma briguenta que vivia perto do banheiro público, tinha uma ambição diferente: sonhava tornar-se a primeira mulher dona de barracos e, depois, pegar uma carona rumo à classe média na corrupção inexorável da cidade. Sua filha adolescente, Manju, considerava seu objetivo mais nobre: tornar-se a primeira mulher diplomada de Annawadi.

De todos os sonhos, os mais absurdos eram os de Perna Só. Todos pensavam assim. Seu interesse permanente era o sexo extraconjugal, não apenas pelos trocados que embolsava. Isso os vizinhos entenderiam. Mas Perna Só também queria transcender o padecimento que lhe rendera o apelido. Queria ser respeitada, sentir-se atraente. Aos olhos dos annawadianos, eram desejos impróprios para uma aleijada.

O que Abdul queria era isto: uma esposa que desconhecesse palavras como cafetão e filho da puta, que não se importasse muito com o cheiro dele e, mais tarde, um lar em algum lugar, qualquer lugar que não fosse Annawadi. Como a maioria das pessoas na favela, e no mundo, aliás, ele acreditava que seus sonhos combinavam com suas potencialidades.

A polícia estava em Annawadi, cruzando o *maidan* em direção à sua casa. Tinha de ser a polícia. Nenhum morador de favela falava em um tom tão autoconfiante.

A família de Abdul conhecia muitos policiais do batalhão local, o suficiente para temê-los. Quando descobriam que um favelado estava ganhando dinheiro, visitavam-no dia sim, dia não para extorquir algo. O pior do bando era o guarda Pawar, que seviciara a pequena Deepa, uma menina sem-teto que vendia flores perto do Hyatt. Mas a maioria deles ficaria feliz em limpar o nariz no último pedaço de pão de um favelado qualquer.

Abdul se preparara para este momento, quando os policiais penetrassem na casa de sua família, ao som de criancinhas chorando e vasilhas de metal estatelando-se no chão. Mas os dois policiais estavam perfeitamente calmos, até mesmo amigáveis, enquanto reportavam os fatos mais relevantes. A Perna Só havia sobrevivido e feito uma acusação em seu leito no hospital: Abdul, sua irmã mais velha e o pai deles haviam-na espancado e lhe ateado fogo.

Mais tarde, Abdul recordaria as palavras dos policiais penetrando a parede do depósito com uma lentidão de sonho febril. Então sua irmã Kehkashan estava sendo acusada, também. Por causa disso, ele desejou a morte da Perna Só. Depois desejou não ter desejado isso. Se Perna Só morresse, sua família estaria ainda mais ferrada.

Ser pobre em Annawadi, ou em qualquer favela de Mumbai, era ser, invariavelmente, culpado de uma coisa ou outra. Às vezes, Abdul comprava peças de metal que os catadores tinham roubado. Ele também administrava um negócio sem licença. O simples ato de viver em Annawadi era ilegal, já que as autoridades aeroportuárias queriam que posseiros como ele saíssem de suas terras. Mas ele e sua família não tinham posto fogo na Perna Só. Ela mesma tinha se incendiado.

O pai de Abdul estava afirmando a inocência de sua família em sua voz fraca e ofegante, enquanto os policiais o conduziam para fora de casa.

— Então, onde está seu filho? — um deles exigiu em voz alta quando pararam do lado de fora da porta do depósito. O volume da voz do policial não tinha a intenção de demonstrar poder. Na verdade, ele estava tentando ser ouvido por sobre o pranto da mãe de Abdul.

Zehrunisa Husain era um verdadeiro mar de lágrimas, mesmo nos dias bons; era um dos seus principais modos de começar uma conversa. Mas agora os soluços de seus filhos intensificaram ainda mais seu choro. O amor que o pequeno Husain sentia pelo pai deles era mais ingênuo que o amor que Abdul sentia, mas, de qualquer forma, eles iriam se lembrar daquela noite em que a polícia viera para levar o pai embora.

O tempo passou. O pranto cedeu.

— Ele estará de volta em meia hora — sua mãe falou para as crianças num tom de voz esganiçado que ela usava quando mentia. Abdul prestou atenção nas palavras "estará de volta". Depois de prender seu pai, aparentemente, a polícia tinha se retirado de Annawadi.

Abdul não podia descartar a possibilidade de a polícia voltar para procurar por ele. Mas, até onde ele sabia da energia e vontade dos policiais de Mumbai, era mais provável que eles já tivessem encerrado a noite de trabalho. Isto lhe dava três ou quatro horas de escuridão para planejar uma fuga mais razoável que uma escapada para o barraco vizinho.

Ele não se sentia incapaz de ousar. Na verdade, um dos seus orgulhos pessoais era que, depois de separar tanto lixo, suas mãos tinham desenvolvido uma força capaz de matar; ele conseguiria partir um tijolo ao meio como Bruce Lee.

— Então, vamos achar um tijolo — retrucara, certa vez, uma garota para quem ele tinha contado, inadvertidamente, sua convicção. Abdul tinha gaguejado. A crença de que ele poderia partir um tijolo em dois era algo que ele queria guardar no seu íntimo, não testar na frente de outros. Mas se fosse como seu irmão Mirchi, dois anos mais jovem, e mais corajoso, não teria se escondido dentro do depósito.

Mirchi gostava de assistir a filmes de Bollywood nos quais bandidos de peitos nus pulavam de janelas altas e corriam por sobre os tetos dos trens em movimento, enquanto a polícia os perseguia e atirava incessantemente, sem acertar o alvo. Abdul pensava em todos esses perigos, em todos os filmes, muito seriamente. Ainda se lembrava da noite em que ele tinha acompanhado outro garoto até um galpão, a meio quilômetro de distância, onde estavam passando vídeos piratas. O filme era sobre uma mansão com um monstro no porão, uma criatura de pelo alaranjado que se alimentava de carne humana. Quando a sessão terminou, ele teve que pagar ao proprietário 20 rúpias para que ele o deixasse dormir ali no chão, pois suas pernas estavam paralisadas de terror, e ele não conseguia ir para casa.

Por mais que ele tenha se sentido envergonhado pelo fato de outros meninos testemunharem seu medo, Abdul achava irracional sentir qualquer outra coisa que não fosse medo. Quando separava jornais ou latas, tarefas que exigiam mais o toque de suas mãos do que o seu olhar, ele costumava estudar seus vizinhos. Este hábito ajudava-o a passar o tempo e lhe dava ideias, uma das quais prevalecera sobre todas as outras. Ele acreditava que em Annawadi a sorte não era resultado daquilo que as pessoas faziam, ou quão bem elas o faziam, mas sim dos acidentes e infortúnios que elas conseguiam evitar. Uma vida decente era aquela em que o trem não o atropelava, onde você não ofendia o senhorio da favela e a malária não te pegava. Apesar de ele recriminar-se por não ser mais inteligente, acreditava ter uma qualidade quase tão valiosa para as circunstâncias nas quais vivia. Ele era *chaukanna*, alerta.

— Meus olhos veem em todas as direções — era outro modo de ele expressar essa qualidade. Ele acreditava que podia prever uma calamidade a tempo de poder escapar dela. O incêndio de Perna Só foi a primeira vez em que foi pego de surpresa.

— A que horas foi isso? — Uma vizinha chamada Cynthia estava gritando no *maidan*. — Por que a polícia não prendeu o resto dessa família? — Cynthia era íntima de Fátima, a Perna Só, e desprezava a família de Abdul desde que o negócio de lixo da família dela tinha falido. — Vamos fazer um protesto até a delegacia de polícia, fazer os policiais virem prendê-los — ela gritou para os outros residentes. De dentro da casa de Abdul só se ouvia o silêncio.

Depois de algum tempo, felizmente, Cynthia calou a boca. Não houve uma onda de apoio público para a marcha de protesto, só irritação pelo fato de ela ter acordado todo mundo. Abdul podia sentir a tensão da noite finalmente esmaecer, até que potes e panelas de metal começaram a tilintar ao redor. Ele acordou assustado e confuso.

Uma luz dourada se infiltrava pelas rachaduras numa porta. Não era a porta do seu depósito. Demorou um minuto para se situar. Vestiu as calças novamente, e ele pareceu estar no chão do barraco de um jovem cozinheiro muçulmano que vivia do outro lado do *maidan*. Já era de manhã. O som que ele ouvia a sua volta era dos annawadianos nos barracos adjacentes preparando o café da manhã.

Quando e por que tinha atravessado o *maidan* até esse barraco? O pânico tinha feito um buraco nas suas lembranças, e Abdul nunca teria certeza do que realmente acontecera nas horas finais da noite. A única coisa clara era a gravidade de sua situação, de sua vida, um momento que exigia coragem e ousadia, no entanto ele tinha ficado em Annawadi e caído no sono.

Imediatamente soube o que fazer: encontrar sua mãe. Como tinha provado para si mesmo que era inútil como fugitivo, ele precisaria que ela lhe dissesse o que fazer.

— Vai depressa — disse Zehrunisa Husain, depois de lhe dar instruções. — O mais rápido que puder!

Abdul agarrou uma camisa limpa e saiu voando. Correu para o outro lado da clareira descendo a viela em zigue-zague ladeada de barracos até chegar a uma rua de cascalhos. De um lado, lixo e búfalos d'água. Do outro, o cintilante Hyatt. Foi abotoando desajeitadamente os botões da camisa enquanto corria. Depois de quase 200 metros, ele chegou a uma pista larga e movimentada que levava ao aeroporto. Era ladeada por jardins repletos de flores, a beleza de uma cidade que ele mal conhecia.

Até mesmo borboletas. Ele passou por elas e entrou no saguão do aeroporto.

Desembarque abaixo. Embarque acima. Ele foi numa terceira direção correndo ao lado de uma extensa cerca de alumínio azul e branca, atrás da qual as britadeiras rugiam, escavando as fundações para o novo e sofisticado terminal. Abdul tinha, ocasionalmente, tentado ganhar dinheiro dentro do perímetro de segurança do terminal. Bastariam dois painéis de alumínio, roubados e vendidos, para um menino do lixão descansar por um ano.

Ele continuou a caminhar, virando bruscamente à direita, de encontro a um mar de táxis pretos e amarelos brilhantes sob o violento sol da manhã. Outra curva à direita o levou a uma passagem sombreada, com um galho cheio de folhas balançando sobre ela. Mais uma virada à direita e ele estava do lado de dentro da delegacia de polícia de Sahar.

Zehrunisa tinha visto a expressão do rosto de seu filho, "Este menino estava ansioso demais para se esconder da polícia". O maior medo dela, ao acordar, era que os policiais espancassem seu marido como punição pela fuga de Abdul. Era dever do filho mais velho proteger um pai doente disso tudo.

Abdul cumpriria seu dever e estaria quase feliz por fazê-lo. Esconder-se era algo que pessoas culpadas costumavam fazer; ele era inocente e queria a verdade estampada em sua testa. Então, o que mais lhe restava fazer a não ser submeter-se às autoridades oficiais, à lei, à justiça? Conceitos que seu conhecimento limitado de história nunca tinham lhe dado razões para acreditar, mas nos quais ele pretendia acreditar agora.

Um policial vestindo uniforme cáqui, com ombreiras, estava enfurnado por trás de uma escrivaninha de metal. Ao ver Abdul, ele se levantou surpreso. Seus lábios, escondidos pelo bigode, eram gordos e pareciam os de um peixe, e Abdul se lembraria deles mais tarde — o modo como se abriram ligeiramente antes de ele sorrir.

PARTE 1

Subcidadãos

"Todos em Annawadi falam assim: 'Ah, meu filho vai ser um doutor, um advogado, e ele vai nos tornar ricos'. Isso é vaidade, nada mais. Seu barquinho navega para o oeste e você se parabeniza, 'Sou um excelente navegador!', e, então, o vento o carrega para o leste."

KARAM HUSAIN, pai de Abdul

1.
Annawadi

— ESPERE UM MOMENTO — DISSE O AGENTE Lábios de Peixe quando viu Abdul na delegacia de polícia. Volte, veja Abdul correndo em sentido contrário, para longe da delegacia e do aeroporto, em direção à sua casa. Veja as chamas engolfando o corpo de uma mulher inválida vestindo uma túnica cor-de-rosa estampada de flores, encolhendo-se a ponto de virar um nada, uma caixinha de fósforos no chão. Veja Fátima, alguns minutos antes, dançando apoiada nas muletas, ao som de uma rouca canção de amor, suas feições delicadas incólumes. Continue a retroceder, de volta mais sete meses, e pare num dia comum de janeiro de 2008. Foi um período tão cheio de esperanças como qualquer outro, desde que uma pequena favela surgiu na maior cidade do país que abrigava um terço da população mais pobre do planeta. Um país atordoado com o desenvolvimento e a quantidade de dinheiro circulando no momento.

A madrugada chegou com rajadas de vento, como sempre acontecia em janeiro, mês de empinar pipas e pegar resfriado. Como sua família não tinha espaço no chão para todos os membros se deitarem, Abdul dormia no pedregoso *maidan*, naquele pedaço de chão, por anos, como se fosse sua cama. Sua mãe passou cuidadosamente sobre seus irmãos menores e, então, deu mais um passo e se abaixou para aproximar-se dos ouvidos de Abdul.

— Acorda, seu idiota! — ela falou animadamente. — Você pensa que seu trabalho é sonhar?

Supersticiosa, Zehrunisa tinha percebido que alguns dos dias mais rentáveis da família ocorreram depois de ela vociferar impropérios para seu filho mais velho. A renda de janeiro era crucial para o plano mais recente dos Husain de escapar de Annawadi, portanto ela tinha decidido praguejar todos os dias.

Abdul se levantou sem choramingar, já que o único choramingo que sua mãe tolerava era o dela mesma. Além do mais, era o momento em que ele menos detestava Annawadi. O sol pálido lançava sobre o lago de esgoto uma sombra prateada cintilante, e os papagaios que faziam ninho do outro lado do lago podiam ser ouvidos sobre o barulho dos jatos. Do lado de fora dos barracos dos seus vizinhos, alguns seguros com fita adesiva e corda, as pessoas se limpavam discretamente com trapos umedecidos. Crianças com uniforme escolar e gravatas estavam pegando potes de água das bicas públicas. Uma fila preguiçosa se estendia do lado de fora do bloco de concreto alaranjado dos banheiros públicos. Até mesmo os olhos das cabras estavam pesados de sono. Era um momento íntimo e familiar, antes que começasse a grande corrida pelo pequeno nicho de mercado.

Um a um, os operários da construção civil iam em direção a um cruzamento movimentado, onde supervisores de construções escolhiam seus trabalhadores diários. Jovens começavam a tecer guirlandas de calêndulas para serem vendidas no meio do tráfego a caminho do aeroporto. Mulheres mais velhas costuravam retalhos rosa e azuis, em colchas de algodão, para formar um *patchwork*, para uma empresa que lhes pagava retalho a retalho. Numa pequena e sufocante fabriqueta de plástico, homens sem camisa manuseavam maquinários que transformariam contas coloridas em enfeites para serem pendurados em espelhos retrovisores, patinhos sorridentes e gatos cor-de-rosa com joias em volta do pescoço, que eles não acreditavam que alguém, em nenhum lugar do mundo, pudesse comprar. E Abdul se agachava no *maidan*, começando a separar um monte de lixo comprado, com a camisa manchada e curta que deixava as costas descobertas.

Sua opinião geral em relação a seus vizinhos era esta: “Quanto mais eu conhecer você, menos vou gostar, e menos você vai gostar de mim. Então, vamos ficar cada um no seu canto”. Mas, mesmo concentrado em seu próprio trabalho, como ele estava esta manhã, Abdul podia deduzir que seus companheiros annawadianos estavam trabalhando, amigavelmente, ao seu lado.

Annawadi ficava, aproximadamente, a 200 metros da estrada do Aeroporto Sahar, uma faixa onde a nova Índia e a velha Índia se encontravam e faziam a nova Índia chegar atrasada aos seus compromissos. Motoristas em veículos utilitários esportivos buzinavam furiosamente para entregadores de bicicleta que saíam das granjas da favela, cada um carregando uma pilha de 300 ovos. Annawadi não era nada especial no contexto das outras favelas de Mumbai. Toda casinha era torta, e a menos torta delas parecia ereta. O esgoto e a doença faziam parte do dia a dia.

A favela tinha sido criada em 1991 por um grupo de trabalhadores trazidos do sul da Índia, do estado de Tamil Nadu, para consertar uma pista do aeroporto internacional. Quando o trabalho terminou, eles decidiram ficar perto do aeroporto e de suas tentadoras possibilidades de construção. Numa área com pouco espaço desocupado, um pedaço de terra encharcado e cheio de cobras do outro lado da rua do terminal internacional parecia um local menos ruim para se viver.

Outras pessoas pobres consideraram o lugar úmido demais para ser habitável, mas os tâmiles começaram a trabalhar carpindo o mato onde estavam as cobras, e cavando terra em lugares mais secos e jogando-a por sobre o barro. Depois de um mês, as varas dc bambus deixaram de balançar e se firmaram no chão. Cobrindo as hastes com sacos vazios de cimento, eles deram início a um assentamento. Os moradores das favelas vizinhas batizaram seu nome: Annawadi, terra dos *annas,* uma palavra em tâmil que simbolizava respeito pelos irmãos mais velhos. No entanto, expressões menos respeitosas eram usadas largamente para se referir aos migrantes de Tâmil. Mas outros cidadãos pobres viram os tâmiles suarem para tornar sólida a terra do pântano, e este trabalho lhes rendeu certo respeito.

Dezessete anos depois, quase mais ninguém nessa favela era considerado pobre, pelos padrões oficiais indianos. Mais ainda, os annawadianos estavam entre os 100 milhões de indianos livres da pobreza desde 1991, quando, no exato momento em que a pequena favela estava se formando, o governo central abraçou a liberalização econômica. Os annawadianos, portanto, fizeram parte de uma das maiores histórias de sucesso de desenvolvimento na história moderna do capitalismo de mercado global, uma história ainda em desdobramento.

Na verdade, apenas seis dos três mil moradores da favela tinham emprego com carteira assinada. (O resto, assim como os 85% dos trabalhadores indianos, faziam parte da economia informal.) É certo que alguns poucos residentes ainda catavam ratos e sapos e os fritavam para o jantar. Alguns comiam a grama baixa na beirada do lago de esgoto. E estes indivíduos, estas almas miseráveis, de certo modo deram uma contribuição inestimável aos seus vizinhos. Eles propiciaram aos favelados que não fritavam ratos e não comiam mato, como Abdul, uma sensação real de mobilidade e ascensão social.

O aeroporto e os hotéis despejavam muito lixo durante o inverno, a alta temporada para turismo, viagens de negócio e casamentos da alta sociedade, cuja falta de controle com gastos, em 2008, refletia a contínua alta do mercado de ações. Melhor ainda para Abdul; o frenesi da construção chinesa para as Olimpíadas no verão, em Pequim, havia inflacionado o preço de sucatas de metal no mundo inteiro. Era uma época excelente para ser um negociante de lixo e sucata em Mumbai, não que esse fosse o termo que os transeuntes usavam para chamar Abdul. Alguns o chamavam de lixo, e ficava por isso mesmo.

Esta manhã, recolhendo parafusos e tachinhas de sua pilha, ele tentou prestar atenção nas cabras de Annawadi, que gostavam do cheiro de escória das suas garrafas e do gosto da cola debaixo dos rótulos. Normalmente, Abdul não se importava com a presença delas escarafunchando tudo, mas atualmente elas eram uma fonte de bosta líquida, uma ameaça.

As cabras pertenciam a um muçulmano que gerenciava um bordel dentro de seu próprio barraco e considerava suas prostitutas um bando de golpistas. Numa tentativa de diversificar, ele estava criando animais para vender para sacrifício no Eid, festival que marcava o final do Ramadan. No entanto, as cabras tinham se tornado tão problemáticas quanto as garotas. Doze animais, dentre um rebanho de 22, morreram, e as sobreviventes estavam com complicações intestinais. O dono do bordel culpou a magia negra feita pelos tâmiles, que eram donos do alambique de pinga. Outros suspeitavam que a fonte de bebida das cabras fosse nada mais nada menos que o lago de esgoto.

Tarde da noite, os empreiteiros que modernizavam o aeroporto despejavam coisas no lago. Os annawadianos também jogavam coisas ali; mais recentemente, as carcaças em decomposição de 12 cabras. O que quer que estivesse nessa mistura fazia com que os porcos e os cachorros que dormiam na parte rasa aparecessem com as barrigas manchadas de azul. Algumas criaturas sobreviveram ao lago, no entanto, e não apenas os mosquitos da malária. À medida que a manhã avançava, um pescador caminhou pela água, uma das mãos empurrando ao lado pacotes de cigarro e sacos plásticos azuis, a outra chapinhando a superfície da água com uma rede. Ele levaria sua presa para o mercado Marol para ser moída e virar óleo de peixe, um produto de saúde para o qual havia muita demanda, agora que era valorizado no Ocidente.

Levantando-se para se livrar de uma cãibra na perna, Abdul ficou surpreso ao ver que o céu estava tão escuro quanto as moscas varejeiras. O sol já lançava raios de luz através da névoa de poluição, anunciando a chegada da tarde. Ele sempre perdia a noção do tempo quando estava separando material. Suas irmãzinhas estavam brincando com as filhas da Perna Só numa cadeira de rodas improvisada, a qual era de plástico ladeada por duas rodas de bicicleta enferrujadas. Mirchi, que já tinha chegado em casa da sua aula do 9º ano, estava esparramado na entrada do barraco da família, com um livro de matemática no colo.

Mirchi estava esperando impaciente seu melhor amigo, Rahul, um garoto hindu que morava a alguns barracos de distância e que tinha se tornado uma celebridade em Annawadi. Neste mês, Rahul tinha conseguido fazer o que Mirchi mais sonhava: quebrar a barreira entre o mundo da favela e o mundo rico.

A mãe de Rahul, Asha, uma professora de jardim da infância com conexões misteriosas com políticos locais e a polícia, tinha conseguido lhe arranjar um emprego temporário algumas noites no Hotel Intercontinental, que ficava do outro lado do lago de esgoto. Rahul, um estudante do 9º ano de cara redonda e dentes tortos, fora o primeiro a vislumbrar a opulência da cidade alta.

E lá vinha ele, usando uma roupa comprada com o lucro de sua boa sorte: bermudas cargo, de cintura baixa, apoiadas no quadril, uma fivela de cinto oval brilhante, de peso promissor para reciclagem, um boné preto puxado sobre os olhos.

— Estilo hip-hop — Rahul classificou.

O dia anterior tinha sido o 60º aniversário do assassinato de Mahatma Gandhi, um feriado nacional que a elite indiana não costumava celebrar, pois considerava de mau gosto dar uma festa luxuosa nesta data. Mas Rahul tinha trabalhado num evento incrível no Intercontinental e sabia que seu amigo Mirchi adoraria saber os detalhes.

— Mirchi, não vou mentir pra você — Rahul falou sorrindo. — No meu lado do salão havia pelo menos 500 mulheres com roupas bem curtas, como se elas estivessem se esquecido de vestir a parte de baixo antes de sair de casa!

— Ah, onde que eu estava? — reclamou Mirchi. — Conte, tinha alguém famoso?

— Todo mundo era famoso! Era uma festa de Bollywood. Algumas das estrelas estavam na área VIP, separadas por um cordão, mas John Abraham veio para fora e ficou perto de onde eu estava. Ele estava usando um casaco preto grosso e ficou fumando bem na minha frente. Acho que Bipasha também estava lá, mas eu não tenho certeza se era ela ou outra garota parecida, porque, se o gerente pegasse você olhando os convidados, ele o demitia na hora, e você não recebia nada. Eles ficaram nos falando isso umas 20 vezes antes de a festa começar, como se fôssemos idiotas. Você tem que se concentrar nas mesas e no tapete. Então, quando você encontra um prato ou um guardanapo sujo, tem que pegá-lo e levá-lo para a lata de lixo nos fundos. Ah, aquele salão estava maravilhoso. Primeiro colocamos um carpete branco alto, do tipo que você pisava e afundava o pé, então eles acenderam velas brancas e ficou tudo escuro como numa disco, e numa das mesas o chef de cozinha colocou dois enormes golfinhos feitos de gelo. Um dos golfinhos tinha cerejas no lugar dos olhos...

— Cretino, esqueça o peixe e me conte das garotas — Mirchi protestou. — Elas querem que você olhe para elas quando estão vestidas deste modo.

— Mas é sério, a gente não pode olhar mesmo. Nem mesmo os banheiros dos ricos. A segurança põe você pra fora. Porém, os banheiros para os funcionários são legais. Você pode escolher entre o estilo indiano ou americano. — Rahul, que tinha uma veia patriótica, tinha mijado no indiano, uma fossa aberta no chão.

Os outros garotos se aproximaram de Rahul do lado de fora do barraco dos Husain. Os annawadianos gostavam de conversar sobre os hotéis e as coisas depravadas que, muito provavelmente, aconteciam lá dentro. Uma vez um catador viciado até falou com um dos hotéis:

— Eu sei que você está tentando me matar, seu Hyatt filho da puta!

Mas as histórias de Rahul tinham um valor especial já que ele não mentia, ou pelo menos não mais do que uma frase no meio de 20. Tudo isso, juntamente com uma postura bem-humorada, o tornava um garoto de cujos atributos os outros meninos não se ressentiam.

Rahul corajosamente confessou que era um "zé-ninguém" se comparado aos funcionários regulares do Intercontinental. Muitos dos garçons tinham faculdade, eram altos e de pele clara, com telefones celulares tão reluzentes que podiam ver sua imagem refletida neles. Alguns dos garçons tinham zombado da unha comprida e pintada de azul do polegar de Rahul, que era considerado um símbolo da alta moda masculina de Annawadi. Quando ele cortou a unha, eles passaram a zombar do modo como ele falava. O termo usado pelos annawadianos para expressar respeito por um homem rico era *sa'ab*, que não era a expressão adequada nos locais endinheirados da cidade, ele relatou aos amigos.

— Os garçons dizem que isso faz você parecer da classe D, como um bandido, um *tapori* — ele declarou. — A palavra certa é *sir*.

— *Sirrrrrr* — alguém falou, enrolando os erres, e todos começaram a falar e a dar risadas.

Os garotos estavam em pé, bem próximos uns dos outros, embora houvesse bastante espaço disponível no *maidan*. Para aqueles que dormiam em lugares apertados, com o pé de um enfiado na boca de outro, a sensação de estar em contato pele a pele passou a ser um hábito. Abdul passou por trás deles, carregando nos braços um montão de etiquetas de bagagem, e erigiu uma pilha alta no *maidan*, lutando para resgatar as etiquetas sopradas pelo vento. Os outros meninos não prestaram atenção ao que ele estava fazendo. Abdul não era do tipo falante e, quando o fazia, era como se tivesse passado semanas trabalhando aquela ideia em seu íntimo. Ele poderia ter um ou dois amigos, se soubesse como contar uma bela história.

Uma vez, tentando superar essa deficiência, ele tinha inventado uma história sobre ter entrado no Intercontinental e ter visto as filmagens de um filme de Bollywood chamado *Welcome*; e que tinha visto a atriz Katrina Kaif toda vestida de branco. Foi uma história bem fraquinha. Rahul percebeu, imediatamente, que era mentira. Porém, com os últimos comentários de Rahul, as futuras mentiras de Abdul seriam mais bem elaboradas.

Um menino nepalês perguntou a Rahul sobre as mulheres nos hotéis. Através das fendas nas cercas, ele tinha visto algumas delas fumando, não um cigarro, mas muitos, enquanto esperavam seus motoristas chegarem com os carros na entrada.

— De que aldeias são essas mulheres?

— Escuta, seu idiota — Rahul falou carinhosamente. — As pessoas brancas vêm de vários países. Você realmente é um caipira se ainda não sabe essas coisas básicas.

— Que países? Os Estados Unidos?

Rahul não sabia dizer.

— Mas existem muitos indianos que também são hóspedes nos hotéis, isso eu posso garantir.

Indianos que têm "aparência saudável" — grandes e gordos, ao contrário de atrofiados, como o menino nepalês e muitas das outras crianças por aqui.

O primeiro trabalho de Rahul fora na noite da festa de ano-novo, no Intercontinental. As festanças de ano-novo nos hotéis de luxo de Mumbai eram famosas, e os catadores, frequentemente, voltavam para casa carregando folhetos descartados. "Celebre 2008 em alto estilo no Hotel Le Royal Meridien! Faça um passeio pelas ruas de Paris inebriando-se de arte, música & comida. Assista a brilhantes apresentações ao vivo. Reserve seus bilhetes de passagem e Bon Voyage! Doze mil rúpias por casal, com direito a champanhe." As propagandas estavam impressas em papéis brilhantes, pelos quais os recicladores pagavam duas rúpias ou quatro centavos de dólar americano por quilo.

Rahul tinha ficado desapontado com os rituais de ano-novo dos ricos.

— Imbecis — ele tinha concluído. — Só pessoas bebendo, dançando e andando como se fossem idiotas, do mesmo jeito que as pessoas fazem aqui todas as noites.

— As pessoas do hotel agem de um jeito estranho quando bebem — ele contou aos seus amigos. — Na noite passada, no fim da festa, havia um galã, boa aparência, terno de listras, tecido caro. Ele estava bêbado, muito bêbado, e começou a encher de pães os bolsos da sua calça e do paletó. Então, ele enfiou mais pãezinhos dentro da calça! Os pãezinhos caíram no chão, e ele engatinhou debaixo da mesa para pegá-los. Um dos garçons disse que o cara devia estar com fome mais cedo e que o uísque trouxera de volta essa lembrança. Mas quando eu for bem rico e puder ficar hospedado num grande hotel como esse, não vou agir como um idiota assim.

Mirchi deu risadas e fez a pergunta que muitos estavam fazendo a si mesmos em Mumbai, em 2008:

— E o que você vai fazer, *sirrrrrr,* para ser servido num hotel desses?

Mas Rahul já estava dando o fora, prestando atenção numa pipa verde de plástico presa no alto de uma figueira, na entrada de Annawadi. Parecia estar quebrada, mas, se conseguisse endireitar as varetas, ele poderia revendê-la por duas rúpias. Ele só precisava pegar a pipa antes que algum outro menino interessado em dinheiro tivesse a mesma ideia.

Rahul tinha herdado esse empreendedorismo de sua mãe, Asha, uma mulher que assustava um pouco os pais de Abdul. Ela era poderosa num partido político, o Shiv Sena, que era dominado por hindus nascidos em Maharashtra, o estado onde ficava Mumbai. Como a população da Grande Mumbai estava se aproximando de 20 milhões, a competição por empregos e moradias era feroz, e o Shiv Sena culpava os migrantes dos outros estados por retirar oportunidades que pertenciam, por direito, aos nativos. (O fundador do partido, o octogenário Bal Thackeray, simpatizava com o programa de limpeza étnica de Hitler.) A principal causa defendida pelo Shiv Sena era purgar os migrantes de Mumbai originários dos estados pobres do norte da Índia. A animosidade do partido em relação à minoria muçulmana da cidade vinha de longa data e de muita violência. Isso tornava a família de Abdul, muçulmanos com raízes no estado do norte de Uttar Pradesh, duplamente suspeita.

No entanto, a amizade de Rahul e Mirchi transcendia etnia e política religiosa. Às vezes, Mirchi erguia o punho e gritava a saudação do Shiv Sena "Jai Maharashtra!" só para fazer Rahul rir. Os dois alunos do 9º ano até começaram a ficar parecidos já que haviam decidido deixar crescer a franja em longos cachos soltos, que eles afastavam dos olhos como seu herói do cinema Ajay Devgan.

Abdul invejava a proximidade deles. A única pessoa que ele podia chamar de amigo era um menino sem teto de 15 anos chamado Kalu, que roubava as latas de reciclagem do complexo do aeroporto. Mas Kalu trabalhava à noite, quando Abdul estava dormindo, e eles quase não se falavam mais.

Abdul sentia um grande carinho pelo seu irmãozinho de 2 anos, Lallu, coisa que o deixava preocupado. Ouvindo as canções de amor de Bollywood, ele chegou à conclusão de que seu próprio coração fora feito bem pequeno. Ele não ficava sonhando com uma garota e, apesar de ter certeza do amor que sentia por sua mãe, esse amor não o tomava de assalto. Mas só de olhar para Lallu, ele sentia as lágrimas assomarem em seus olhos, o que era algo inusitado e o deixava perplexo. Tantas mordidas de rato inchadas nas bochechas da criança e na parte de trás de sua cabeça.

O que fazer? Quando o depósito ficava superlotado, como acontecia em alguns meses de abundância como este, o lixo se empilhava no barraco deles e os ratos vinham também. Porém, quando Abdul deixava o lixo do lado de fora, este era roubado pelos catadores, e ele detestava ter que pagar duas vezes pelo mesmo lixo.

Às 3h da tarde, Abdul estava lutando com as tampinhas de garrafa que eram bem trabalhosas na hora de separar. Algumas tinham revestimento interno de plástico que era retirado antes que as tampinhas fossem para a pilha de alumínio. O lixo dos ricos ficava mais complexo a cada ano, repleto de materiais híbridos, impurezas e falsificações. Placas que pareciam ser de madeira estavam entremeadas de plástico. Como ele poderia classificar uma bucha feita de vários materiais? Os donos das fábricas de reciclagem exigiam que o lixo fosse de uma coisa só, pura.

Sua mãe estava agachada ao lado dele, colocando uma pedra sobre uma pilha de roupas molhadas e sujas. Ela lançou um olhar penetrante para Mirchi, que estava cochilando na entrada da casa.

— O quê? É feriado escolar? — ela perguntou.

Zehrunisa esperava que Mirchi passasse do 9º ano na escola particular de terceira classe de língua urdu, pela qual pagavam 300 rúpias ao ano. Eles tinham que pagar, já que oferecer oportunidade para educação não era o forte do governo indiano. A escola municipal gratuita, perto do aeroporto, só ia até o 8º ano, e os professores faltavam com frequência.

— Ou estuda ou vai ajudar seu irmão — Zehrunisa falou para Mirchi. Ele olhou de relance para os recicláveis de Abdul e abriu o livro de matemática.

Recentemente, até mesmo olhar para o lixo amontoado deixava Mirchi deprimido, um fato do qual Abdul se esforçava para não se ressentir. Em vez disso, ele tentava compartilhar da esperança de seus pais: quando seu irmão terminasse o Ensino Médio, sua inteligência considerável e seu charme iriam alavancá-lo para o mercado de trabalho, apesar de sua origem muçulmana. Embora dissessem que Mumbai era uma cidade mais cosmopolita e meritocrática do que qualquer outra cidade na Índia, os muçulmanos ainda eram excluídos de muitos bons empregos, incluindo daqueles nos hotéis luxuosos, onde Mirchi sonhava em trabalhar.

Abdul entendia que, numa cidade poliglota, as pessoas se separariam e se juntariam do mesmo modo como ele separava seu lixo, iguais com iguais. Havia gente demais em Mumbai para haver emprego pra todo mundo, então por que os hindus da casta Kuni de Maharashtra não iriam contratar outros Kunis de Maharashtra, em vez de contratar muçulmanos de linhagem relacionada ao lixo? Mas Mirchi dizia que hoje em dia todo mundo estava se misturando, que os velhos preconceitos estavam perdendo força e que Abdul não conseguia enxergar isso porque ficava o dia todo com a cabeça enfiada no lixo.

Agora Abdul estava trabalhando o mais rápido que podia, a fim de terminar a separação do material antes do anoitecer, que era quando os meninos hindus, fortes e robustos, começavam a jogar críquete no *maidan*, fazendo mira em suas pilhas separadas e, algumas vezes, em sua própria cabeça, enquanto os jogadores de críquete testavam, dolorosamente, a política de não enfrentamento de Abdul. A única briga física na qual ele realmente tinha se envolvido fora com dois garotos de 10 anos que bateram em um de seus irmãozinhos. Mas estes jogadores tinham acabado de mandar outro garoto muçulmano para o hospital, depois de quebrar sua cabeça com seus tacos.

No alto, acima de Abdul, Rahul estava tentando se equilibrar num outro galho de árvore, tentando recuperar uma segunda pipa para revender. As folhas da árvore eram cinza, assim como muitas coisas em Annawadi, por conta da areia e do cascalho que eram soprados por uma fábrica de concreto na vizinhança.

— Você não vai morrer por respirar isso — afirmavam os velhos moradores para os recém-chegados de olhos avermelhados, que se preocupavam com aquele ar espesso. Mas parecia que as pessoas morriam disso o tempo todo: asma sem tratamento, obstruções no pulmão, tuberculose. O pai de Abdul, entrincheirado no barraco deles, falou da compensação maior. A fábrica de concreto e todas as outras construções traziam mais trabalho para esta região do aeroporto que estava em pleno progresso. Pulmões doentes eram um preço que você tinha que pagar para morar perto do progresso.

Às 6h da tarde, Abdul se levantou vitorioso. Ele tinha conseguido se adiantar à chegada dos jogadores de críquete, e à sua frente estavam 14 sacos de estopa cheios e encaroçados de lixo separado. À medida que as nuvens de fumaça começavam a subir em volta dos hotéis ali perto, a fumigação noturna contra mosquitos, Abdul e dois de seus irmãos menores depositaram os sacos na carroceria de um calhambeque verde-limão de três rodas. O veículo pequeno, uma das posses mais importantes dos Husain, permitia que Abdul levasse o lixo para os recicladores. E lá foi ele, para a estrada do aeroporto, e se embrenhou na balbúrdia de buzinas da cidade.

Carros de quatro rodas, ônibus, motocicletas e milhares de pessoas a pé. Abdul levou mais de uma hora para andar os quatro quilômetros e meio, devido ao tráfego calamitoso num cruzamento perto dos jardins do Hotel Leela, onde carros europeus esperavam para ser abastecidos e lavados num local chamado "Spa do Carro". Uma expansão do primeiro trecho do metrô da cidade estava sendo construída ali para dar continuidade a uma via expressa que se estendia da estrada do aeroporto. Abdul temia ficar sem gasolina no meio do congestionamento, mas, enquanto a noite caía, e as luzes se acendiam, seu veículo foi engasgando até conseguir chegar a uma enorme favela chamada Saki Naka.

No meio dos barracos do terreno de Saki Naka, estavam máquinas trituradoras de plástico e fundidoras de metal pertencentes a homens vestidos com *kurtas*[3] engomadas, *kurtas* brancas, para anunciar a distância existente entre eles e a imundície de seu negócio. Alguns dos trabalhadores nas fábricas tinham a cara preta de pó de carbono e, certamente, os pulmões negros por respirar raspas de ferro. Algumas semanas atrás, Abdul tinha visto um menino decepar a mão quando estava enfiando plástico dentro de um dos trituradores. Os olhos do menino se encheram de lágrimas, mas ele não gritou. Em vez disso, ficou ali parado, com o sangue jorrando do ferimento, sua capacidade para o trabalho arruinada para sempre, e ele começou a se desculpar com o dono da fábrica.

— *Sa'ab*, me desculpe — ele tinha dito para um homem de branco. — Não vou lhe causar nenhum problema contando o que aconteceu. Você não vai ter problema nenhum da minha parte.

Apesar de toda a conversa sobre progresso de Mirchi, a Índia ainda fazia uma pessoa saber qual era o seu lugar. Desejar que as coisas fossem diferentes era, segundo Abdul, passatempo de criança, como tentar escrever seu nome numa tigela de sorvete derretido. Ele tinha trabalhado o máximo que podia numa ocupação estigmatizada, que lhe coubera fazer desde que nascera, e que, agora, não era mais uma atividade sem lucro. Ele pretendia voltar para casa com as duas mãos e o bolso cheios de dinheiro. Suas estimativas de peso do seu material estavam praticamente corretas. Era a alta temporada dos recicláveis, conectada a um mercado global aquecido, que tinha propiciado à sua família

[3] Bata indiana, vestimenta tradicional de países como Índia, Malásia, Indonésia e Afeganistão (N. T.).

uma renda que poucos moradores de Annawadi já tinham recebido. Ele tinha conseguido um lucro de 500 rúpias, ou 11 dólares, ao dia, o suficiente para dar início ao plano que inspirava o praguejar matinal de sua mãe, que até mesmo os pequenos Husain sabiam respeitar.

Com esta venda, acrescentada às economias do ano anterior, seus pais poderiam, agora, fazer seu primeiro depósito num terreno de 120 metros quadrados num bairro tranquilo em Vasai, perto da cidade, onde os recicladores muçulmanos eram maioria. Se a vida e os mercados globais continuassem o seu caminho, logo, logo eles seriam proprietários de terra, não posseiros, num lugar onde, Abdul tinha certeza, ninguém mais o chamaria de lixo.

2.
Asha

A MÃE DE RAHUL, ASHA, SENTIU UMA CENTELHA de esperança naquele inverno: o Senhorio da Favela de Annawadi tinha ficado apalermado e virado um carola! Embora Robert Pires batesse na sua segunda mulher, ainda permitia que ela vivesse. Ele ergueu um altar cristão do lado de fora de seu barraco e depois montou um segundo santuário para uma deusa hindu. Todos os sábados, na frente desses altares, unia as mãos em oração e pedia perdão por todos os pecados do passado e oferecia chá e pão para as crianças famintas. Durante os dias da semana, com menos diversões vindas do submundo, passava horas numa calma preguiçosa com os nove cavalos que ele criava na favela, dois dos quais foram pintados com listras para que ficassem parecidos com zebras. Robert alugava as falsas zebras, juntamente com uma charrete, para festinhas de aniversário de crianças da classe média, um trabalho honesto que ele achava que colocaria os deuses do seu lado.

Em meio a essas transformações, Asha Waghekar, de 39 anos, percebeu uma oportunidade. Robert tinha perdido o interesse pelo poder, ao mesmo tempo em que ela começava a sentir o gostinho dele. Deixe que outros teçam guirlandas. Deixe que outros separem o lixo. Entre as pessoas da cidade alta que desejavam explorar Annawadi, e as pessoas da favela que desejavam apenas sobreviver, ela queria ser alguém respeitado.

Senhorio da Favela era uma função não oficial, mas os moradores sabiam bem quem ocupava este lugar — uma pessoa escolhida pelos políticos locais e agentes da lei para administrar o assentamento de acordo com os interesses das autoridades. Mesmo numa Índia que se modernizava rapidamente, mulheres administrando favelas eram uma relativa raridade e aquelas mulheres que conseguiam assegurar tal poder, geralmente, tinham herdado terras ou estavam substituindo maridos poderosos.

Asha não tinha herdado nada. Seu marido era um alcoólatra, trabalhador itinerante da construção civil, um homem afundado em sua própria falta de ambição. Como ela tinha criado sozinha seus três filhos, que agora eram adolescentes, poucos vizinhos se lembravam de que ela tinha um marido. Era ela simplesmente Asha, uma mulher independente. Se a situação tivesse sido diferente, talvez ela não tivesse conhecido o valor de seu próprio talento.

A principal contribuição de Robert para a história de Annawadi fora trazer Asha e outros maharashtras para a favela, como parte do esforço do partido Shiv Sena de expandir seus votos na região do aeroporto. Uma ligação pública de água foi feita para atraí-los e, por volta de 2002, os maharashtras tinham superado em número os trabalhadores de Tâmil que tinham, inicialmente, limpado e ocupado o terreno. No entanto, uma maioria é algo difícil de manter numa favela onde quase ninguém tem trabalho permanente. As pessoas vão e voltam, vendendo ou alugando seus barracos num mercado subterrâneo em ascensão e, no começo de 2008, os migrantes do norte da Índia, contra os quais o Shiv Sena tinha feito campanha, tornaram-se a maioria. O que era claro para Asha também ficou claro para o representante do Distrito 76, eleito oficialmente pelo distrito em que Annawadi estava: Robert agora pertencia às suas zebras. Ele tinha perdido interesse pelo Shiv Sena e pela favela.

O representante distrital, Subhash Sawant, era um homem perspicaz e vaidoso que usava maquiagem, tintura de cabelo e óculos escuros de estilo aviador. A escolha óbvia para suceder Robert, como Senhorio da Favela, seria um bem articulado ativista do Shiv Sena, chamado Avinash. Entretanto, Avinash estava ocupado demais com suas próprias coisas para servir ao interesse do representante distrital. Ele estava instalando sistemas de fossas sépticas nos hotéis, em tempo integral, para poder bancar a escola particular de seu filho.

Asha, ao contrário, tinha tempo. Seu trabalho temporário, ensinando crianças do jardim de infância numa grande escola municipal por um salário modesto, fora arrumado pelo representante sem sequer levar em consideração o fato de que sua educação formal tivesse ido só até o 7º ano. Em retribuição, ela passava um bom tempo da aula falando ao telefone celular, resolvendo negócios do Shiv Sena e ainda levava seus vizinhos para as votações. Ela conseguia mobilizar centenas de mulheres para uma marcha de protesto de última hora, portanto o representante concluíra que ela poderia fazer muito mais. Ele pediu a ela para resolver um problema insignificante em Annawadi, e depois mais outro, desta vez menos insignificante, e ainda mais outro, nem um pouco insignificante, e chegou a ponto de lhe enviar um buquê de flores em reconhecimento, e sua esposa gorducha começou a olhar torto para ela.

Asha considerou essas coisas como sinal de um triunfo iminente. Oito anos depois de chegar a Annawadi e investir suas esperanças de melhoria econômica no trabalho político, ela, finalmente, tinha um padrinho influente. Com o tempo, Asha imaginava, até mesmo os homens de Annawadi teriam que admitir que ela estava se tornando a pessoa mais poderosa daquele lugar fedido.

No começo, a maioria dos homens a assediou. De olho nos seus peitos enormes e no seu marido franzino e bêbado, eles sugeriram outros caminhos para que ela pudesse aliviar a miséria de seus filhos. Até mesmo o temido Robert tinha feito sua proposta grosseira numa noite enquanto ela enchia um jarro de água na bica pública. Asha colocou a jarra no chão e retrucou com frieza:

— Como você quiser. Fale, cretino. Quer que eu tire a roupa e dance pra você agora? — Nunca nenhuma outra mulher falara com o Senhorio daquele modo.

Asha tinha desenvolvido uma língua afiada quando criança, trabalhando nos campos de uma vila miserável, a nordeste de Maharashtra. Ter uma linguagem direta foi uma defesa útil já que trabalhava no meio de homens lascivos. Mas discrição e sutileza, qualidades úteis para controlar uma favela, também eram coisas que ela conseguira aprender desde que chegara à cidade.

Ela, agora, enxergava além da verdade mais óbvia: Mumbai era uma colmeia de esperança e ambição, e isso poderia garantir um corolário rentável.

Mumbai era um lugar empesteado de frustrações e invejas. Será que havia uma única alma nessa cidade, rica e desigual, que não culpasse outro alguém por sua própria insatisfação? Cidadãos poderosos acusavam os moradores de favela de tornarem a cidade imunda e inabitável, mesmo quando a superoferta de capital humano segurava os salários de suas empregadas e motoristas lá embaixo. Os favelados reclamavam dos obstáculos que os ricos e poderosos erguiam para evitar que eles participassem dos novos lucros. Todo mundo, em todos os lugares, reclamava de seus vizinhos. Mas, na cidade do século 21, cada vez menos pessoas se juntavam para levar suas disputas até as ruas. À medida que as identidades de grupo baseadas em castas e etnias fragilizavam-se, a raiva e a esperança iam privatizando-se, como tudo o mais em Mumbai. Este processo aumentou a demanda por mediadores hábeis, amortecedores humanos para evitar a colisão de interesses mesquinhos construídos em uma das maiores cidades do mundo.

Com o passar do tempo, é claro, muitos destes amortecedores perderam força. Mas quem sabe se uma mulher, uma relativa novidade, não provaria ter uma vida mais longa? Asha tinha o dom de resolver os problemas de seus vizinhos. Agora que podia contar com o apoio do representante distrital, ela poderia resolver muito mais, além de receber uma comissão. E quando tivesse o controle real sobre a favela, Asha criaria problemas para poder resolvê-los depois, um atalho lucrativo que ela aprendera observando o representante.

Sentir culpa, como a que tomara conta de Robert, era um estorvo para realizar um trabalho efetivo nos canais em volta da cidade, e Asha considerava tudo que fosse emoção um luxo.

— Corrupção, tudo é corrupção — ela falou para seus filhos, balançando as mãos como dois pássaros se preparando para levantar voo.

Certa tarde, quando Asha voltava para casa depois do trabalho, ela diminuiu o passo ao ver uma fila de pedintes alinhados ao longo da parede de seu barraco. Tinha aprendido, com o representante, a vantagem psicológica de fazer as pessoas esperarem. Com um simples aceno de cabeça para seus visitantes, ela atravessou uma cortina de rendas no fundo do barraco e desenrolou o sári vermelho forte que tinha usado no trabalho.

Agora que estava mais velha, seus olhos chamavam mais atenção do que os seios. Ela podia transformá-los em uma arma poderosa num instante, e os meninos que olhavam boquiabertos para sua deslumbrante filha de 19 anos, Manju, davam um passo atrás, como se tivessem sido atingidos por um raio ao dar de cara com seu olhar desaprovador. Quando Asha pensava em dinheiro, seus olhos se estreitavam e olhavam de soslaio. Ela pensava em dinheiro praticamente o tempo todo, portanto os annawadianos costumavam chamá-la de Vesga pelas costas. Mas a grande diferença era o brilho em seu olhar. Com a idade e as frustrações, a maioria dos olhos perdia o brilho. No entanto, os dela eram bem mais radiantes agora do que aparentavam ser numa foto que ela tinha de quando era jovem. Uma garota da roça, magra, alta e sem graça, com a pele queimada do sol, prestes a embarcar num casamento desastroso. Quando Asha olhava aquela foto, ela ria.

Ela saiu por trás de uma cortina usando um vestido caseiro solto, outra estratégia que ela aprendera com o representante. Frequentemente, ele presidia as reuniões na sua sala de paredes e móveis cor de lavanda, usando uma simples camiseta, com as pernas mal cobertas por seu *lungi*[4], enquanto seus solicitantes suavam dentro dos ternos de poliéster. Era como se ele estivesse dizendo: "Suas preocupações não têm nenhum valor para mim, tanto que eu nem me importei em me vestir apropriadamente".

Sentada no chão, Asha aceitou a xícara de chá trazida por Manju e acenou para que o primeiro dos vizinhos começasse a falar. Uma velha com uma face enrugada e bela, cabelos grisalhos e encarapinhados, que não viera para trazer um problema: ela estava chorando de gratidão, porque há três anos, nesta data, Asha o tinha ajudado a arrumar, com o governo municipal, um emprego seguro de lixeira de esgotos entupidos por 90 rúpias ao dia. Isso tinha acontecido antes de Asha se tornar mais ardilosa, quando ela ainda fazia algo para os outros sem pedir nada em troca.

[4] Um tecido geralmente bem colorido, de seda ou algodão, usado como um tipo de saia pelos homens da Índia, Paquistão e Mianmar (N. T.).

Como pagamento, a mulher mais velha comprara para Asha um sári verde barato. Asha não se importou com a cor: era bom que os outros visitantes ouvissem os agradecimentos da velha e vissem o modo como ela apoiava a testa nos pés descalços de Asha.

Outra suplicante falou a seguir: uma dançarina exótica e acima do peso, que tinha perdido seu emprego num bar e estava, agora, vivendo como concubina de um policial casado. Ela tinha que ficar à disposição do policial no mesmo barraco que dividia com sua mãe e seus filhos, o que estava causando brigas homéricas.

— Ele vai deixar de vir aqui por causa dessas brigas. E, então, o que nós vamos comer?

Asha estalou a língua na boca. Uma campanha moralista tinha afastado a maior parte do comércio sexual da área do aeroporto, e as "mulheres da vida", como eram conhecidas, tinham agora três péssimas alternativas para satisfazer seus clientes: nos barracos de suas famílias, atrás de uma fileira de caminhões estacionados, à noite, do lado de fora de Annawadi ou no bordel de um quarto só, cheirando a cabras.

Rapidamente Asha deu seu conselho:

— Explique com mais clareza para sua família as vantagens, em longo prazo, desta ligação. Talvez o policial não esteja ajudando muito agora, mas, mais tarde, quem sabe, talvez ele reforme a sua casa. Então, fale para eles ficarem quietos e esperarem para ver.

Enquanto falava, ela passou a ponta dos dedos sobre seu novo piso de cerâmica laranja. Oito anos antes, quando Annawadi ainda era um assentamento pequeno, seus três filhos tinham pulado na carroceria de um caminhão para roubar madeira e placas de alumínio com as quais sua família tinha martelado e construído um barraco. Agora o barraco tinha parede de gesso, um ventilador de teto e um altar de madeira com uma vela elétrica, além do *status* de um refrigerador que mal funcionava. No entanto, o lugar era estreito e abarrotado. Isto fora um acordo. Para financiar as melhorias que convenceriam seus vizinhos a respeito de sua condição superior, ela tinha alugado partes de sua casa para alguns daqueles recém-chegados que continuavam a vir sem parar a Mumbai.

Inquilinos migrantes estavam amontoados num quarto ao lado, no quartinho dos fundos e no telhado.

Embora Shiv Sena fosse hostil com tais migrantes, Asha fora sempre mais pragmática que ideológica, e não descartava nenhuma oportunidade, por menor que fosse, de ganhar algum dinheiro.

— Por que vocês se importam quando outras pessoas nos chamam de avarentos? — ela perguntou a seus filhos. Como diziam na sua aldeia, "gotas de chuva enchem o lago".

— Seja rápida, tem muita gente esperando — Asha falou ao celular. Era sua irmã mais nova, de quem ela tinha ciúmes. O marido da irmã era um motorista trabalhador, e o barraco deles, numa favela ali perto, tinha aparelho de som e quatro cachorrinhos peludos brancos para eles se distraírem. O consolo de Asha era saber que a filha da irmã era sem graça e não muito inteligente, nada parecida com a sua Manju, a única garota de Annawadi que iria para a faculdade e que estava, agora, amassando o pão para o jantar e fingindo não escutar as conversas da mãe.

A irmã de Asha estava tentando entrar para o negócio de resolver problemas e viu uma oportunidade chegar quando uma garota hindu, que morava em sua favela, fugira com um garoto muçulmano. Asha foi para o lado de fora de sua casa e disse em voz baixa:

— A coisa mais importante — aconselhou sua irmã — é que você pegue dinheiro da família da garota, mas nunca diga que é você que está pedindo, diga que é a polícia que está exigindo. Tenho que ir agora.

Quando Asha voltou, um velho amigo, Raja Kamble, empertigou-se, pois era sua vez de falar. Asha e o senhor Kamble tinham chegado a Annawadi na mesma época; seus filhos tinham crescido juntos. Agora dava pena só de olhar para ele. Ele era apenas carne e osso. Asha era a esperança para salvar sua vida.

O senhor Kamble tinha sido mais pobre do que Asha quando criança: fora abandonado ainda bebê; vivera nas ruas; fizera trabalhos desanimadores, entre eles o de se arrastar, de escritório em escritório, vendendo paninhos perfumados para passar no bocal dos telefones e recebendo uma comissão mínima.

— Quer um paninho perfumado para seu telefone, *sa'ab*? Para esconder o mau cheiro do verão?

Quando tinha 30 anos, ele teve um golpe de sorte. Ao trabalhar num quiosque de comida, na estação de trem, um cliente regular, funcionário de serviços gerais da prefeitura, tinha gostado dele e sentira pena. Resumindo, o homem ofereceu a ele seu próprio sobrenome, Kamble, uma noiva e a grande conquista que todo pobre que mora em Mumbai sonha ter: um emprego permanente, como o dele.

O emprego era para limpar banheiros públicos e falsificar as planilhas de presença de seu benfeitor e de outros funcionários da limpeza, para que eles pudessem assumir outros trabalhos, além de coletar mensalmente o salário do município. O senhor Kamble se sentiu honrado por esta responsabilidade. Ele, sua esposa e três filhos construíram paredes de tijolos em seu barraco e, em uma delas, colocaram uma gaiola para dois pombinhos de estimação. (No tempo em que fora morador de rua, passara a gostar de pássaros.) O senhor Kamble tinha sido um dos maiores sucessos de Annawadi, um homem merecedor de títulos como *ji* ou *mister*, até o dia em que ele desmaiou enquanto limpava uma privada.

Seu coração estava ruim. O departamento de limpeza o mandou embora, dizendo que, se ele conseguisse uma nova válvula para o coração e um atestado do médico liberando-o, ele poderia voltar ao trabalho. Os hospitais públicos de Mumbai deveriam fazer tais operações praticamente sem nenhum custo para o paciente, mas os cirurgiões exigiam pagamento debaixo dos panos. Um cirurgião do Hospital Sion pediu 60 mil rúpias. O médico do Hospital Cooper pediu ainda mais.

A cada duas pessoas que subiam um degrau em Annawadi, havia uma que despencava catastroficamente. No entanto, o senhor Kamble ainda tinha esperanças. Nos últimos dois meses, ele tinha se arrastado pelas ruas de Mumbai pedindo ajuda de políticos, organizações de caridade e empresas para conseguir doações para sua válvula cardíaca. O representante distrital tinha doado 300 rúpias. Um executivo de uma fábrica de tintas tinha oferecido mil. Depois de centenas de súplicas, ainda estavam faltando 40 mil rúpias.

Agora ele estava dando um sorriso forçado para Asha, dez dentes amarelados que pareciam enormes em seu rosto acabado.

— Não quero esmola — ele falou. — Quero consertar meu coração para poder continuar trabalhando e ver meus filhos se casarem. Então, será que você consegue um financiamento do governo para mim?

Ele sabia que Asha era uma participante menor de uma falcatrua envolvendo um dos muitos programas que o governo de Nova Délhi tinha criado para tirar mais cidadãos da pobreza e ajudá-los a crescer. O governo estava emprestando dinheiro a taxas subsidiadas para ajudar pequenos e pobres empresários a começarem negócios que gerassem mais empregos. Contudo, essas empresas, às vezes, eram fictícias. Por exemplo: um morador da favela requisitava um empréstimo para um negócio imaginário; um funcionário do governo local iria certificar-se de quantos empregos este negócio traria para a comunidade; e um executivo do banco estatal Dena Bank aprovaria o empréstimo. Então, o funcionário público e o gerente do banco ficariam com uma parte do empréstimo. Asha, que era amiga do gerente do banco, estava ajudando-o a selecionar os annawadianos que receberiam os empréstimos. Ela mesma receberia parte do dinheiro do empréstimo, claro.

O senhor Kamble tinha decidido que seu negócio imaginário seria uma barraquinha de comida, exatamente igual àquela em que ele trabalhava quando sua sorte mudou. Se conseguisse um empréstimo de 50 mil rúpias e pagasse 5 mil para cada um dos intermediários, Asha, o gerente do banco e o funcionário público, faltariam apenas 5 mil rúpias para pagar a válvula do coração, e ele poderia recorrer a um agiota para conseguir o resto.

— Você entende a minha situação, Asha — ele explicou. — Sem trabalho e sem rendimentos até eu conseguir a operação. E se eu não fizer a operação... você sabe.

Ela o olhou longamente e fez o barulho sh-sh, estalando a língua, como de costume quando estava pensando.

— Sim, posso ver que você está num estado deplorável — ela disse depois de um minuto. — Em minha opinião, você deveria ir ao templo. Não, vá até o meu guru, Gajanan Maharaj, e reze.

Ele pareceu atordoado.

— Rezar?

— Sim. Você deveria rezar por todas as coisas todos os dias. Um empréstimo, boa saúde. Reze para este guru. Mantenha a esperança, diga a ele para lhe ajudar e talvez você consiga.

A filha de Asha, Manju, respirou fundo. Desde criança, ela desejou que o bondoso senhor Kamble fosse seu pai.

E ela sabia, assim como ele também sabia, que, quando Asha dizia para alguém ir ao templo e procurar o guru, isso significava que ele deveria voltar com uma proposta financeira mais atraente.

— Mas somos amigos, você me conhece há tanto tempo, então imaginei... — Parecia que o senhor Kamble tinha engolido areia.

— Conseguir um empréstimo não é uma coisa tão simples. É por sermos amigos que eu quero que os deuses o ajudem de modo que você viva uma vida longa e próspera.

À medida que o senhor Kamble se arrastava para longe dali, Asha teve certeza de que ele voltaria a procurá-la antes mesmo de ir a qualquer templo. Um homem à beira da morte deveria pagar muito para viver.

Ultimamente, até mesmo Asha estava se esquivando de ir ao templo. Ela se considerava uma mulher religiosa, mas, nas últimas semanas, tinha percebido que não importava se rezasse ou fizesse jejum, ela sempre conseguia o que queria sem depender dos deuses. Já há algum tempo, ela pretendia rezar pelo infortúnio de uma vizinha que havia falado coisas grosseiras sobre o tipo de relacionamento de Asha com o representante distrital, mas antes de Asha poder fazer qualquer coisa, o marido da mulher ficou doente, seu filho mais velho foi atropelado por um carro e seu filho caçula caiu da motocicleta. Asha concluiu, por essas e outras evidências, que ela caíra nas graças da sorte. Talvez, tenha ocupado o lugar que o senhor Kamble deixara vago.

Do outro lado da sala, sua filha estava tendo um acesso de mau humor, em silêncio, do tipo que Manju sempre aparentava. Jogava com violência as cebolas cortadas na frigideira, com tanta força que algumas pularam para fora e caíram no chão. Asha franziu o cenho. Mais tarde, naquela noite, a garota iria, sorrateiramente, encontrar sua amiga Meena perto da bica d'água e, sem sombra de dúvidas, iria reclamar da atitude da mãe em relação ao vizinho moribundo. Esses encontros de Manju com a amiga eram escondidos da mãe, mas tudo o que acontecia em Annawadi, mais cedo ou mais tarde, chegava ao conhecimento de Asha.

Asha estava satisfeita com o comportamento obediente de Manju, sua beleza aplaudida por todos na localidade, e os estudos para a faculdade que lhe granjearam nomes estranhos como "Titânia" e "Desdêmona" entre o pessoal de casa. Mas Asha considerava que o sentimentalismo de Manju era resultado de uma falha sua como mãe. A garota passava as tardes ensinando inglês para algumas das crianças mais pobres de Annawadi, um trabalho que tinha sido, inicialmente, ideia de Asha, já que traria 300 rúpias ao mês. No entanto, Manju ficava sempre falando sobre esta ou aquela criança cuja madrasta lhe batia.

Asha entendia bem suas próprias contradições em relação a Manju, inclusive aquela de que se tem orgulho por ter poupado seus filhos da miséria, enquanto, ao mesmo tempo, se ressente de eles terem sido poupados. Na infância de Asha, se faltasse comida em casa, as meninas da família ficavam sem comer. E, embora muitas pessoas falassem da fome como um assunto do estômago, Asha lembrava-se era de seu gosto, uma coisa amarga, entranhada na língua, e que permanecera por ali até décadas mais tarde. Mas Manju olhava para sua mãe com compaixão, não compreensão, quando Asha tentava descrever isso.

Apesar de Asha procurar sempre um ângulo financeiro nas disputas de seus vizinhos, a maioria delas era simplesmente tediosa, por exemplo, as picuinhas com o criador de cabras muçulmano, as brigas entre Zehrunisa Husain e Fátima, a Perna Só, e brigas a respeito de beliscões entre as crianças. Asha não se importava com nenhuma das mulheres. Fátima batia nos seus filhos com suas muletas. E Asha achava Zehrunisa intolerantemente presunçosa. Há apenas três anos, num período de monção, os Husain nem tinham teto sobre suas cabeças e, naquela época, Rahul imitava com perfeição o pranto de Zehrunisa. Mas, aparentemente, ela e seu filho apalermado, Abdul, estavam ganhando dinheiro agora. "Dinheiro sujo muçulmano, *haram ka paisa*", era como Asha pensava. Suas próprias aspirações eram voltadas para iniciativas antipobreza, não lixo.

Um grupo de autoajuda às mulheres, patrocinado pelo governo, parecia algo promissor agora que ela sabia como manipular verbas. Supostamente, o programa tinha o intuito de encorajar, financeiramente, mulheres vulneráveis emprestando-lhes o dinheiro da poupança de outras mulheres a baixas taxas de juros. Mas o grupo de autoajuda de Asha preferia emprestar o dinheiro acumulado a altas taxas para mulheres mais pobres que elas, que foram excluídas de seu grupo, como a velha limpadora de esgoto que lhe trouxera um sári, por exemplo.

Assim, mesmo quando os jornalistas estrangeiros vinham a Mumbai para ver se os grupos de autoajuda estavam fortalecendo as mulheres, os funcionários do governo muitas vezes os levavam para conhecer Asha. Seu trabalho era juntar ao acaso mulheres da vizinhança para sorrir timidamente, enquanto os funcionários discorriam sobre como seu grupo as tinha tirado da pobreza. Manju era apresentada como propaganda de sua vitória:

— E agora minha filha entrará para a universidade, sem depender de homem nenhum.

As mulheres estrangeiras sempre ficavam emocionadas quando ela falava isso.

— As pessoas importantes acham que porque somos pobres não entendemos muita coisa — ela falou para seus filhos. Asha entendia bastante. Ela era uma garantia no jogo nacional de faz de conta, em que muitos dos velhos problemas da Índia, pobreza, doença, analfabetismo, trabalho infantil, estavam sendo discutidos agressivamente. Enquanto isso, outros velhos problemas como corrupção e exploração do fraco pelo menos fraco continuavam com mínima interferência.

No ocidente, e entre alguns da elite indiana, esta palavra, "corrupção", tinha conotações puramente negativas; era vista como uma barreira para as ambições da Índia moderna e global. Mas para os pobres de um país onde a corrupção roubava um número enorme de oportunidades, essa mesma corrupção tornava-se uma das oportunidades genuínas que restavam.

* * *

Enquanto Manju terminava de cozinhar, Asha ligou sua TV, que tinha sido a primeira em Annawadi, ainda que alguma coisa estivesse errada com as cores. O apresentador do jornal estava rosa, enquanto fazia atualizações do famoso Baby Lakshmi, um bebê que nasceu com oito membros e foi batizado com o nome da deusa hindu que tinha vários membros. Há alguns meses, uma equipe importante de cirurgiões de Bangalore tinha realizado a cirurgia para a retirada dos membros. A história seguia o roteiro costumeiro: a maravilha da tecnologia médica, o heroísmo dos cirurgiões, o videoclipe da garotinha de 2 anos brincando em casa, supostamente feliz e normal. Mas, mesmo numa tela de TV ruim, era óbvio que a garota não estava bem. Asha achava que a família da menina poderia ter se saído melhor financeiramente se tivesse deixado a bebê daquele jeito e exibissem-na em circos e shows por todo o país. Mesmo assim, era o tipo da reportagem de transformação cirúrgica que chamaria a atenção do senhor Kamble, que assistia ao mesmo canal na língua marathi, o que atiçava ainda mais as coisas.

Todos em Annawadi queriam ser um daqueles milagres, cujas vidas eram transformadas nesta nova Índia. Eles queriam passar de um zé-ninguém para um herói, como diz o ditado, e queriam isso muito rápido. Asha acreditava nos milagres da nova Índia, mas acreditava que eles aconteciam gradualmente, como quando a fortuna que recai sobre seus vizinhos é distribuída também ao seu redor.

Seu maior objetivo era tornar-se não apenas a Senhoria da Favela, mas a representante do Distrito 76, um sonho tornado possível pela progressiva e internacionalmente aclamada legislação. Num esforço para assegurar que as mulheres tivessem um papel significativo no governo da Índia, os partidos políticos tinham que cumprir a exigência de colocar um determinado número de candidatas mulheres para determinadas eleições. Da última vez em que o Distrito 76 tivera uma chapa só de mulheres, o representante Subhash Sawant colocara sua empregada doméstica. A empregada ganhou a eleição, e ele continuou a administrar a região. Asha acreditava que ele talvez a escolhesse para concorrer na próxima eleição com candidatas mulheres, já que sua nova empregada era surda e muda, ideal para guardar seus segredos, mas não boa para fazer campanha.

O Distrito 76 continha muitas favelas maiores que a sua, mas Asha tinha acabado de dar seu primeiro passo para conquistar uma reputação além das fronteiras de Annawadi: investira numa enorme faixa plástica com seu nome, com foto colorida, e uma lista dos seus feitos como representante da ala feminina do Shiv Sena. O banner foi colocado no mercado, ao ar livre, e ficava visível a uns 700 metros de distância. Infelizmente, ela tivera que incluir fotos de outras três mulheres do Shiv Sena. O representante a advertira mais de uma vez para não monopolizar créditos.

— Mas eu tive que arcar sozinha com todas as despesas — ela reclamou para seu marido, que apareceu para o jantar bem alegrinho com a bebida, em vez de estar tão bêbado a ponto de brigar, o que era um alívio. — Essas outras mulheres ainda têm a mentalidade de aldeia — ela contou a ele. — Elas não entendem que, se você gastar um pouco antes, vai lucrar muito depois.

Rahul e seu filho mais novo, Ganesh, chegaram também. Asha, de pé, riu tentando levantar a bermuda cargo de Rahul para cima dos seus quadris.

— Eu sei que esta é a moda, sua moda, a moda norte-americana — ela concordou. — Tanta coisa e ainda mais essa bobagem.

Cada um deles pegou um prato de lentilhas, legumes empapados e pãezinhos de trigo tortos, uma refeição cuja falta de gosto parecia intencional, e talvez fosse mesmo, como o resultado da raiva silenciosa de Manju pelo que acontecera com o senhor Kamble.

Asha sabia que sua filha a condenava por suas tramas e negociatas e pelos encontros noturnos com o representante, policiais e burocratas do governo para discutir essas tramoias. Mas essa política, pela qual Manju tinha desprezo, tinha dado a ela uma educação superior e algum dia levaria todos eles para a classe média.

— Então, vou ter que lhe ensinar novamente como fazer estes pãezinhos? — Asha brincou com a filha, segurando um deles alegremente nas mãos. — Vamos lá! Quem vai querer casar com você quando vir esse pãozinho ridículo?

A massa pendurada na ponta dos dedos de Asha era tão peculiar que até mesmo Manju deu risada, e Asha chegou à conclusão, erradamente, de que sua filha esquecera a questão do senhor Kamble.

3.
Sunil

ABDUL ESTAVA SEMPRE INQUIETO, MAS EM fevereiro de 2008 os catadores perceberam que havia algo mais: o tilintar das moedas em seu bolso, o movimento nervoso das suas pernas como se estivesse se preparando para uma corrida, mastigando um palito de fósforo de madeira enquanto sua língua fazia um movimento estranho atrás dos dentes. Por toda a cidade, gangues de jovens maharashtras começaram a bater em migrantes vindos do norte, os bhaiyas, como eram chamados, na esperança de expulsá-los da cidade e facilitar a busca por empregos.

Embora Abdul tivesse nascido em Mumbai, o fato de que seu pai tinha vindo do norte fazia de sua família um alvo, e não de forma abstrata. Desordeiros gritando "Ataquem os bhaiyas!" estavam circulando pelas favelas do aeroporto, saqueando pequenos comércios de indianos do norte, incendiando carros de taxistas dessa região e confiscando os lucros dos vendedores ambulantes migrantes que exibiam suas mercadorias em cobertores.

Estes tumultos de pobres contra pobres não eram um fato espontâneo; os protestos tinham raízes na falta de trabalho na cidade. Tumultos raramente eram espontâneos na Mumbai moderna. Ao contrário, a campanha antimigrante fora orquestrada na cidade alta por um político aspirante, um sobrinho do fundador do Shiv Sena. O arrogante rapaz queria mostrar aos eleitores que o novo partido político que ele havia criado detestava bhaiyas como Abdul, ainda mais que o partido Shiv Sena.

Abdul parou de trabalhar e começou a ficar dentro de casa para evitar a violência, sobre a qual histórias sinistras eram contadas pelos catadores que perambulavam pelos quatro cantos da cidade. Costelas quebradas, cabeças rachadas, dois homens incendiados.

— Basta! — Abdul gritou uma noite. — Por favor, vocês podem parar de falar sobre isso? Os tumultos são apenas uma demonstração de força, são alguns poucos cretinos fazendo barulho e intimidando as pessoas.

Abdul estava repetindo as palavras reconfortantes de seu pai, Karam, que sempre procurou manter seus filhos longe dos aspectos da vida indiana que estavam além do controle deles. Embora Karam e Zehrunisa, de vez em quando, falassem aos sussurros sobre os tumultos que aconteceram na cidade em 1992-1993, entre hindus e muçulmanos, e sobre o tumulto de 2002, no estado fronteiriço de Gujarat, eles criaram seus filhos ao som de canções patrióticas sobre a Índia, em que cidadãos tolerantes de mil etnias, crenças, línguas e castas diferentes viviam em harmonia.

"Nosso Hindustão é o melhor lugar do mundo todo,
Nós somos seus rouxinóis; e o jardim, nossa morada."

Essa canção, baseada nos versos do grande poeta urdu Iqbal, tocava todas as vezes que o celular de Karam tocava.

— Primeiro essas crianças têm que aprender a ir atrás do pão e do arroz — ele explicou para sua esposa. — Quando forem mais velhos, eles podem se preocupar com as outras coisas.

No entanto, Sunil Sharma, um sensível catador de lixo de 12 anos, pôde perceber o nervosismo com que Abdul mastigava aquele palito na sua boca. O separador de lixo aparentava estar bem preocupado.

Sunil, um bhaiya hindu, pensou em Abdul, alguém que ele imaginava trabalhar mais pesado que qualquer outra pessoa em Annawadi: "Ele fica com a cabeça baixa noite e dia". Sunil ficou espantado uma vez quando viu o rosto do separador de sucatas sob a luz do sol. Com exceção dos olhos de criança, negros como o abismo, Abdul parecia um homem velho e alquebrado.

Sunil era um garoto miserável, menor ainda que Abdul, mas se considerava mais sofisticado que os outros catadores de lixo. Ele era particularmente esperto para sua idade devido a uma série de motivos. Foi uma habilidade que adquiriu nos dias em que passou no orfanato das freiras da Santíssima Trindade.

Embora Sunil não fosse um órfão, ele entendia muito bem que frases como "Órfãos da aids" e "Quando eu era assistente de Madre Teresa" ajudavam a Irmã Paulette, a freira que administrava o lar de crianças da Santíssima Trindade, a receber doações em dinheiro de estrangeiros. Ele sabia por que ele e as outras crianças ganhavam sorvete apenas quando os fotógrafos dos jornais vinham visitar, e por que a comida e as roupas doadas para as crianças eram furtivamente revendidas, do lado de fora das grades do orfanato. Sunil raramente ficava com raiva quando descobria as razões secretas por trás do comportamento das pessoas. Perceber como o mundo funcionava, além das mentiras, era para ele uma armadura. E quando a Irmã Paulette decidiu que os meninos acima de 11 anos eram muito difíceis de tratar e Sunil foi mandado para a rua, ele tentou se concentrar no que tinha aprendido durante aqueles anos todos em que ficara sob sua guarda. Ele tinha aprendido a ler na língua marathi, assim como em sua língua-mãe, híndi. Aprendeu a contar até cem em inglês. Como achar a Índia no atlas geográfico. Como multiplicar, mais ou menos. E como as freiras não eram diferentes das pessoas comuns, apesar de elas costumarem dizer o contrário.

A irmã dele, Sunita, dois anos mais jovem, não quis ficar no orfanato sem ele, então, os dois, juntos, caminharam de volta para Annawadi, onde a mãe deles tinha morrido de tuberculose há muito tempo. O pai deles ainda alugava um barraco na viela mais fedorenta de Annawadi, onde porcos selvagens se refestelavam na comida podre do hotel. A casa tinha três metros de comprimento e dois metros de largura, imunda, sem luz e abarrotada de madeira para o fogão; e Sunil sentia quase tanta vergonha da casa como sentia de seu pai.

Quando o homem ficava bêbado, ele cheirava mal. Quando não estava bêbado, ele trabalhava na construção de estradas e voltava a cheirar mal novamente, e raramente deixava dinheiro guardado para comida. Sunil, sozinho, tomava conta de Sunita. Uma vez, quando ele tinha 5 ou 6 anos, ele a perdeu por uma semana, mas depois disso ficou cuidadoso para não deixá-la mais para trás.

Perder Sunita era uma das poucas lembranças nítidas da infância de Sunil, e como aquilo perturbara a mãe de Rahul, Asha. De repente, ela tornou-se sua aliada, procurando por Sunita e encontrando-a no sul da cidade e, então, entrou com violência no barraco do pai dele dizendo que seus filhos iriam morrer se ele continuasse a beber daquele jeito. Algum tempo depois, Sunil e Sunita atravessaram a estrada do aeroporto, cada um deles segurando uma das mãos de Asha, como se fizessem parte de uma família qualquer. Quando chegaram ao portão de ferro preto do orfanato, no entanto, Asha largou suas mãos e partiu.

Nos anos seguintes, Sunil voltava com frequência para Annawadi, bastava ele ter qualquer probleminha de saúde como catapora, icterícia ou até mesmo qualquer questão de saúde que ameaçasse as outras crianças da Irmã Paulette com as quais ele vivia. Portanto, ele estava acostumado com a transição para se readaptar ao trabalho de catar lixo, aos ratos que surgiam das pilhas de madeira para mordê-lo enquanto dormia e um estado permanente de fome.

Nos velhos dias, Sunil e Sunita ficavam parados, silenciosamente, do lado de fora dos barracos de seus vizinhos, na hora do jantar. Mais cedo ou mais tarde, alguma mulher caridosa aparecia com um prato de comida. Sunita ainda conseguia ajuda deste modo, mas Sunil estava agora numa idade para onde a caridade não costumava se estender. Ele parecia ter 9 anos, em vez dos 12 anos de fato, algo que o perturbava quanto à sua masculinidade e que poderia, pelo menos, ter sido de uma utilidade prática. Porém ninguém mais sentia pena dele.

Ele sentia falta disso apenas na hora das refeições. No orfanato, quando as mulheres brancas e ricas os visitavam, Sunil se recusava a suplicar algumas rúpias. Em vez disso, ele acreditava que uma das mulheres iria escolhê-lo e recompensá-lo por sua atitude digna. Durante anos, ele esperou que esta visitante perspicaz fosse olhar para ele; ele planejava apresentar-se como "Sunny"[5], nome de que um estrangeiro provavelmente gostaria. Com o tempo, ele percebeu quão improvável era essa sua esperança e o reconhecimento de sua aparência distinta entre a massa de necessitados. Mas, então, o hábito de não pedir nada a ninguém tinha se tornado parte de quem ele era.

Nas primeiras semanas depois que ele voltou para casa, desenferrujando suas habilidades de catador, pegou as sandálias dos pés de seu pai enquanto ele dormia e as vendeu para Abdul a troco de comida. Ele já tinha consumido cinco *vada pav*[6] quando seu pai acordou e foi atrás dele. Em outro dia, ele vendeu a panela do pai. Suas próprias chinelas, ele tinha trocado por arroz e, depois disso, não havia mais praticamente nada para se vender. As dores da fome podiam ser tratadas com baforadas de bitucas de cigarro descartadas por aí. Ficar deitado de barriga pra baixo também ajudava. Mas nada acalmava sua preocupação de que a fome retardaria seu crescimento.

Sunil tinha herdado os lábios carnudos e os olhos separados de seu pai, além de um cabelo sedoso que caía sobre a testa. (Um orgulho de seu pai era que seu cabelo parecia bonito, mesmo quando sua cabeça estava enfiada numa vala.) Mas Sunil também temia ter herdado o corpo franzino paterno.

Um ano antes, no orfanato, ele tinha parado de crescer. Tentou acreditar que seu corpo estava apenas fazendo uma pausa, reunindo forças para retomar o crescimento. Porém, Sunita já tinha crescido e ficado mais alta que ele.

Para acelerar seu sistema, ele percebeu que teria que se tornar um catador mais especializado, o que incluía, também, não se deixar cair no óbvio de permitir que sua profissão destruísse seu corpo em curto espaço de tempo. Arranhões feitos nos lixões formavam feridas e infeccionavam. Quando a pele rachava, as larvas entravam. Piolhos cobriam a cabeça, a gangrena subia pelos dedos e as pernas ficavam tão inchadas quanto troncos de árvores, e Abdul e seus irmãos mais novos faziam um bolão para ver quem acertava qual seria o próximo catador a morrer.

[5] Em inglês, "ensolarado" (N. T.).

[6] Sanduíche mais popular nas ruas de Mumbai. É um hambúrguer vegetariano (N. T.).

Sunil tinha sua própria aposta: o cara maluco que conversava com os hotéis e acreditava que o Hyatt estava tentando matá-lo.

— Acho que o prazo dele aqui na Terra já acabou — ele falou para Abdul. Mas Abdul disse que achava que seria um cara tâmil, cujos olhos tinham passado do amarelo para o alaranjado, e Abdul acabou acertando.

Como a maioria dos catadores, Sunil sabia como os frequentadores do aeroporto o enxergavam: sem sapatos, sujo, patético. No fim do inverno, ele se defendia disso desenvolvendo um jeito de andar esguio com molejo nos quadris que era usado apenas na estrada do aeroporto. Era o mesmo passo de um menino indo para a escola, com tempo de sobra e sem preocupações. Seu saco de lixo estava vazio na primeira parte de sua rota diária, então ele podia ser enfiado debaixo do braço ou usado sobre os ombros como uma capa de super-herói. Quando a Irmã Paulette passava ao lado dele dentro da van branca com motorista, o saco podia ser usado para cobrir sua cabeça. A Irmã Paulette — Toallete — como ele a chamava agora — ele a imaginava descendo a estrada do aeroporto procurando crianças mais promissoras que ele.

Nesta estrada, no começo da manhã, jovens bem vestidas corriam dos pontos de ônibus para seus empregos nos hotéis, carregando bolsas tão grandes quanto malas. Ele detestava encontrar essas bolsas numa calçada lotada. Elas podiam derrubar uma criança na rua. No entanto, se fosse de madrugada, a cidade ficava tão vazia que tinha lugar para todo mundo. Em vez de ser empurrado pela multidão de pedestres, ele podia fuçar nos jardins que a nova administração do aeroporto tinha instalado nas laterais da estrada. Ele era um escalador excelente e pretendia subir nos coqueiros quando dessem frutos. Sunil tomou cuidado para não pisar nos drogados magrelos que dormiam debaixo dos lírios.

Ele achava interessante que dali da estrada do aeroporto só desse para ver as finas colunas de fumaça que saíam dos fogões de Annawadi. As pessoas do aeroporto tinham construído cercas de alumínio altas e brilhantes ao lado da favela, por onde muitos motoristas passavam antes de virarem para o terminal internacional. Motoristas se aproximando do terminal, vindo de outras direções, veriam apenas um muro de concreto coberto com propagandas de um amarelo brilhante. Os anúncios eram para um piso de cerâmica, tipo porcelanato, e o slogan da marca que cobria toda a extensão do muro dizia: "Lindo para sempre, Lindo para sempre, Lindo para sempre". Sunil caminhava frequentemente por cima do muro "Lindo para sempre" procurando lixo, mas a estrada do aeroporto era irremediavelmente limpa.

Para os catadores de lixo, a estrada em que a carga aérea era carregada e descarregada era, sem dúvida, o lugar mais lucrativo e, portanto, o mais competitivo do aeroporto. Lotado de caminhões, carrocerias, caçambas transbordando de lixo e pequenas barraquinhas de comida, o lugar era, a cada semana, mais e mais procurado pelos catadores. Alguns dos homens apontavam facas para afastar Sunil das caçambas mais promissoras, porém o que mais costumava acontecer era que eles esperassem até que Sunil tivesse enchido seu saco para, então, chutá-lo e roubá-lo. As mulheres da casta matangs, catadoras de lixo tradicionais, jogavam pedras. As mulheres matangs trabalhavam vestidas em sáris vermelhos e verdes, com joias dos seus dotes nos narizes, mas elas eram simpáticas com Sunil, em Annawadi, onde todo mundo esperava na fila para colocar seus sacos na balança. No entanto, pessoas de outras castas estavam invadindo o meio de subsistência histórico dos matangs, porque trabalho fixo estava difícil de encontrar, e o lixo estava sempre por perto. Para os matangs, pessoas como Sunil, que pertenciam a uma casta de carpinteiros de Uttar Pradesh, eram invasores da área de carga.

O pior para os matangs, e para Sunil, era o aumento contínuo da concorrência profissional da coleta do lixo. Um exército de trabalhadores uniformizados mantinha o ambiente do terminal internacional livre do lixo. Grandes empresas de reciclagem recolhiam a maioria do lixo dos hotéis de luxo.

— Uma fortuna incontável — dizia Abdul sussurrando. E, nas ruas, novos caminhões de lixo do município estavam circulando, resultado de uma campanha civil encampada pelas heroínas de Bollywood numa tentativa de combater a reputação de Mumbai como uma cidade suja. Placas laranja cheias de estilo, acima das caçambas, davam as ordens: "Limpem tudo!". Alguns catadores autônomos preocupavam-se porque, em breve, não teriam mais trabalho.

Ao fim do dia de trabalho brutal, Sunil vendia para Abdul o que não lhe tinha sido roubado e, enquanto as matangs faturavam 40 rúpias ao dia, ele raramente conseguia mais do que 15 rúpias, cerca de 33 centavos de dólar. Sunil sentia que nunca cresceria, a menos que descobrisse lugares para furtar que outras pessoas ainda não descobriram e, para tanto, começou a prestar menos atenção nos outros catadores e mais atenção às pessoas que jogavam coisas fora. Era o que os urubus de Annawadi faziam, circulando e observando antes de atacar.

Viajantes ricos certamente jogavam lixos maravilhosos do lado de fora do terminal internacional, mas os seguranças do aeroporto perseguiam os catadores que tentavam chegar perto, mesmo os menores, que queriam apenas ouvir o barulhinho do quadro de chegadas e partidas fazendo "tururu tururu tururu" quando estavam sendo atualizados, como os velhos de Annawadi diziam. Os operários que trabalhavam na construção do novo terminal também largavam lixo, mas seu local de trabalho era fechado por uma cerca de alumínio azul e branca que não facilitava em nada para que se subisse nela. Os policiais da delegacia de polícia de Sahar, que ficava localizada no terreno do aeroporto, tinham seu lixo também, mas, como a maioria das pessoas de Annawadi, Sunil tinha medo da polícia. Ele preferiu concentrar sua atenção na fila de táxis amarelos e pretos perto da delegacia.

Uma barraquinha de comida perto do ponto de táxi servia os motoristas que aguardavam passageiros. A maioria dos motoristas sorvia, em grandes goles, o chá servido em copos plásticos, comiam suas samosas[7] e jogavam o lixo ali mesmo. Este território pertencia a outros catadores, mas Sunil notou que nem todos os motoristas se comportavam do mesmo jeito.

Alguns dos taxistas jogavam seus copos e garrafas sobre um muro baixo de pedra que ficava atrás da barraca de comida. Do outro lado do muro, 10 metros abaixo, ficava o rio Mithi, na verdade, uma eclusa de concreto para onde o rio fora redirecionado quando o aeroporto fora aumentado. Os motoristas, provavelmente, gostavam de imaginar seu lixo batendo na água e flutuando rio abaixo, mas Sunil tinha escalado o muro e descoberto uma borda estreita, que ladeava a

[7] Tipo de pastel empanado indiano (N. T.).

margem, um metro e meio abaixo. Por alguma brincadeira do vento na eclusa, o lixo jogado sobre o muro tendia a voltar e se amontoar nessa faixa de concreto. Era um espaço pequeno no qual somente um garotinho poderia se equilibrar.

É claro que, se tropeçasse e caísse, ele estaria dentro do rio. Sunil sabia nadar, aprendera em Naupada, uma favela perto do Hotel Intercontinental que era inundada a cada monção. Porém, ele nunca tinha ouvido falar de alguém se afogar em Naupada. Naupada era um local próprio para diversão. O rio Mithi, no entanto, com suas correntes fortes, era um lugar perigoso onde gente morria. Depois de alguns saltos, ele sentiu firmeza sob seus pés.

A borda se estendia por 33 metros, do ponto de táxi até uma rampa de tráfego, e as pessoas dirigindo pela rampa, às vezes, diminuíam a velocidade e apontavam para ele enquanto se agachava ali, acima da água. Sunil gostava de pensar que seu trabalho se equilibrando sobre a borda estreita parecesse dramático visto de longe. Na verdade, era bem menos assustador do que trabalhar na área de carga ou catar lixo durante os tumultos, com os homens à sua volta gritando "Acabem com os bhaiyas!". E ele estava disposto a correr riscos para não ficar nanico ou um toco de gente. Seu saco de sucata aumentava de tamanho e ficava difícil carregá-lo enquanto escalava a borda, e Sunil aprendeu a se concentrar apenas no lixo que estava imediatamente à sua frente, evitando olhar para baixo ou adiante.

Em março, os tumultos cessaram, mas suas consequências começaram a surgir em favelas como Annawadi. Muitos indianos do norte estavam há duas semanas com medo de sair para trabalhar. Incapazes de recuperar as perdas de seus salários, alguns migrantes estavam, tardiamente, enchendo de esperanças um novo partido político, o Maharashtra Navnirman Sena, que procurava extirpá-los de Mumbai.

Os pais de Abdul alugavam um quartinho de 13 metros quadrados no fundo de seu barraco para a família de um hindu, motorista de requixá[8] do estado nortista de Bihar. Uma tarde, no meio de março, a angustiada esposa do motorista procurou a mãe de Abdul. Zehrunisa pegou nos braços seu filho Lallu,

[8] Um tipo de carro de três rodas que circula pelas cidades indianas (N. T.).

de 2 anos, e o segurou de encontro ao peito enquanto ouvia as súplicas de sua inquilina.

O marido da mulher e o irmão dele pagavam 200 rúpias ao dia pelo aluguel de seus requixás. Além de não terem trabalhado durante os tumultos, eles ainda foram obrigados a pagar o aluguel do táxi de três rodas. Agora não tinham dinheiro para comprar gasolina nem para pagar o aluguel que deviam aos Husain. A mulher de Bihari pediu paciência a Zehrunisa.

— O que eu posso fazer? Por favor, não nos coloque para fora!

— Ah, mas os tumultos atrapalharam todos nós — explicou Zehrunisa. — Abdul também teve que parar de trabalhar. Não tenho nada a esconder de você. Você bem sabe como é a saúde do pai dos meus filhos. Estamos a ponto de dormir na rua também. — Era seu hábito exagerar sua pobreza para os vizinhos, para os catadores e os policiais que vinham pedir propina.

— Mas seu negócio vai continuar — a mulher bihari falou, mexendo com as pontas do fino véu verde que cobria sua cabeça. — Você não vai perder sua casa. Você sabe como vivemos, trabalhamos para comer. Você vê que meu marido trabalha duro e que meus filhos estão bem. — Seu filho do meio era o melhor aluno na escolinha de Manju, a filha de Asha. Ele sabia uma palavra em inglês para cada letra do alfabeto: *jog – kite – lion – marigold – night – owl – pot – queen – rose.*

Zehrunisa tentou mudar o rumo da conversa para falar de política.

— Allah, aqueles merdas do Shiv Sena, sabe-se lá o que é este novo partido, por tantos anos eles têm tentado nos por para fora. Trabalhamos muito. Quem depende de caridade aqui? Por acaso eles põem comida nas nossas mesas? Tudo o que eles fazem é criar uma *tamasha*[9] inútil...

As pontas do véu da mulher bihari estavam emboladas na palma de sua mão. Ela não queria conversar sobre política, especialmente com Zehrunisa, que parecia uma locomotiva sem freios, então prestou atenção num lagarto na parede que estava esticando o pescoço para alcançar um inseto. Finalmente, ela conseguiu interromper sua senhoria.

[9] Show, espetáculo, entretenimento (N. T.).

— O que o seu coração está dizendo? Não vou reclamar se tiver que levar as crianças de volta para a aldeia, bancando a idiota na frente do meu povo. Pelo menos eu posso plantar alimentos lá. Mas, meu marido e o irmão dele, o que eles vão fazer? Vou deixá-los dormir na rua? — Ela olhou o rosto de Zehrunisa até a mulher muçulmana desviar o olhar.

Era como os catadores costumavam falar da mãe de Abdul: dez homens não conseguiriam arrancar a carteira de seu bolso. À medida que as lágrimas enchiam os olhos da mulher bihari, Zehrunisa embalou Lallu e começou a cantar para ele. Os catadores diziam isso também: ela usava aquele bebê grande e mimado como um escudo. Portanto, os homens bihari foram parar na rua, e a esposa e as crianças voltaram para casa numa viagem de três dias de trem.

— Ela disse para eu ouvir meu coração, e foi o que fiz — Zehrunisa relatou a Abdul alguns dias mais tarde. — Meu coração me disse que, se não recebêssemos o dinheiro, não teríamos como pagar a próxima prestação do nosso terreno em Vasai. E se o seu pai for para o hospital? Finalmente estamos conseguindo ganhar algum dinheiro, mas, se começarmos a achar que estamos seguros, estamos fadados a ficar em Annawadi para sempre, abanando moscas.

— Gente nova vai chegar depois das monções — Abdul falou para Sunil e para os outros catadores, porque foi isso que seu pai lhe contou. — Aonde mais eles poderão ir? — A cidade era cruel com os migrantes, terrível às vezes, mas também era melhor do que qualquer outro lugar.

Durante décadas, o aeroporto de onde o povo de Annawadi tirava sua subsistência foi um lugar bagunçado cheio de remendos com fitas adesivas, banheiros que não funcionavam e uma desorganização completa. Agora, em nome da competitividade global, o governo tinha privatizado o lugar. A nova administração do consórcio, liderado por um conglomerado preocupado com sua imagem, chamado GVK, ficou encarregada de construir um novo terminal, lindo e hipereficiente, um trabalho de arquitetura que impressionasse os viajantes e elevasse o *status* de Mumbai para o de uma cidade globalizada. A nova gerência também foi encarregada de extinguir Annawadi e 30 outros assentamentos de posseiros que surgiram nos terrenos baldios do aeroporto. Embora a remoção da favela do aeroporto tivesse sido proposta e adiada por décadas, o GVK e o governo pareciam dispostos a fazê-lo agora.

Proteger o perímetro do aeroporto era uma das razões para quererem recuperar o terreno das quase 90 mil famílias assentadas ali. O valor da terra era outra razão, já que os barracos se espalhavam numa área que poderia ser desenvolvida verticalmente com um lucro enorme. A terceira razão era que o aeroporto denominado "A nova porta de entrada da Índia", com um logo azul-pavão, tornara-se orgulho nacional. Entre todas as coisas que a globalização vertiginosa tinha mudado a respeito da Índia, uma das mais significativas foi sua sensibilidade em relação às favelas.

Enquanto os grandes bancos nos Estados Unidos e na Grã-Bretanha quebravam, o capital inquieto estava indo em direção ao Oriente. Cingapura e Xangai estavam prosperando, mas Mumbai estava lucrando bem menos. Ainda que ali também houvesse uma abundância de mão de obra jovem, barata e treinável, havia um alto índice de risco para os investimentos, já que a capital financeira da Índia era comumente identificada por *Slumbai*[10]. Apesar do crescimento econômico, mais da metade dos cidadãos da grande Mumbai vivia em casas improvisadas. E enquanto empresários internacionais desciam no aeroporto de Mumbai e olhavam a vista das favelas com nojo, alguns até com pena, nenhum deles considerava a paisagem como prova de uma cidade bem administrada e que funcionasse bem.

Os annawadianos compreendiam que seu assentamento era visto como uma praga e que suas casas, assim como seus trabalhos, eram provisórias. Ainda assim, eles se apegaram a este pedaço de terra que, para eles, estava dividido em três partes diferentes. Abdul e Rahul moravam em Tamil Sai Nagar, a parte mais velha e mais salubre, que tinha banheiros públicos. A faixa do terreno de Annawadi, onde morava Sunil, era mais pobre e rude. Ela fora construída pelos dalits da parte rural de Maharashtra. (No sistema indiano de castas, a mais

[10] Da união das palavras *slum*, favela em inglês, e Mumbai (N. E.).

opressiva divisão de trabalho já elaborada, os dalits, que até já foram chamados de intocáveis, estavam na base da pirâmide.) Os dalits de Annawadi batizaram sua parte da favela de Gautam Nagar, depois que um menino de 8 anos morrera de pneumonia durante uma das periódicas destruições feitas pelas autoridades aeroportuárias.

O terceiro lado de Annawadi era uma rua esburacada na entrada da favela, onde muitos catadores moravam. Este lado não tinha barracos. Os catadores dormiam por cima dos seus sacos de lixo para evitar que fossem roubados por outros catadores.

Ladrõezinhos também dormiam nos barrancos da rua. Seus alvos principais eram as construções em volta do aeroporto, onde os operários descuidados esqueciam parafusos, pedaços de ferro e pregos. Antes de o aeroporto ser privatizado, muitos destes ladrões tinham trabalhado lá, carregando as bagagens dos passageiros em troca de gorjetas. Mas, como parte da transformação que modificou o ambiente do terminal internacional em algo tão exuberante quanto os salões dos hotéis luxuosos, os carregadores maltrapilhos foram banidos, juntamente com as mães que seguravam seus bebês e pediam esmolas para comprar leite e as crianças que vendiam porcarias retiradas de dentro de seus bolsos.

Os carregadores de bagagens que viraram ladrões faziam um pouco mais de dinheiro do que catadores de sucata como Sunil e gastavam grande parte desse dinheiro no arroz com frango e *chilli*, no quiosque de uma chinesa, na estrada do aeroporto. Eles normalmente finalizavam seus jantares com Eraz-ex[11], o equivalente indiano ao americano Wite-Out. As pessoas nos prédios de escritórios jogavam fora os tubinhos prematuramente. Os meninos de rua de Annawadi sabiam o valor daquele sedimento, diluído com cuspe, espalhado num trapo e inalado: era uma infusão que dava coragem para o trabalho após a meia-noite.

Entretanto, cheirar Eraz-ex no longo prazo era problemático. Como Abdul comentara com Sunil, os drogados ou eram magros como palitos ou tinham barrigas inchadas.

[11] Corretor líquido (N. T.).

Abdul se sentia vagamente protetor do catador franzino. O menino ficava animado com coisas não costumeiras, como um mapa da cidade que ele tinha visto, recentemente, do lado de fora da cantina dos trabalhadores do aeroporto. De volta a Annawadi, Sunil falou sobre o mapa como se fosse uma barra de ouro que ele tivesse achado na sarjeta e ficou surpreso quando nenhum outro catador demonstrou interesse. Abdul reconhecia essa vocação para se interessar por descobertas pelas quais outros não se interessavam. Ele nem tentava mais explicar seus próprios entusiasmos e imaginou que, logo, Sunil aprenderia a guardar para si suas próprias descobertas.

Quanto a Sunil, ele não podia deixar de notar que os ladrões drogados se divertiam muito mais do que o sóbrio e trabalhador Abdul. Quando chegava a primavera, eles se juntavam ruidosamente no primeiro centro de entretenimento de Annawadi, uma cabana na estrada com dois enormes consoles vermelhos de *video game*.

O salão de jogos era o chamariz de um velho tâmil que tinha começado competindo com Abdul pelas sucatas trazidas pelos catadores. O tâmil era quase tão esperto quanto Asha. Ele emprestava aos catadores a rúpia que cobrava para jogar no Bomberman ou no Metal Slug 3[12]. Ele emprestava barras de sabonete e dinheiro para a comida. Para os ladrões, ele emprestava ferramentas para cortar fios ou arrancar calotas de carro. Endividados, os catadores e os ladrões tinham que vender seus bens para ele.

Os Husain consideravam isto uma competição desonesta e, em uma noite, à procura de vingança, Mirchi invadiu o galpão de jogos e limpou as caixas de moedas dos consoles. Quando o tâmil descobriu o culpado, ele riu. Os lucros do galpão de jogos eram ínfimos se comparados ao grande retorno que vinha dos bens roubados.

Para Sunil, um dos meninos de rua se destacava dentre os demais: um menino de 15 anos chamado Kalu, que era a única pessoa a quem Abdul chamava de amigo. Kalu zombava do homem do galpão de jogos por usar seu *lungi* curto demais e contestava seus argumentos de que muçulmanos como

[12] Jogos eletrônicos que consistem em destruir os oponentes bombardeando-os (N. E.).

Abdul eram trapaceiros, com ímãs escondidos debaixo de suas balanças. A especialidade de Kalu, como ladrão, eram os recipientes de recicláveis dentro do aeroporto que, frequentemente, continham lascas de alumínio. Embora os contêineres estivessem seguros por cercas de arame farpado, sua tolerância à dor era quase uma lenda. Graças ao Eraz-ex, que também tinha se tornado um bálsamo para os ferimentos causados pelo arame, ele conseguia fazer três viagens sobre as cercas numa só noite. Depois de vender seu metal para Abdul, ele, às vezes, dava algumas rúpias para Sunil comprar comida.

Assim como Sunil, Kalu tinha perdido sua mãe ainda bem jovem e trabalhava desde os 10 anos. Um de seus trabalhos fora polir diamantes numa fábrica local, altamente protegida, o que deixava os outros garotos malucos.

— Por que você não colocou um diamante no seu ouvido?

— Ou dez diamantes no seu rabo!

Eles não estavam convencidos da descrição que Kalu fizera sobre os detectores de diamantes que checavam os operários ao final de cada dia.

O que Sunil mais gostava em Kalu eram as interpretações emocionantes que ele fazia dos filmes a que tinha assistido, para distrair aqueles meninos que nunca foram ao cinema. Com uma voz esganiçada para imitar o bengali, Kalu se transformava na mulher possuída do *thriller* de Bollywood, *Bhool Bhulaiya*. Com um tom gutural de chinês, ele se transformava em Bruce Lee no filme *Operação Dragão*. Ele se recusava a representar *King Kong*, apesar dos imensos pedidos. Ele preferia se transformar em Deepika em *Om Shanti Om*.

— *Arre kya item hai*! — ele dizia, dançando. — Só ela pode se dar bem usando estes modelitos antigos!

Se você analisasse seus traços, veria que Kalu era um garoto simples: olhos pequenos, nariz achatado, queixo pontudo e pele escura. Quando os outros meninos de rua lhe deram o apelido, *Kalu*, que significava "menino preto", eles não estavam fazendo um elogio. Mas ele conquistara *status* não apenas devido à sua tolerância à dor, mas por sua habilidade de fazer todos rirem. Quando se cansava de imitar artistas de cinema, começava a imitar os personagens estranhos que viviam em Annawadi, incluindo a Perna Só, toda cheia de batom, que andava com o bumbum empinado e que, ultimamente, estava transando com um menino de rua viciado em heroína enquanto seu marido saía para o trabalho. Era um grande acontecimento que um garoto de rua estivesse fazendo sexo, mesmo que fosse com uma aleijada como a Perna Só.

Sunil frequentemente bisbilhotava as conversas de Kalu depois do anoitecer e, deste modo, ficou sabendo que muitas vezes os policiais davam dicas sobre os armazéns e as obras da vizinhança para que os meninos de rua soubessem onde poderiam roubar materiais de construção. Os tiras, é claro, ficavam com uma parte do lucro. Uma noite, por volta da meia-noite, Sunil escutou Kalu, estranhamente sério, contar a Abdul sobre uma tentativa de roubo, perto do aeroporto, na qual ele tinha fracassado.

Um policial o levara para uma área industrial com metal espalhado pelo chão e sem cerca de arame farpado, um lugar que Kalu chamava de "as oficinas". Ele chegou às 11h da noite e encontrou alguns pedaços de ferro, mas um segurança tinha vindo ao seu encalço. Kalu jogou numa vala, no meio do matagal, o metal roubado, e fugiu de volta para casa.

— Se eu não pegar o ferro antes do amanhecer, outro menino vai encontrá-lo — Kalu contou a Abdul. — Mas eu estou cansado demais para voltar lá agora.

— Peça então para um desses garotos acordar você mais tarde — Abdul sugeriu.

No entanto, os outros garotos estavam sob efeito de drogas e, de qualquer modo, eles não tinham noção do tempo.

— Eu posso acordar você — Sunil ofereceu. Afinal de contas, os ratos em seu barraco não o deixavam dormir.

— Ótimo — falou Kalu. — Venha às 3h da manhã, mas, se você não vier, estarei acabado.

Kalu falou "acabado" sem dar muita importância, do jeito que ele falava a maioria das coisas, mas Sunil o levou a sério. Ele se deitou no *maidan*, a alguns passos de Abdul, e acompanhou a passagem do tempo pela posição da lua. Quando achou que estava próximo das 3h da manhã foi atrás de Kalu, que dormia encolhido, no banco de trás de um requixá. O adolescente de 15 anos acordou, passou a mão pelos lábios e disse:

— O menino que ia comigo está chapado demais. Você quer vir junto?

Sunil ficou espantado, porém sentiu-se honrado.

— Você tem medo da água? — Kalu perguntou.

— Eu sei nadar. Eu nado no Naupada.

— Você tem um lençol?

Sunil tinha um lençol e correu para pegá-lo e, então, seguiu Kalu em direção à estrada do aeroporto. Enquanto atravessavam a rua, Sunil embrulhou-se no lençol. Embora a noite não fosse fria, ele estava tremendo. Kalu virou-se e deu uma risada.

— Você vai assustar as pessoas deste modo! Vão pensar que é um fantasma! — Com relutância, Sunil enfiou o lençol debaixo do braço enquanto iam pela estrada que levava ao terminal internacional.

Ainda havia carros saindo do aeroporto. Chegadas de voos da Europa e dos Estados Unidos, Kalu comentou; ele aprendera as escalas de voos e os nomes de muitas cidades do mundo enquanto carregava bagagem. Ele disse que os melhores passageiros para dar gorjeta eram os sauditas, americanos e alemães, nessa ordem.

Depois de um placar reluzente escrito "Partidas" e algumas barreiras de segurança que diziam "Boa viagem", os meninos correram em disparada por uma estrada meio pavimentada usada pelos veículos da construção e, então, fizeram uma curva numa viela mais estreita e escura como o breu. Sunil podia correr de olhos vendados. Depois de algumas cercas altas, atrás das quais eram fabricadas as refeições dos aviões, havia um banheiro a céu aberto onde ele encontrara garrafas de água vazias. Os meninos passaram rapidamente sobre este terreno baldio. Agora estavam na beirada de uma enorme vala que escoava água do rio Mithi. Sunil vinha aqui de tempos em tempos para pescar *mangoor*[13] e vendê-los na favela. Quando ele era pequeno, a água era azul, como água de piscina, ele falou. Desde então, ela tinha se tornado preta e fedida, mas o peixe ainda tinha um gosto bom.

Do outro lado da vala, à sua direita, havia cercas de segurança altas protegendo os hangares bem iluminados. Jatos estavam se posicionando para a

[13] Tipo de peixe geralmente encontrado em águas sujas e poluídas (N. T.).

noite. À esquerda, do lado mais distante do escoadouro, para onde Kalu disse que eles estavam indo, tudo estava escuro e quieto. Sunil conseguiu ver uma árvore ashoka cheia de galhos e, por trás dela, várias e indistintas construções parecidas com galpões. Kalu pulou na água fétida e caminhou na direção deles. Sunil também nadou e, então, chapinhou na água quando viu Kalu chapinhando. A corrente no fosso era suave, a monção tinha acontecido há nove meses. Ainda assim, Sunil sentiu o estômago revirar enquanto se arrastava subindo na margem oposta.

O que Kalu chamava de "oficinas" era um enorme e novo galpão industrial. Fundição. Plastificantes. Lubrificantes. Uma fábrica chamada Gold-I-Am Jewels Unlimited. Luzes azuladas na frente de alguns dos depósitos iluminavam as figuras de guardas uniformizados, cujas sombras pareciam enormes.

Sunil queria mergulhar de volta na água, mas Kalu tinha planejado uma rota sinuosa até o mato onde ele escondera o ferro.

— Os guardas não vão ver — ele assegurou. — Vai ser fácil.

E foi exatamente o que aconteceu. O ferro escondido no mato parecia barras de halteres para Sunil e, certamente, pesava como halteres quando levantado. Isso foi o grande dilema da noite: quanto peso poderiam dois garotos aguentar, nadando? Transformando seus lençóis em uma tipoia, eles decidiram carregar três peças de ferro de cada vez.

Cambalearam com o peso da carga, mas 15 minutos mais tarde estavam de volta em Annawadi, ensopados. Quando Abdul acordou, de madrugada, comprou o ferro por 380 rúpias, e Sunil ficou com um terço do lucro. Qual foi a porcentagem que os policiais receberam? Sunil não soube dizer. Kalu parecia bem satisfeito com sua parte do lucro. Para Sunil fora a primeira renda útil da sua vida.

Lá foram eles, então, para Pinky Talkie Town. Kalu foi à frente, em direção ao cinema onde Sunil ficou encantado pelo tapete e pela limpeza. O filme do meio-dia era norte-americano, seu ator principal era um homem chamado Will Smith que, na tela, parecia ser o único sobrevivente humano de uma praga que se abatera sobre a cidade de Nova York. Uma cachorra também tinha sobrevivido a essa peste e tornara-se amiga do herói. O animal era amarelo com uma mancha grande nas costas, como se fosse uma sela, e o homem conversava com ela, como se o animal entendesse tudo. Então, perto do final, ele a estrangulou.

Sunil imaginou que o herói devia ter um motivo para matar sua melhor amiga. Além da peste, havia também um fantasma e uma explosão. Apesar desses acontecimentos, sem sombra de dúvida, contribuírem para a decisão do herói, Sunil não conseguiu entender a lógica da história. Quando ele saiu do cinema escuro para o calor escaldante da tarde de primavera, ele estava se sentindo mal pela traição à cadela. Recuperou-se, em parte, logo depois de comer até ficar com a barriga cheia.

Algumas semanas mais tarde, Kalu pediu sua ajuda novamente e, apesar de Sunil pensar nos ladrões que podiam devorar pratos de arroz com frango e *chilli* e no potencial desta carreira, em contraste com o trabalho de catar lixo, que levava a vermes, infecções e olhos amarelados, ele decidiu, por enquanto, que ficaria com suas latas de lixo e a borda do rio.

Abdul pareceu aliviado com esta escolha, mesmo que Sunil nunca conseguisse adivinhar o que aquele menino com jeito de velho estivesse pensando. Kalu também não o pressionou, o que foi bom, pois Sunil não tinha certeza de que seu raciocínio faria sentido para mais alguém. Tinha a ver com não sentir a euforia que os outros meninos chamavam de "satisfação completa", apesar de aquele ter sido o dia mais rentável de sua vida. A cadela estrangulada fora parte do processo. Ele, às vezes, dizia sobre ser um catador:

— Eu não gosto de mim mesmo fazendo este trabalho. Parece um insulto.

Contudo, ele pensou que gostaria ainda menos de si mesmo se fosse um ladrão. Além disso, as tramoias de Kalu com a polícia de Sahar o deixavam apreensivo.

Mais tarde, Sunil entenderia a extensão do poder que os policiais de Mumbai tinham sobre os meninos de rua de Annawadi. Entretanto, enquanto isso, por melhor que fosse em adivinhar razões, ele só podia concluir que os fatos por trás das ações noturnas de Kalu estavam além da compreensão de um menino de 12 anos.

4.
Manju

O TEMA DESTE ROMANCE, *Mrs. Dalloway*[14], não fazia sentido algum para Manju. A filha de Asha sentia-se tão sonolenta e preguiçosa ao fazer suas leituras para a faculdade que temia ter pegado dengue ou malária novamente — eram os riscos de se viver a dez metros de um lago de esgoto em ebulição. Não, ela decidiu. Era simplesmente o tempo: ainda era primavera e o sol já estava escaldante, uma força branca lancinante que fazia os olhos doerem e deixava os búfalos d'água de Annawadi prematuramente no cio. Manju achou que sua mãe parecia um pouco pálida também, mas isto era provavelmente porque o representante distrital Subhash Sawant, o homem que Asha esperava que fosse torná-la a Senhoria da Favela, fora acusado, no tribunal, de fraude eleitoral.

No início, quando Manju perguntava sobre os boatos que circulavam pela favela, Asha simplesmente dava de ombros. Seu padrinho político já tinha, anteriormente, feito desaparecer duas acusações de assassinato.

— Processos judiciais podem ser manipulados em Mumbai — tinha dito o representante.

Então, por que este peso parecia estar pressionando seu peito? O colarinho pegajoso de sua camisa parecia estar quente demais para a temperatura.

Como o governo da Índia permitia que só mulheres se candidatassem para certas eleições, ele costumava reservar outros pleitos aos candidatos das castas

[14] Romance da escritora britânica Virginia Woolf (N. T.).

baixas, para aumentar a presença de populações historicamente excluídas na liderança política do país. Nas eleições do ano anterior, restritas no Distrito 76 aos candidatos de casta baixa, o representante distrital vencera habilmente. No entanto, Subhash Sawant não era das castas baixas. Ele simplesmente tinha falsificado um novo certificado de casta, um novo local de nascimento e um novo conjunto de ancestrais para se qualificar para a eleição. Pelo menos dez outros candidatos, principalmente do partido Shiv Sena, fizeram a mesma coisa em outros distritos da cidade.

No entanto, o candidato do Partido do Congresso para o Distrito 76, um homem de casta baixa legitimamente, tinha ficado em segundo lugar e estava agora entrando com uma ação, no Tribunal Superior, com provas das falsificações de Subhash Sawant que poderiam justificar a anulação das eleições. De uma hora para outra, o representante sentiu a necessidade de apoio dos cidadãos. Ele estava administrando este distrito por mais de uma década e quase não se lembrava mais do tempo em que dirigia um requixá e fazia pequenos furtos. Então, ele começou a visitar as favelas do distrito para receber o carinho de seus constituintes, na esperança de que isso pudesse, de algum modo, anular a discrepância dos seus documentos.

A visita a Annawadi viria logo a seguir. Asha e Manju reuniriam os moradores da favela num templo cor-de-rosa, perto do lago de esgoto, para rezar com ele por sua vitória no tribunal.

Asha torceu o nariz quando ele deu a ordem. Era época de provas na escola, e os pais estavam relutantes em sair de seus barracos e arriscar que seus filhos abandonassem os livros. Ela teve que usar toda a sua influência para assegurar um número razoável de pessoas.

Ao pôr do sol da noite designada, Subhash Sawant entrou a passos largos em Annawadi, usando um impecável conjunto de safári branco, acompanhado por sua comitiva. Sunil e os outros catadores ficaram olhando boquiabertos, a distância. O representante andava com as pernas abertas como os policiais, como se suas coxas fossem musculosas demais para um andar normal. E havia tanto óleo em seu cabelo que dava para fritar um ovo.

O representante aprovou o *poori bhaji*[15] que Manju e sua amiga Meena estavam preparando para a cerimônia e também ficou bem satisfeito com a decoração no pequeno templo, que estava mobiliado com uma velha escrivaninha de metal. Os tâmiles, trabalhadores da construção civil que fundaram Annawadi, entre eles os pais de Meena, tinham erguido este barraco e o consagrado para Mariamma, a deusa que protege contra as pragas. Com a aprovação de Subhash Sawant, Asha tinha ajudado a reverter o controle do templo para os maharashtras e, depois disso, o templo cor-de-rosa passou a ficar trancado a maior parte do tempo. No entanto, essa tarde, Meena e Manju fizeram uma faxina completa. Removeram as moscas mortas e os restos de cocô de rato e agora os novos ídolos estavam brilhantes.

— Reúna as pessoas e eu virei após o jantar para discursar — o representante disse para Asha, antes que ele e sua comitiva partissem em seus utilitários esportivos. Asha tocou o sino do templo às 20h, e logo o local estava lotado. Enquanto um músico tamborilava a *tabla*[16] suavemente, Asha se ajeitou perto da escrivaninha, e o arremate dourado de seu melhor sári refletiu o brilho de uma dúzia de velas votivas.

Quase todas as pessoas que estavam no templo, incluindo Asha, eram genuinamente da casta mais baixa. A maioria era de migrantes que o Shiv Sena queria banir de Mumbai. De qualquer forma, os moradores vieram não por medo de provocar a raiva de Asha, mas por acreditar em seu próprio representante.

Eles sabiam que Subhash Sawant era corrupto. Tinham certeza de que ele falsificara sua certidão de nascimento.

— Mas só ele vem aqui e mostra sua cara — os annawadianos diziam. Antes de cada eleição, ele usava o dinheiro da cidade ou se aproveitava da generosidade da organização beneficente cristã americana chamada World Vision, para propiciar a Annawadi algumas comodidades: um banheiro público, um mastro para a bandeira, sarjetas e uma plataforma de concreto ao lado do lago de esgotos, onde ele costumava ficar quando ia discursar. E, cada

[15] Bolinhos fritos recheados de molho apimentado, tradicionais do cardápio indiano em dias de festa (N. T.).

[16] Instrumento de percussão muito usado na Índia (N. T.).

vez que ele aparecia, contava aos residentes da favela como estava lutando e se esforçando para impedir que as escavadeiras das autoridades aeroportuárias arrasassem a favela, o que já tinha acontecido parcialmente em 2001 e 2004. No planejamento do projeto de modernização do aeroporto, e do governo de Mumbai, o representante era um peixe pequeno, um político medíocre. Mas, na imaginação dos annawadianos, ele pairava mais alto que o primeiro-ministro da Índia. Ele precisava dos votos deles, e eles precisavam acreditar em seu poder de protegê-los.

— Quando ele vai chegar? — as pessoas perguntaram.

— Em breve — Asha prometeu. O templo lotado começou a ficar fedido de suor. Habitações na favela, até mesmo os templos, eram tomadas pelo calor opressivo e pela agitação da cidade, mas, geralmente, aguentavam a pressão e, na primeira hora, a miséria era suportável. Na hora seguinte, porém, o templo estava repleto de suspiros ansiosos.

O tempo era precioso para os annawadianos, mesmo para aqueles que não estavam preocupados com as provas dos filhos. Eles tinham que trabalhar de madrugada, limpar suas casas, dar banho nas crianças e, acima de tudo, pegar água das bicas públicas antes que elas secassem, o que significava ficar na fila por horas a fio. A municipalidade mandava água encanada para seis torneiras de Annawadi por noventa minutos de manhã e por noventa minutos à noite. Os homens do Shiv Sena tinham se apropriado das torneiras cobrando taxa de uso dos seus moradores. Todos se ressentiam contra esses corretores de água, mas não tanto quanto odiavam o temido assistente social da World Vision que tinha coletado dinheiro dos favelados para comprar uma nova torneira e fugira com o dinheiro arrecadado.

Às 22 horas, a parte de cima do sári de Asha estava com manchas de suor no pescoço e nas axilas, mas ela finalmente tinha conseguido falar ao telefone com o motorista de Subhash Sawant.

— Ele está a caminho — ela falou à multidão e, então, iniciou uma oração em grupo, de modo que quando o representante chegasse encontraria os moradores concentrados em suas preces.

Às 23 horas, ele ainda não chegara. Asha fez um sinal para sua filha.

— Pegue a comida. — Os pratos que Manju tinha preparado eram para ser servidos depois da cerimônia, mas as pessoas estavam começando a ir embora, e nem o representante nem seu motorista estavam atendendo ao telefone.

Os supostos convidados comeram e foram para casa, restando no templo apenas uma dezena de pessoas, a maioria pateticamente bêbada. Asha não conseguiu manter o semblante sereno.

Os que foram embora iriam dizer que Asha tinha prometido trazer o representante e tinha fracassado. Pior ainda, Subhash Sawant, um tipo que ficava acordado até altas horas, chegaria e encontraria um templo vazio. Era uma catástrofe pela qual só ela seria castigada. Ele lhe daria um sorrisinho que era nada mais que um insulto. Diria que ela não tinha o respeito dos moradores e que Annawadi não estava pronto para uma mulher como Senhoria da Favela. Sem sombra de dúvidas, ele mencionaria o número de pessoas que se reuniram nas outras favelas para uma noite bem-sucedida.

Enquanto Asha se lamentava amargamente sobre essas probabilidades para sua filha, um lindo e jovem transexual chegou em Annawadi. Vendo alguém tamborilar preguiçosamente em um templo vazio, todo iluminado, ele entrou e começou a dançar.

O garoto tinha cabelos cacheados longos e grossos, cílios que quase tocavam as sobrancelhas, argolas de metal vagabundas nos pulsos e quadris que começaram a rebolar lentamente, no início. Ele estendeu seus braços, como se fosse uma estátua, enquanto suas pernas bamboleavam. O tocador da *tabla* despertou. Manju ficou boquiaberta. Era como se as duas partes do corpo do transexual, a superior e a inferior, funcionassem por controles diferentes. Ele fez uma pausa para pegar uma vela e a segurou entre os dentes, e então se lançou num giro tão rápido que extinguiu a chama.

Os transgêneros ou transexuais, os *hijras*, de Mumbai eram tão temidos quanto atraentes. Eles traziam má sorte por serem ambíguos sexualmente, e acreditava-se que a má sorte era contagiosa. Quando transexuais vinham à porta da sua casa, você tinha que pagar para eles irem embora. Você pagava um pouco mais se quisesse que eles atirassem fezes na frente de seu inimigo. E assim que as fezes fossem atiradas, o mau-olhado permaneceria, mesmo que seu inimigo contratasse um *baba*[17] para queimar três palitos de incenso num copo de arroz com pó vermelho salpicado por cima.

Seis transexuais viviam em Annawadi e demonstravam sofrimento em seu rosto sujo de maquiagem. Alguns deles vieram para o templo, junto do recém-chegado. Mas este jovem *hijra*, um desconhecido, tinha as feições imaculadas, sua feminilidade não dependia de roupas nem de maquiagem, mas de algo que transparecia em seu rosto. Ele não queria dinheiro para se afastar dali. Estava girando tão rápido agora, que seus cachos caíam perpendiculares ao solo. Seu suor se espalhava e respingava no rosto dos favelados que vieram para dentro do templo, totalmente enfeitiçados pelo dançarino.

Caindo no chão de joelho, ele deu um pinote com o traseiro empinado para o ar e então cantou uma nota alta e límpida, que reverberou com seus movimentos. O nome dele era Suraj e tinha 18 anos. Rahul, filho de Asha, adivinhou na hora o que os outros ainda não tinham percebido: Suraj era puro por debaixo dos jeans apertados. Para a tristeza da sua mãe e irmãs, o jovem sempre sentira, desde pequeno, que era três partes menina e uma parte menino. Agora, ele vivia com as gorjetas que ganhava indo de favela em favela, dançando com tanta intensidade que chegava a ter dores de barriga. Assim como Asha, ele também estava tentando fazer seu nome no Distrito 76.

Duas mulheres foram em sua direção para girar com ele, tornando-se duas manchas sinuosas verde e vermelha. Então, o rapaz caiu no chão. As pessoas levaram um susto, suspeitando que ele tivesse sofrido um ataque, até que ele anunciou que uma deusa dentro dele tinha algo a dizer.

— Yellamma diz para lhe trazerem uma folha de *neem*[18], e ela responderá a todas as suas perguntas sobre o futuro!

Asha franziu o cenho. E se Subhash Sawant chegasse agora e visse essa performance? Ela chegou à conclusão de que isso seria melhor do que se ele encontrasse um templo vazio. As pessoas estavam chegando, pulando para tentar ver o *hijra* entre tantas cabeças. Os meninos de rua vieram, assim como o dono

---

[17] Um homem sábio, santo (N. T.).

[18] Árvore frondosa indiana (N. T.).

do bordel e seus clientes. Os filhos do pastor de zebras, Robert, incendiaram dois pneus no *maidan,* aumentando ainda mais a excitação da noite, enquanto, do lado de dentro do templo, perguntas eram feitas para a deusa alojada na alma do transexual. "Será que devo pegar um empréstimo para reformar a minha casa?", "Devo pagar este homem que me garantiu arrumar um emprego?", "Como vou conseguir pagar o casamento da minha filha?", "O que vai acontecer com meu filho?"

Houve várias perguntas sobre as chances de as crianças passarem nas provas, uma pergunta sobre uma válvula do coração e muitas perguntas sobre as autoridades aeroportuárias.

— Quando esse pessoal do aeroporto vai destruir nossas casas?

Talvez a deusa soubesse mais do que o representante Subhash Sawant.

Ninguém ligava que as respostas chegassem numa linguagem sem nexo ou em alguma linguagem da deusa que ninguém entendia. A voz, quer fosse da deusa ou do transexual, era hipnótica e soava como uma bênção.

As pessoas agora estavam gritando suas perguntas. De dentro da casa dos Husain, do outro lado do *maidan,* dava para ouvir os gritos.

— O que é isso! Quando eles vão calar a boca? — gritou Mirchi, o irmão de Abdul, encostando a cabeça no livro de matemática. Como ele conseguiria estudar para suas provas do 9º ano? Seu pai andava pra lá e pra cá, xingando o representante e os hindus de Annawadi.

— Esses idólatras que não querem nada com o trabalho nos impõem sua algazarra nos cem feriados do ano, e agora nem mesmo é feriado, e eles já enlouqueceram com essa dança... malucos.

O aluno mais adiantado de Annawadi, um rapaz de 21 anos chamado Prakash, vivia próximo ao templo. Ele estava em casa com um livro de economia no colo e a cabeça apoiada nas mãos. Duas gotas de lágrimas molhavam seus dedos. Suas provas finais mais importantes, antes do término da faculdade, estavam sendo sabotadas por um transexual contorcionista. Assim que pudesse, ele fugiria para Bangalore, uma cidade que respeitava os estudiosos.

À 1 hora da manhã, o representante atendeu ao telefone. Ele não viria mais, pois estava ocupado com gente mais importante. Mas ficou satisfeito com o esforço de Asha, pois achou que o barulho enorme que ele ouvia pelo telefone fosse do povo de Annawadi reunido em sua homenagem.

A sorte grande de Asha continuava.

— Vamos pra dentro agora — ela falou para Manju.

— Estou indo — Manju falou distraidamente, com os olhos ainda fixos no transexual molhado de suor. — Mas, mãe! Eu nunca vi nada parecido na minha vida.

Os annawadianos concordavam que Manju era mais gentil e agradável do que precisaria ser. Além de ser linda, tinha uma mãe com muitas conexões políticas. Mas, ainda assim, esforçava-se em uma rotina cansativa: de manhã, ela ia para a faculdade. À tarde, ficava no barraco da família, onde dava aulas na única escola da favela. Nos outros períodos, ela cozinhava, limpava, pegava água e lavava as roupas da família de cinco pessoas. Com essas obrigações realizadas, sobravam-lhe apenas quatro horas de sono por noite, e isso raramente afetava seu temperamento. Mas, nessa primavera, sua serenidade estava sendo posta à prova por uma série de febres e infecções misteriosas.

Asha estava preocupada que o corpo de sua filha estivesse ficando quente, o que aumentava o risco de ela perder sua honra. Mas Manju não correria esse risco. Ela tinha passado toda a adolescência preparando-se para ser um exemplo de conduta correta e gentil, conduta que ela achava que a própria mãe não tinha.

Uma tarde, seu irmão, Rahul, estava parado em frente a um pequeno espelho, preso à parede do barraco. Enquanto massageava o rosto com a loção clareadora de pele de Manju, Fair and Lovely, ele a observou através do espelho manchado. Ela estava ajoelhada no chão, com a trança de cabelos brilhantes jogada sobre o ombro, murmurando palavras em inglês num desespero cada vez maior.

— Que cara... — Rahul falou e Manju olhou para cima.

— Rahul, não use tanto creme!

A loção Fair and Lovely era essencial para manter sua pele clara e, por consequência, seu *status* no mercado de casamentos, porém Rahul e seu irmão mais novo, Ganesh, aplicavam muito mais creme do que ela mesma.

Rahul ligou a TV em que o rato Jerry, do desenho animado, disfarçado com graxa de sapato, convencia Tom de que engolira muitos explosivos, capazes de explodir uma cidade. Manju assistiu por um minuto e suspirou novamente:

— Não sei o que faço — ela disse. — Meus alunos vão chegar em uma hora e eu ainda não acabei meu trabalho. Meu professor de computação falou: "Pergunte à sua mãe o que ela quer que você faça; seu trabalho de Photoshop ou a limpeza da casa?". Se não fizer, ele vai me reprovar. E eu contei o que aconteceu ontem na aula de psicologia? Deixei minha carteira debaixo da escrivaninha para ir ao banheiro e alguém roubou o meu dinheiro. Que gente é essa? E as outras garotas têm muito mais dinheiro do que eu. Mas por que estou falando isso para você? Seus olhos estão grudados na TV, você nem está escutando.

— Eu estou escutando — Rahul protestou. — Você está com tantas preocupações que eu nem sei em qual prestar atenção.

Rahul tinha seus próprios problemas equilibrando-se entre os exames do 9º ano e o trabalho temporário, à noite, no hotel. Ele já conseguia, agora, imitar perfeitamente o modo como os garçons do Intercontinental compunham o rosto quando se aproximavam de um hóspede. Tinham que aparentar um toque de altivez levantando o rosto, demonstrando: "Estou alerta e à sua disposição", e ao mesmo tempo abaixar o queixo e ser servil: "Sou invisível para o senhor, *sir*, se o senhor preferir assim". Seu próprio rosto era franco, com um olhar divertido. As garotas de Annawadi se aproximavam rapidamente dele. Mas ele achava que um rosto mais controlado poderia tê-lo poupado da humilhação que sofrera recentemente, numa festa do hotel.

O problema tinha começado com um DJ que, depois da meia-noite, parecia estar lendo telepaticamente seus pedidos. Uma música da Christina Aguilera, "I am beautiful, no matter what they say", seguida por "Rise up", uma canção dançante que era a favorita de Rahul no momento.

Rise up! Don't be falling down again.
Rise up! Long time I broke the chains.[19]

Os versos, em inglês, não significavam nada para ele, mas o som do baixo era irresistível. Todas as vezes em que a ouvia, ele vibrava por dentro. Quando os primeiros acordes soaram pelos alto-falantes do hotel, ele deve ter dado um sorriso e batucado com o pé. De repente, dois jovens hóspedes estavam puxando seu braço e pedindo para que ele demonstrasse alguns "passos de Mumbai".

Gente branca embriagada era famosa por dar gorjetas generosas. Ele começou, discretamente — pelo menos ele achava — a demonstrar alguns passos, sem mover os ombros e as mãos, apenas a cabeça e os pés.

— Você enlouqueceu, imbecil?

Um funcionário graduado do hotel agarrou seu braço. Outros gerentes vieram correndo do outro lado do salão. Parecia que ele tinha furado um artista de Bollywood com um garfo. Os garçons permanentes deram um risinho dissimulado, enquanto ele era arrastado pelos pés até o quartinho dos fundos. Só mais tarde, quando estava em casa, foi que ele pensou no que poderia ter dito em sua defesa. Se a primeira regra do hotel era não olhar diretamente para os hóspedes, a segunda não era lhes servir o que quer que fosse pedido?

Enquanto isso, no desenho animado, Tom explodia uma casa e a deixava em cacos. Rahul voltou a olhar-se no espelho e Manju começou a ler o texto para sua prova mais importante, literatura inglesa. A tarefa de hoje era o drama da Restauração do século 18 e o livro de Congreve: *The way of the world.*

Manju não tinha lido *The way of the world*, nem seus professores esperavam que ela o lesse. A não ser nas melhores faculdades, dominadas pelas altas castas e estudantes ricos, o ensino das artes liberais indianas era ensinado sem aprofundamento. Em sua medíocre faculdade só de meninas, mantida pelo Lions Club, só lhes era pedido que memorizassem um resumo que a professora fornecia para cada obra literária obrigatória do currículo e, então,

[19] "Levante-se! Não caia novamente. Levante-se! Há muito tempo rompi as correntes" (N. T.).

apresentá-lo novamente no teste e, mais tarde, nos exames da banca examinadora estadual. Manju tinha um dom para a memorização, ela o chamava de "meu jeito de decorar". Mas achou os personagens do livro *The way of the world* difíceis de entender.

— Millament, Mirabell, Petulant. Você já ouviu nomes assim? E ainda tem mais — ela contou para Rahul. — Todo mundo está contando mentiras e enganando as pessoas para conseguir dinheiro, mas não consigo entender o que minha professora escreveu sobre o significado da história, não entendo.

"O amor é subordinado" era o ponto em questão. Embora ela nunca tivesse segurado a mão de um menino de sua própria idade, "amor" era uma palavra em inglês cujo significado ela sabia. No entanto, a palavra "subordinado" lembrava-lhe apenas de sua irritação com a mãe que não tinha mantido a promessa de lhe comprar um dicionário bilíngue de inglês-marathi. Nem Rahul nem sua mãe sabiam inglês, e ambos eram ressentidos contra a língua falada pelos antigos colonizadores da Índia, mas que, hoje, era considerada um requisito para empregos decentes em escritórios e hotéis, enquanto a língua marathi era considerada apenas como uma língua venerável.

Para Manju, a nova importância do inglês era consequência de algo que ela apreciava como um todo: uma Índia mais globalizada e mais moderna. Não importava muito se a pessoa aprendia a língua estudando Congreve ou praticando diálogos com o Chase Manhattan Visa Card, no curso de conversação de inglês Personaliteez Spoken English, ou em um dos cursos de treinamento para trabalhar em um dos call centers internacionais. Competência em inglês era uma credencial que evidenciava o cosmopolitismo e uma educação superior, uma alavanca poderosa para sair das favelas. Seu próprio inglês ainda era lento e desajeitado, embora fosse bom o bastante para ser o melhor em Annawadi.

Quem melhor falava inglês na favela era Prakash, o estudante de economia que morava perto do templo. Na intrincada hierarquia social dos jovens de Annawadi, agora algo menos baseado em castas do que nos futuros prospectos econômicos, Prakash estava por cima. Ele tinha sido da classe média, estudado em boas escolas particulares, antes de seu pai ser atingido por um trem.

Em seu tempo livre, ele vendia fundos de investimento para o ICICI Bank, fazendo ligações impessoais por uma comissão insignificante.

Manju imaginou que Prakash certamente saberia o significado da palavra "subordinado", mas ela nunca tinha conversado com ele. Uma jovem da favela tinha que pesar o valor de cada interação com alguém do sexo masculino, para evitar o surgimento de boatos. As pessoas já estavam fazendo fofocas sobre um jogador de críquete que pegara uma foto dela e a plastificara no formato de um coração... Então, ela foi para fora esfregar a roupa suja e nem olhou de relance para o estudante universitário que estava lendo do lado de fora de sua casa, a alguns metros de distância.

— Mirabell, namorado. Millament, corajosa. Mr. Fainall, corno — ela murmurou trechos do resumo da história, enquanto esfregava a pedra nas enormes calcinhas de sua mãe e nas pequenas camisas do pai. — Não, Mirabell é corajoso.

Ela pegou as roupas torcidas pelo lado de dentro e pendurou-as numa cordinha ao longo da parede. Parte da parede terminava a alguns centímetros do teto, e seu pai prometera fechar aquela fenda há muito tempo, mas ela achava que isso era tão improvável quanto sua mãe chegar em casa com um dicionário inglês-marathi.

Enquanto limpava o fogão de duas bocas, ela repetia:

— Os temas são: casos amorosos, posição social e dinheiro. — Baratas, centenas delas, se espalhavam por todos os lados. Passando por cima de Rahul, que estava dormindo no chão, ela levou uns restos de comida para fora e jogou-os no lago de esgoto que a estação quente tinha transformado, magicamente, num espesso tapete de água forrado de jacintos.

— Mirabell procura conquistar vantagem social por meio do casamento com a bela Millament.

Quando Manju decorava tudo, geralmente ela se imaginava no papel da heroína, mas esta garota, Millament, deixava-a desinteressada; ela ficava choramingando apesar de ser bastante rica e independente para negociar seu próprio casamento. Manju queria ser professora quando terminasse a faculdade e seu maior medo era que, num ataque de fúria, sua mãe a casasse com um menino da aldeia que achasse que a mulher não deve trabalhar e que morresse fazendo as coisas que fazia agora: limpar a sujeira que o vento trouxera para dentro de casa, esfregar o chão e, então, varrer a nova sujeira que tinha entrado enquanto ela esfregava.

— No drama de Congreve, o dinheiro é mais importante que o amor.

Esta era, sem dúvida, a opinião de sua mãe. O irmão mais jovem de Manju, Ganesh, estava na frente da casa, tomando conta do mercadinho que era a mais recente tentativa empresarial de Asha, mas que, infelizmente, não estava dando certo. Para começar o negócio, ela conseguira um dos empréstimos do governo que o senhor Kamble tanto queria para poder financiar sua válvula do coração. Asha queria que seu marido administrasse a loja, mas ele estava usando os rendimentos para se embebedar enquanto trabalhava. No momento, ele estava caído desacordado aos pés de Ganesh.

Manju também não estava muito interessada em dinheiro. Ela ansiava por sua virtude, um desejo que vinha parcialmente do medo. Quando estudava, às vezes, tocava a cicatriz em seu pescoço, resultado de uma noite, há muitos anos, quando ela roubou dinheiro de sua mãe para comprar chocolates. Asha a castigara com um golpe de machado. Por outro lado, ao ser virtuosa, Manju também se rebelava. Era um modo de criticar sua mãe, que parecia ter conseguido o aparelho de TV, e outras vantagens, por se comportar de maneira ruim. A forma como Manju demonstrava sua dignidade era por meio da escola que ela fazia funcionar em seu barraco todas as tardes. A escola era financiada pelo dinheiro do governo central, canalizado pelas obras de caridade católica, e Asha era, oficialmente, a professora. Mas sua mãe estava tão ocupada com o Shiv Sena, que era Manju quem dava as aulas, desde que estava no 7º ano, demonstrando um comprometimento que sua mãe achava irritante. Embora Asha estivesse satisfeita com o pequeno salário que a escola trazia para a família, ela achava que a filha deveria dar aulas apenas nos dias em que o supervisor vinha visitar a escola para checar o trabalho, como muitos outros professores de escolas em barracos faziam.

O governo central chamava as escolas como as de Manju de "escolas-ponte". Sua obrigação era fornecer duas horas de aulas, diariamente, para crianças que trabalhavam ou meninas que ficavam em casa para cuidar das obrigações do lar, de modo a acostumá-los e interessá-las na educação formal. Não era difícil entusiasmá-los. Como todo morador de favela sabia, só havia três meios de se escapar da miséria: encontrando um nicho empresarial, como tinha acontecido com os Husain, que encontraram um negócio rentável no lixo; política e corrupção, nas quais Asha depositava suas esperanças; e, por fim, a educação. Vários pais na favela estavam passando a pão e água para poder pagar ensino particular para seus filhos.

Nos últimos cinco anos, mais de cem escolas foram abertas na região do aeroporto, algumas excelentes e caras; algumas fraudulentas; algumas, como a de Manju, tinham professores adolescentes não qualificados. Porém, todas eram consideradas melhores que as escolas gratuitas da rede municipal, como a Municipal Marol, onde Asha era uma professora contratada. Quase 60% dos professores da rede pública do estado não haviam terminado a faculdade, e muitos dos professores contratados permanentemente tinham pagado uma grande quantia, por baixo dos panos, para os funcionários da secretaria da educação garantirem seus empregos. O representante estava entre aqueles políticos que preferiam capitalizar em cima dessas escolas péssimas em vez de reformá-las. Ele mesmo tinha aberto sua escola particular, usando um testa de ferro.

— Na Marol, nós brincamos, vamos para o recreio, brincamos novamente e então chega a hora do almoço. — Era assim que o garoto nepalês, Adarsh, descrevia as atividades de sua escola municipal. Os almoços gratuitos eram a maior atração. Adarsh ia para a escola de Manju depois do horário de sua escola regular, já que ela sempre estava ensinando alguma coisa. Frequentemente ela contava as histórias que estava tentando memorizar para a faculdade. Os alunos dela, no entanto, não entenderam bem o enredo de *Mrs. Dalloway*, mas nem Manju entendera direito a trama do romance. Mas eles entenderam que *Otelo* era suspeito por causa de sua pele escura.

Do nada, um de seus outros alunos entrou correndo pelo seu barraco com tal velocidade que o pôster de Bal Thackeray, o velho fundador do Shiv Sena, soltou-se do prego que o prendia na parede e caiu no chão.

— Devo! Você está adiantado! — Manju protestou. — E esqueceu-se de tirar os sapatos.

Os olhos dela passaram da trilha de lama no chão para o rosto dele, que estava coberto de sangue.

— Ah — o menino gemeu, segurando a cabeça. — Um táxi...

As crianças de Annawadi eram, constantemente, atropeladas nas ruas de trânsito caótico, geralmente quando atravessavam um cruzamento perigoso para chegar à escola Municipal Marol. Novos motoristas, falando em seus novos celulares, eram uma combinação fatal. Manju deu um salto, agarrou o açafrão que estava em cima do fogão e despejou um pouco do pó amarelo sobre a cabeça de Devo. Açafrão era tão bom para curar ferimentos como para enfeitar noivas, antes do casamento. Ela esfregou o condimento até que ele se misturou com o sangue e virou uma pasta alaranjada brilhante, e então apertou a ferida com força. Manju estava checando para ver se o sangue tinha estancado, quando a mãe de Devo, viúva e caolha, entrou porta adentro, brandindo um pedaço de metal de meio metro.

— Não é um carro que vai matar você! E nenhum deus vai ser capaz de te salvar! Você atravessou a rua sem olhar para os lados, então sou eu mesma que vou te matar!

Devo se escondeu debaixo de um armário de madeira, onde a família de Manju guardava suas posses, e emitiu um choro dolorido, antecipando um gemido. A mãe o puxou para fora e começou a lhe bater com a tira de metal.

— Não! — Manju gritou. — Na cabeça, não! Não onde ele já está machucado!

— Vou quebrar todos os seus dentes! Vou deixar sua carne vermelha — a mãe de Devo gritava.

O caminho mais rápido e certeiro para a ruína financeira, em Annawadi, era um ferimento ou doença, e a mulher já estava endividada com um agiota que tinha financiado a última internação de seu finado marido.

— Se o motorista o tivesse machucado ainda mais, como eu pagaria o médico? Me diga, Devo. Por acaso eu tenho uma rúpia para gastar salvando a sua vida?

— Pare — Manju gritou, tentando, sem sucesso, segurar os braços da mulher. Rahul, acordado agora, revirou os olhos com enfado; ele achava que a escola no barraco era um ímã para grandes dramas familiares. Quando as coisas se acalmavam, Manju podia entender que os pais ficassem aterrorizados de perder o controle sobre seus filhos numa cidade onde os perigos pareciam se multiplicar, uma cidade que eles não entendiam bem. E por mais que Manju detestasse violência de qualquer tipo, um castigo pesado, como o golpe de um machado, podia ser eficiente para manter as crianças perto de casa.

Entretanto, a mãe de Devo tinha perdido a noção das coisas. Manju jogou-se entre mãe e filho e conseguiu agarrar a mulher num abraço.

— Promete — Manju falou ofegante para Devo. — Você não vai mais atravessar a rua sozinho.

— Prometo — ele balbuciou entre os pesados soluços. — Não vou mais cometer esse erro.

Olhando com um olho só para Manju, antes de ir embora, a mãe dele falou:

— Amanhã, se ele não vier para a sua aula e estudar, vou quebrar as pernas dele e despejar querosene na sua cara.

Manju estava estancando o sangue do ferimento do menino pela segunda vez, quando uma menininha entrou falando em tom de acusação:

— Professora, você está atrasada para a aula.

Manju desamarrou sua *dupatta*[20] que estava suja de sangue e de açafrão.

— Vamos, vão chamar os outros. — Quando largados sozinhos na casa, seus alunos eram tão esbanjadores com sua loção Fair and Lovely quanto seus irmãos.

Manju sempre tinha cara de brava quando saía do barraco da família. Todos que saíam de sua casa ficavam de boca bem fechada, a menos que quisessem engolir um punhado de moscas, as únicas criaturas da favela que estavam animadas com os produtos rançosos do novo armazém de sua mãe.

— Vamos, a aula vai começar — ela gritou enquanto atravessava o *maidan*, pisando leve em volta das pilhas do lixo que Abdul estava separando. Ela sabia

[20] Lenço comprido usado na cabeça, tipo de manto (N. T.).

quem ele era, porque Rahul costumava brincar com o irmão dele, Mirchi, mas é claro que não falou com ele. O menino do lixo não conversava com ninguém, pelo menos ela achava isso.

— Crianças, rápido agora — ela gritou batendo as mãos enquanto virava em uma das vielas da favela. — Estamos atrasados! — Ela demonstrava para todos que ter que reunir seus alunos para a aula era uma chateação. Eles não deveriam vir voluntariamente?

Na verdade, ela realmente gostava de andar lá fora, espiando pelas portas e escutando trechos de conversas e de fofocas da vizinhança, nestes momentos em que a capa de professora a protegia dos boatos. A mais furiosa controvérsia do momento envolvia umas pranchetas, que faziam propaganda das motos Honda, pertencentes a um revendedor autorizado em Siloam Springs, no Arkansas. A organização beneficente World Vision pretendia dá-las de presente para as três dúzias de crianças de que cuidava em Annawadi, porém os assistentes sociais estavam guardando as pranchetas que deveriam distribuir. Manju sempre gostava de ouvir os escândalos locais, especialmente aqueles em que sua mãe não estava envolvida.

Um a um de seus alunos, a maioria meninas com menos de 12 anos, começou a sair de seus barracos. Várias estavam vestidas com roupas desbotadas pelo sol e com os zíperes quebrados, deixando os ossos das costas de fora. Manju não se preocupava com a pequena Sharda. A garota tinha nascido esquelética, como sua mãe, que tinha quebrado pedras na estrada antes de seu pulmão ficar doente. Lakshimi era de quem sentia pena: sua madrasta reservava a comida da casa para seus próprios filhos. A filha do dono do bordel, de 11 anos, vestida num short de ciclista preto bem justo e argolas na orelha, puxava o irmão menor pela mão. Ambas as crianças gostavam de sair do barraco quando havia visitantes, especialmente se a visita viesse para fazer sexo com a mãe deles. Para muitas destas crianças, a escolinha de Manju não era uma ponte. Era a única educação que elas receberiam.

O grupo então marchou para o barraco da aluna secreta de Manju, sua amiga Meena. Os pais de Meena eram conservadores em relação à educação dada para meninas: estudo demais tornava as garotas pouco submissas. Manju estava ensinando inglês para Meena às escondidas.

Meena, 15 anos, fora a primeira menina a nascer em Annawadi, chegando dois anos após seus pais ajudarem a transformar o terreno do pântano numa favela. Ela era uma dalit; Manju pertencia à casta de agricultores, os kunbi, uma casta atrasada, mas superior. Como a maioria dos jovens annawadianos, as duas garotas consideravam a obsessão dos mais velhos sobre as castas uma coisa irrelevante. Manju e Meena ficaram amigas porque ambas adoravam dançar e tinham continuado amigas porque sabiam guardar os segredos uma da outra.

Ao ver Manju na porta da sua casa, Meena deu um sorriso, que não era o seu sorriso brilhante e costumeiro, aquele aberto e cintilante, como o de uma estrela de cinema, e que todas as outras garotas queriam imitar sem sucesso. Hoje, seu sorriso estava dizendo "vai embora", o que significava que estava de castigo e que só tinha permissão para sair para buscar água ou usar o banheiro. Seu crime, como de costume, tinha sido o de responder, malcriada, para seus pais e irmãos. Por que ela não podia ficar no *maidan* escutando os meninos falarem sobre os hotéis? Por que não podia ir à escola? Durante o dia, ela fazia seu trabalho de cuidar da casa, mas, às vezes, à noite, a raiva tomava conta dela, e seus pais e irmãos tinham que lhe castigar para acalmá-la. Tal comportamento podia sabotar o casamento que estava sendo arrumado para ela, em sua aldeia em Tamil Nadu.

Manju constantemente aconselhava Meena a guardar sua insatisfação para si, como ela mesma fazia, porque a rebeldia da menina de Tamil mexia com Manju. Por isso, naquela manhã, enquanto se aprontava para ir à faculdade e seu pequeno *bindi*[21] prateado escorregou da testa para a nuca, ela não fez questão de recolocá-lo. "Ficou bem bonito ali." Asha já tinha saído para o trabalho. Manju o deixou assim mesmo. Uma garota podia ser honrada sem ser perfeita.

De volta ao barraco, depois da dispensa de Meena, seus alunos se ajeitaram no chão sujo de sangue.

— Boa tarde, alunos — ela cumprimentou em inglês.

[21] Um pequeno adorno utilizado no centro da testa, próximo às sobrancelhas. É usado como enfeite no sul da Ásia, particularmente na Índia, Bangladesh, Nepal e Sri Lanka (N. T.).

— Boa tarde, professora — as crianças responderam num volume ensurdecedor.

Ela fez uma pausa, sem saber o que fazer em seguida. Manju não tinha compreendido bem o tema do *The way of the world* para poder praticá-lo com os alunos. Ela teria que internalizar a história mais tarde, enquanto preparava o jantar, antes que sua mãe começasse a discutir com seu pai sobre bebida. A tarefa oficial para a aula de hoje eram os nomes das frutas em inglês: *apples, bananas, mangoes, papayas.* Ela trabalharia isso gradualmente, depois de uma revisão da aula anterior sobre carros, trens e aviões. Mas, inicialmente, como as crianças estavam cutucando umas às outras, ela faria um exercício de aquecimento para gastar um pouco daquela energia, fazendo-os brincar de "Cabeça-ombro-joelho-pé".

A cantoria de seus alunos atravessou o *maidan*, como sempre acontecia nesta hora. Sunil, o jovem catador, gostava de espiar quando trazia suas mercadorias para vender para Abdul. Ele tinha assistido a algumas aulas de Manju, em janeiro, aprendendo a canção em inglês sobre a estrelinha que pisca, antes de decidir que era melhor gastar seu tempo trabalhando para arrumar comida. Agora, ele começava a achar que a escola de Manju era apenas uma brincadeirinha no barraco.

Abdul, que considerava Manju a garota mais sensacional de Annawadi, ficava espantado com o senso de superioridade daquele garoto franzino. Antes do acidente com a Perna Só, quando tudo mudou, Abdul costumava orgulhar-se de si mesmo por conseguir prever o destino das outras pessoas, especialmente dos catadores de lixo. Porém o futuro de Sunil era difícil de prever. Embora o desprezo fosse uma energia que transformava uma pessoa, parecia que ser um catador de lixo ainda não tinha afetado a mente de Sunil se ele ainda pensava que memorizar "b de bola" faria alguma diferença na sua vida.

PARTE 2

O negócio de queimar

"As pessoas ricas brigam por coisas bobas.
Por que as pessoas pobres não podem fazer o mesmo?"
RAMBHA JHA,Uma mãe de Annawadi

5.
A casa-fantasma

A PRINCÍPIO, FÁTIMA, A PERNA SÓ, AMAVA seu marido pobre e mais velho de um jeito fraternal. Ela aprendeu outros modos de amar depois do casamento. Esta predileção por diferentes afetos foi uma revelação muito grande para que não fosse revelada. Aos 35 anos, mais ou menos, Fátima tinha ficado conhecida em Annawadi por um desejo sexual tão agressivo quanto seu batom. Se ela fosse outro tipo de mulher, seus casos poderiam ser considerados escandalosos, mas, como era deficiente física, isso se tornou uma piada. Assim como seus ataques furiosos de raiva, que animavam muitas noites em Annawadi.

Fátima refinara seu arsenal verbal desde cedo, por conta dos insultos que ouvia sobre sua perna defeituosa, que era apenas uma barbatana do joelho pra baixo. Aos 30, ela enfrentava Zehrunisa de igual pra igual. Quando um programa do governo lhe deu muletas de metal, ela ficou duplamente armada. Forte nos ombros, ela descia as muletas com força nos vizinhos que considerava mal-educados. Também atirava as muletas com uma mira sinistra. Quando tentavam explicar seus acessos de raiva, algumas pessoas sussurravam que devia ser alguma bebida alcoólica que ela ingeria, embora não houvesse bebida suficiente em Annawadi para deixar Fátima tão louca como era.

Ela era defeituosa e admitia o fato abertamente. Era analfabeta e admitia isso também. Mas quando outras pessoas falavam de sua fúria, comparando-a a um animal ignorante, isso era *bukwaas*, um absurdo total. Muito de seu ultraje se originava do reconhecimento tardio de que ela era tão humana quanto qualquer outra pessoa.

Às vezes, os homens que vinham à tarde lhe deixavam algum dinheiro; mas a maioria era pobre demais para fazer isso. Porém, até mesmo o mais miserável deles ajudara Perna Só a compreender o que seus pais tinham tirado dela, aqueles pais que tinham vergonha e esconderam uma filha imperfeita em seu barraco.

Fora um castigo diário observar seus irmãos correrem para ir à escola e voltarem para casa para receber o afeto dos seus pais.

— Eu tinha tanta raiva de mim mesma, naquela época — Fátima confessou a Zehrunisa, a quem ela devotava, alternadamente, confiança e ressentimento. — Tudo o que eu ouvia era que tinha nascido errada.

Mesmo hoje em dia, quando a mãe dela pegava o trem para vir à cidade visitá-la, não resistia e mostrava para todos uma foto glamurosa da irmã mais nova de Fátima, uma beleza com duas pernas e uma joia brilhante no nariz.

— Esta é uma boa menina — a mãe gostava de dizer. — Olhe como ela é bonita, e a pele clara...

— Pelo modo como foi criada, a Perna Só poderia falar coisas bem piores, ser muito pior do que era — Zehrunisa contou a Abdul, embora em seu íntimo considerasse errado uma mulher crescida reclamar de sua infância. Zehrunisa mal conseguia falar de seus dias de sopa de água e palha de trigo no Paquistão, antes que um casamento arranjado a fizesse atravessar a fronteira. Poucas mulheres em Annawadi se lembravam de uma juventude doce. Mas Fátima achava que aqueles anos miseráveis deveriam ser compensados por alguns anos bons que ela ainda teria que conquistar.

Ela não tinha interesse em representar o papel de envergonhada e agradecida, papel esse que as pessoas caridosas esperavam ver num deficiente e era bem difícil manter esse orgulho numa favela, onde mulheres mais preparadas ficavam exaustas administrando suas famílias.

Às vezes, durante a monção, as manhãs de Fátima começavam assim: uma perna, duas muletas, um recipiente de bombear água de cinco quilos e meio e lama por todo o lado. Acrescente a isso não conseguir alcançar suas filhas pequenas, criaturas carentes, indisciplinadas, que deixavam suas deficiências ainda mais aparentes. Apenas nos momentos em que os homens chegavam, com o marido no trabalho e as filhas na escola, era que a parte que ela tinha a oferecer de seu corpo ficava mais importante do que a parte que faltava.

Junho, o começo da temporada de quatro meses das monções, deixava pensativo cada annawadiano sensato. A favela era uma represa, cercada por muros altos e montes de entulho ilegal, jogados pelas construções. Em 2005, um dilúvio parou toda a cidade e fez a família de Fátima perder quase tudo o que possuía, assim como os Husain e muitos outros annawadianos. Dois moradores se afogaram, e muitos mais também teriam morrido se uma equipe da construção, de um anexo do Hotel Intercontinental, não tivesse jogado umas cordas e resgatado da enchente os moradores da favela.

Esse ano, as nuvens vieram mais cedo, e durante uma semana a chuva caiu incessantemente. Do lado de fora de Annawadi, os projetos de construção pararam, e os trabalhadores braçais que ganhavam por dia de trabalho estavam ameaçados pela fome. As paredes dos barracos ficaram verdes e pretas de mofo, o conteúdo dos banheiros públicos transbordou para o meio do *maidan* e os fungos começaram a crescer nos pés como pequenas esculturas, um tormento especial para aqueles cujos costumes nativos envolviam o uso de anéis nos dedos dos pés.

— Vou morrer com estes pés — disse uma mulher cujos fungos se espalhavam como asas de borboletas enquanto esperava na fila da água, debaixo de chuva.

— Do jeito que meus filhos comem, o arroz que eu armazenei não vai durar duas semanas — disse a mulher atrás dela, enquanto as reclamações sobre o tempo aumentavam. — Não quero ficar enfiada dentro de casa com meu marido todos esses meses.

— Pelo menos você não é casada com o senhor Kamble, válvula cardíaca dia e noite.

Mas assim que as mulheres se acostumaram ao ritmo dos problemas trazidos pelas monções, a chuva cessou e foi substituída por um sol amarelo pastoso. Então, as mulheres desejaram que as chuvas voltassem; parecia anormal a chuva parar por tantos dias.

As crianças viam esta pausa nas chuvas de um jeito diferente. Apesar de o ano escolar recomeçar em breve, um céu claro permitia um momento final para aproveitar as brincadeiras. Mirchi, o irmão de Abdul, deu início a um grande jogo de atirar argolas no *maidan*, usando o mastro da bandeira e aros de bicicleta quebradas do depósito de Abdul.

— Foi um golpe de sorte — Mirchi falou para Rahul, porque a parte interna do aro tinha vibrado e descido o mastro após a jogada do menino.

— Que golpe de sorte? — protestou Rahul, enquanto os outros meninos o aplaudiam e batiam em suas costas. — Prestem atenção! Vou fazer isso de novo!

Zehrunisa saiu para assistir ao jogo, enxugando as lágrimas enquanto observava a animação de seu filho. Mirchi parecia ter esquecido a tristeza que trouxera para casa ao ser reprovado no 9º ano. Ela o considerava seu filho mais inteligente, tinha até mesmo imaginado que se tornaria um doutor. Agora, seu fracasso elevara o número de problemas da família Husain para três. Seu marido estava no hospital lutando para respirar, e sua filha mais velha, Kehkashan, tinha largado o marido depois de um ano de casada.

A alegria de Mirchi tinha tudo a ver com a volta da irmã. Todas as crianças da família Husain ficaram encantadas ao vê-la de volta. E não era apenas porque ela sabia cozinhar e podia limpar a casa no lugar de sua mãe, que passava a maior parte do tempo no hospital. Para seus irmãos e irmãs mais jovens, Kehkashan fora uma segunda mãe, mais organizada e menos exausta que a versão original. Mas ela voltara para casa com o coração partido e tristeza no olhar.

O marido de Kehkashan era, também, seu primo; Zehrunisa e uma de suas irmãs arrumaram o casamento entre eles quando as crianças ainda tinham 2 anos. Apesar disso, foi só quando Kehkashan encontrou umas fotos íntimas no celular do marido, de uma mulher não tão bonita quanto ela, que conseguiu responder a uma questão que a perturbava desde o início do casamento. Por que seu marido, recém-casado, não queria fazer amor?

— Ele me falou uma vez que era porque eu ia dormir muito cedo, então resolvi ficar acordada até mais tarde — ela contara para sua mãe. — Então ele parou de vir para casa à noite e disse: "Não me chame a atenção, você não tem nenhum direito sobre mim". Que vida era essa? — As mulheres da família do marido usavam o *purdah*[22], ficavam dentro de casa e só saíam acompanhadas por um homem. — Então eu fico em casa, inteiramente dependente deste homem — ela falou — e descubro que ele nunca foi apaixonado por mim.

Zehrunisa esperava que sua irmã conseguisse fazer o marido da filha entrar na linha. Porém, para aquela pergunta urgente da filha: "Como é possível forçar alguém a me amar?" ela não tinha resposta, porque dentre os defeitos de seu marido, não se incluía a falta de amor.

Os jogadores de críquete hindu perceberam a volta de Kehkashan e chegaram à conclusão de que a garota muçulmana era maravilhosa, e sua aparência deslumbrante superava a desonra de ela comer carne de cabra e viver no meio do lixo, especialmente agora que ela, supostamente, não era mais virgem. Os garotos ficavam olhando atentamente para seu barraco. Kehkashan desviava o olhar e, às vezes, desejava não ser tão bonita assim.

Zehrunisa culpava Fátima por atiçar estes cães no cio a irem até a porta de sua casa. Ela conseguira bater num dos amantes de Fátima, que ficava lançando olhares maliciosos para sua filha, mas esse era um fracote, viciado em heroína. Outros homens poderiam revidar. Fátima também a perturbava. No entanto, com Kehkashan arrasada, Mirchi reprovado, as crianças para cuidar, seu marido no hospital e uma febre que não a largava, Zehrunisa não tinha energia sobrando para brigar com a Perna Só.

Zehrunisa tentava não julgar a moralidade de Fátima; ela sabia que a mulher ansiava por carinho e respcito, mas quando pensava nos filhos de Fátima, seu respeito se esvaía. Recentemente, Fátima tinha batido com as muletas em sua filha Noori, de 8 anos, com tanta força, que Zehrunisa e outra mulher tiveram que intervir. E, então, teve o caso da filha de 2 anos de Fátima, uma garotinha chamada Medina. Depois que a menina pegou tuberculose, Fátima ficou obcecada, com medo de que ela mesma desenvolvesse a doença, então, logo depois, Medina afogou-se num balde.

[22] É a prática de esconder as mulheres, com um manto, para não serem vistas pelos homens (N. T.).

— Eu estava no banheiro quando tudo aconteceu — Fátima declarou para Zehrunisa. Mas as paredes divisórias deixavam escapar segredos, e um deles era que quando Medina se afogou no pequeno barraco, Fátima e sua mãe estavam presentes.

Heena, a filha de 6 anos de Fátima, também estava lá e disse depois: — Medina era uma irmã muito legal.

Zehrunisa pagou pela mortalha e pela sepultura e tentou convencer-se de que a morte de Medina tinha sido, de fato, um acidente. Ela pensou em seus próprios filhos e em como, às vezes, nem ela mesma sabia ao certo o que eles estavam aprontando.

Um dia, a polícia veio a Annawadi fazer perguntas sobre a morte da menina, um inquérito que foi encerrado rapidamente. Com frequência, meninas pequenas morriam sob circunstâncias duvidosas nas favelas, já que a maioria das famílias miseráveis não podia pagar por um exame de ultrassom, que permitia às famílias mais ricas se livrarem dos bebês do sexo feminino antes do nascimento. Crianças doentes, de ambos os sexos, às vezes também eram tiradas, por causa do alto custo que seria cuidar delas.

Danush, de 1 ano, que morava duas vielas depois dos Husain, pegara uma infecção no imundo hospital público onde nascera. Sua pele descascou e o toque do lençol o fazia gritar. Sua família pegou empréstimo em cima de empréstimo, a juros de usura, gastando 15 mil rúpias tentando curá-lo. Então, numa noite, em março, seu pai bateu na esposa e esvaziou um pote de lentilhas ferventes sobre o bebê que estava deitado no berço feito por um sári. Rahul, filho de Asha, correu imediatamente pra longe daquele circo de horrores; ele fora chamar a polícia. Zehrunisa o admirara ainda mais por isso. Danush chegou ao hospital e sobreviveu. Agora, Zehrunisa sofria sempre que olhava para ele: um olhar sério e sem piscar, num rosto marcado pelas queimaduras.

Depois que Medina morreu afogada, Fátima pareceu estranhamente livre. Outras mulheres falavam mal dela, mas ela descobriu que não se importava com isso. Fátima riscava traços pretos dramáticos nas sobrancelhas e cobria as bochechas com pó facial.

— Gastei 50 rúpias para virar uma mulher branca — imitavam, sussurrando, os meninos Husain — e arranjei um bando de novos amantes.

— Você viu como aquele homem e o amigo dele estão me olhando? — ela diria a Zehrunisa. — Você não fica com inveja? Nenhum homem olha para você. — Os homens que ela convidava para entrar em sua casa achavam-na linda, ela contara para sua vizinha. Diziam que não havia nenhuma mulher como ela em toda a Índia e que ela merecia uma vida melhor do que a que levava.

Os Husain tinham pena do marido de Fátima, que separava lixo numa outra favela, ganhando 100 rúpias por catorze horas de trabalho ao dia. Mirchi falava claramente:

— Ela trata o marido como um sapato velho.

O velho ia até a casa deles, frequentemente, reclamar de sua esposa desobediente, e uma noite Zehrunisa o instigou.

— Seu idiota, você deveria ter conversado comigo antes de se casar. Eu teria escolhido uma boa mulher muçulmana, com duas pernas, que iria criar seus filhos e cuidar da sua casa adequadamente.

Foi um erro. As paredes eram finas. Fátima apareceu empunhando as muletas.

— Quem é você para me chamar de esposa ruim!

Ainda assim, quando Fátima e seu marido brigavam, ela gritava o nome de Zehrunisa. E Zehrunisa ia até lá, suspirando, para separar o miserável casal do mesmo modo como suspirava no Eid[23] e nos outros feriados muçulmanos, antes de convidá-los para partilharem de sua refeição. Ela convidava a família de Fátima, que abusava dos filhos, e a família do desprezível dono do bordel: essas eram as famílias muçulmanas com quem ela tinha relacionamento em Annawadi.

— É fácil quebrar uma única vareta de bambu, mas, quando você junta as varetas, não consegue nem mesmo dobrá-las — ela falava para seus filhos. — É o mesmo com a família e com as pessoas da nossa própria fé. Apesar das diferenças, os muçulmanos têm que se unir nas grandes provações e para o Eid.

---

[23] Banquete oferecido ao final do Ramadan, o período do jejum sagrado dos muçulmanos (N. E.).

Nuvens negras se formaram sobre as colinas a oeste da cidade, mas não choveu. As crianças de Annawadi continuaram a atirar os aros em direção ao mastro e, numa manhã de julho, o pai de Abdul ficou olhando, admirado, o jogo na porta de sua casa. Sua camisa estava solta e sobrava nos ombros, mas Fátima e os outros vizinhos ficaram espantados quando viram seu rosto. A renda com o lixo financiara uma estada de duas semanas em um pequeno hospital particular, onde ele tinha respirado oxigênio em vez do ar fétido da favela. Karam estava brilhando. Ele parecia *naya tak-a-tak*, novinho em folha.

— Não consigo acreditar nisso — falou a mulher tâmil, dona do alambique, para Zehrunisa. — Ele ficou dez anos mais moço. Parece aquele herói de Bollywood, Salman Khan.

— Ele tem que estar bem — falou Zehrunisa. — Pagamos 20 mil rúpias para aquele hospital. Mas é verdade, ele ficou mais jovem, parece um garoto! Eu o vi pelo canto do olho e pensei: que merda, esqueci que tinha mais um filho. Agora vou ter que arrumar outro casamento! Alá sabe que eu já tenho muitos casamentos a preparar.

O próximo casamento seria o de Abdul. Embora os acordos financeiros ainda tivessem que ser discutidos, ela e o marido tinham escolhido uma provável candidata. A filha de 16 anos de um negociante de sucatas, em Saki Naka, a favela industrial onde Abdul vendia suas mercadorias. A garota era bonita, sem defeito aparente. E o melhor: ela estava habituada a homens imundos. Ela viera à casa deles pelo menos três vezes, toda envergonhada dentro de uma burca, acompanhada da irmã mais nova. Pelo que Mirchi pôde perceber, a irmã mais nova era linda e, em sua homenagem, ele pintou um enorme coração vermelho na frente do barraco da família.

Mirchi declarou estar ansioso para se casar. Um dia, longe dos ouvidos do pai, ele falou:

— Mãe, quero uma esposa como você. Ela vai fazer todo o trabalho, e eu não vou fazer nada.

Porém Abdul era mais cauteloso, tanto em relação a se casar quanto em relação a todo o resto.

— Escuto falar de amor com tanta frequência que acho que sei como é, mas eu nunca o senti nem mesmo sei por que... — Ele se preocupava. — Essas pessoas que se apaixonam e depois a namorada vai embora, elas cortam os pulsos com uma lâmina, queimam as mãos com a ponta do cigarro, não dormem, não comem, apenas cantam... elas devem ter corações diferentes do meu.

Ele falou para seus pais:

— Você não segura um ferro quente na palma da mão, segura? Você espera esfriar. Você pensa com cuidado.

— Não, eu acho que deveríamos casá-lo rapidamente — Zehrunisa disse a seu marido enquanto fazia o almoço, alguns dias depois da volta dele para casa. Ele tinha pedido carne para levantar suas forças, e ela estava agachada no chão amamentando Lallu, enquanto mexia um ensopado cartilaginoso. — Um casamento iria fazê-lo feliz, eu acho. Tem um turbilhão dentro dele, eu não acho que ele esteja feliz aqui em Annawadi.

— Quem é feliz vivendo aqui? — seu marido retrucou, pegando uma embalagem de prednisona de um saco plástico cheio de remédios que ele havia pendurado na parede. — Eu sou feliz? Todos à nossa volta são cidadãos de terceira classe, e não há ninguém com quem eu possa me relacionar. Por acaso alguém aqui sabe da guerra americana no Iraque? Tudo o que eles sabem é sobre a vida dos outros. Mas eu não reclamo pra você. Por que Abdul está reclamando?

— Você conhece seu próprio filho? Ele não fala nada, ele apenas faz o seu trabalho e o que nós mandamos. Mas por que só eu, que sou a mãe dele, percebo o quanto ele é triste?

— Ele vai ser mais feliz quando formos para Vasai — ele retrucou.

— Mais feliz em Vasai — ela repetiu baixinho, com um sarcasmo que ele preferiu ignorar.

O pequeno terreno para o qual tinham feito um depósito em dinheiro, em janeiro, ficava uma hora e meia da cidade, numa comunidade de fornecedores de construção e recicladores industriais. Muitos de seus moradores eram muçulmanos do distrito de Uttar Pradesh, onde Karam fora criado, na fronteira com o Nepal. Ele soubera da comunidade Vasai por meio de um empreiteiro muçulmano, dado à investigação religiosa, que Mirchi e Abdul chamavam de *imam*[24], revirando os olhos. A primeira vez que Karam visitou o lugar, ele ficou espantado com um grupo de homens segurando jornais e discutindo animadamente em uma barraca de chá. Ele imaginou que estariam discutindo sobre o homem negro, nos Estados Unidos, que estava tentando se tornar presidente do país. Karam ouvira que tal Obama era, secretamente, um muçulmano, e estava torcendo por ele.

As ruas de terra, contorcendo-se acima da barraca de chá, estavam repletas de galinhas, o que o fez lembrar-se da sua aldeia natal. Ele não era sentimental sobre aquela aldeia: um distrito onde havia pouco trabalho, a não ser nos campos de cana-de-açúcar, e as crianças morriam em índices alarmantes, os mais altos da Índia. Mas ele achava que as favelas urbanas em volta da riqueza tornavam as crianças insolentes com seus pais.

— Só porque não podemos dar roupas de marca nem carro. — Ele achava uma sorte que Mirchi fosse apenas preguiçoso, e não um consumidor voraz do Eraz-ex, mas havia mais seis filhos depois de Mirchi. Para Karam, Vasai era a aldeia-cidade híbrida ideal: um lugar em que oportunidades de crescimento e respeito aos pais não se excluíam mutuamente.

— E pelo menos lá eles não serão insultados por sua religião — ele falou à sua esposa.

Zehrunisa achava prematuro investir seus sonhos num pedaço de terra que não tinha nem quatro varetas de bambu e uma lona para poderem dormir embaixo. — Nossa casa-fantasma — era assim que ela chamava a propriedade. Mas deu permissão para que ele fizesse o depósito. Ele sempre a consultava nas decisões financeiras, já que os resultados foram bem ruins nas duas vezes em que ele ignorara seu conselho. Contudo ela ficava irritada por ele ainda não tê-la levado para conhecer o terreno.

— Como posso levar você, com todas essas crianças para cuidar? — ele falava isso o tempo todo. Mesmo agora, que Kehkashan estava aqui para ajudar, ela continuava sem conhecer o lugar. E imaginava se a comunidade seria

---

[24] Líder islâmico (N. T.).

muito parecida com sua aldeia e se isso o faria pensar como os muçulmanos conservadores que viviam lá.

Antes da hospitalização do marido, o empreiteiro fizera uma visita para discutir os pagamentos da propriedade. Ela usara sua burca, servira o chá e agachara-se em um canto, exatamente como sua mãe fazia no Paquistão: toda coberta e sem ser vista pelos homens de fora da família. Era assim que Zehrunisa acreditava que viveria sua vida adulta. Mas, logo depois, o casamento a levou para Uttar Pradesh, onde ela trabalhou nos campos de cana-de-açúcar à noite, no meio dos homens. Ela rezava constantemente para que a tuberculose de seu marido melhorasse e ela pudesse voltar para o *purdah.*

— Eu não podia nem falar naquela época — ela contou para os filhos. — Eu tinha medo de todo mundo.

Ter um homem que pudesse lidar com aquele mundo, em meu lugar, parecia uma coisa excelente.

Ela parou de rezar para voltar a usar o *purdah* depois que Kehkashan nasceu, porque acreditava em concentrar seus pedidos para Allah, perturbando-o com uma coisa de cada vez. Então ela rezou pela saúde da filha e depois pela saúde de Abdul, que chegou ao mundo num monte de terra ao lado do Hotel Intercontinental. Seu marido trouxera a família para Mumbai na esperança de encontrar um trabalho menos extenuante que a agricultura. Alugar um carrinho de mão para transportar lixo para os recicladores foi o que ele conseguiu arrumar.

Abdul fora uma criança difícil, recusava o leite da mãe todas as vezes que ela lhe oferecia o peito. Mas ele sobreviveu, diferentemente do filho seguinte. Então chegou Mirchi, gordo e lindo, seguido por mais seis, todos saudáveis. Nada na vida de Zehrunisa lhe dava mais satisfação que seus filhos terem puxado a ela, não ao marido, no seu jeito robusto. Nenhum deles saiu nanico depois de Abdul.

Logo, um dos meninos menores provaria ser bastante esperto para assumir seu lugar no negócio de Abdul: negociar com os catadores, ladrões e a polícia. Então ela poderia ficar tranquilamente dentro de casa. Mas voltar para o *purdah*?

Ultimamente, estava lhe passando pela cabeça que voltar à antiga tradição seria o esperado em Vasai, mas isso aumentaria a complacência de seu marido, uma característica dele bem irritante e motivo de briga entre eles de tempos em tempos.

— Só porque eu não sei ler você finge pra todo mundo que é o herói dessa família e eu não sou nada — ela dissera a ele, recentemente. — Como se eu estivesse presa no útero da minha mãe até hoje, caso você não tivesse aparecido pra me tirar de lá! Vamos, pode agir como um grande *shareef*[25], mas sou eu quem administra tudo!

A falta de censura, e de muçulmanos conservadores por perto, permitia que ela gritasse com seu marido quando era preciso, do mesmo modo como ele tinha permitido que ela trabalhasse para alimentar os filhos. Agora seria difícil desistir de tais liberdades.

— Na sua cabeça nós já nos mudamos para Vasai — ela acusou o marido, mexendo o ensopado e passando-lhe o prato com uma economia de movimentos que só se aprendia ao viver num lugar pequeno, em barracos superpovoados. — Talvez você devesse fazer as malas e ir embora. Ou então pode ir para a Arábia Saudita. Ah, lá você pode realmente relaxar! Mas esta casa é onde sua mulher e seus filhos vivem. Olhe bem. Você também ficou envergonhado quando o *imam* veio aqui.

As paredes tinham bolhas e marcas da água da enchente. O chão de pedras irregulares tinha um monte de recicláveis em cada canto, e mais recicláveis embaixo de uma cama de ferro que compraram há pouco tempo, pois a respiração de Karam melhorava muito quando ele dormia alguns centímetros acima do lixo. De qualquer forma, mesmo que ele dormisse como um morcego no teto, não haveria escapatória para o cheiro: lixo, comida rançosa e o cheiro de 11 seres humanos que não tinham água suficiente para se limpar.

— Eu também gostaria de ir embora desse lugar — Zehrunisa falou. — Mas onde seus filhos vão crescer? Na casa-fantasma?

---

[25] Nome dado aos líderes comunitários das aldeias muçulmanas (N. E.).

Ele a fitou confuso. Na noite anterior, e pela manhã toda, ela fora tão carinhosa.

É que Zehrunisa tivera uma ideia e sentira o momento favorável quando seu marido voltara do hospital. Não tinha nada a ver com a posição da lua e das estrelas. Tinha a ver com a brevidade da vida e a pausa das chuvas.

— Você se lembra de como estava ansioso no hospital? — ela comentou. — Pensando o que aconteceria se você deixasse essa família? — Ele tinha lhe dito então: "Eu temo que Deus esteja me convidando para entrar".

Karam concordou com a cabeça franzindo o cenho.

— E?

— Ele deixou você escapar dessa vez. — Ela fez uma pausa. — Eu trabalho duro para manter essa família... Eu peço joias?

— Não — ele admitiu. — Você não pede.

Zehrunisa estava cada vez menos convencida de que queria se mudar para Vasai e menos segura de que seu marido viveria até lá. Ela queria uma casa mais higiênica, aqui mesmo, para o bem-estar de seus filhos. Queria uma prateleira para cozinhar sem os ratos, um balcão de pedra, não um pedaço de madeira compensado achado no lixo. Queria uma janelinha para ventilar a fumaça do fogão que fazia os pequenos tossir como o pai. No chão, ela queria um piso de cerâmica como aqueles anunciados no muro "Lindo para sempre", um piso fácil de limpar, em vez do cimento trincado que armazenava sujeira em cada rachadura. Com essas pequenas melhoras, ela achava que seus filhos poderiam ser tão saudáveis quanto qualquer criança de Annawadi poderia ser.

Antes mesmo que terminasse de fazer seu pedido, seu marido já tinha concordado, colocando em movimento a cadeia de acontecimentos que iria destruir duas famílias para sempre. Os Husain gastariam um pouco de suas economias para transformar sua casa num lar decente. No dia seguinte, como sempre, Karam estava agindo como se a ideia da reforma tivesse sido dele. Numa situação assim, uma esposa feliz deixa seu esposo pensar o que quiser.

6.
O buraco que ela chamava de janela

Os pequenos Husain entenderam a importância da reforma da casa quando seus pais não permitiram que eles fossem à escola, agora que as aulas acabaram de recomeçar. Nos próximos três dias, até mesmo as mãozinhas de um garotinho de 6 anos tinham trabalho a fazer, e o primeiro trabalho era arrastar tudo de dentro do barraco para o *maidan*. A cama enferrujada foi a primeira a sair, e Karam e Zehrunisa ficaram a postos, guardando suas posses dos transeuntes, enquanto Abdul comandava sua equipe de trabalho formada pelos irmãos.

— Finalmente, minha cozinha! — Zehrunisa falou, apoiando-se no marido, e a echarpe que cobria seu cabelo deslizou até os ombros.

— Olhem para Atahar — disse Karam um pouco depois. Seu terceiro filho estava mexendo o cimento com força para evitar que ele endurecesse sob o calor opressivo do dia. — Fico preocupado porque ele não é inteligente. Está no 8º ano, e não sabe escrever o número oito. Mas ele trabalha duro. Assim como Abdul, ele não tem medo do trabalho.

— Ele vai ficar bem — Zehrunisa afirmou. Seu quinto filho, Safdar, era o filho com o qual ela se preocupava. Ele era sonhador e nada prático, assim como seu marido. Ele adorava sapos, e, às vezes, quando corria atrás deles, acabava entrando no lago de esgoto. Ninguém queria dormir ao seu lado quando ele fazia isso.

Mahadeo, marido de Asha, apareceu de repente ao lado da cama. Magro e envelhecido, ele era um homem de poucas palavras quando estava sóbrio, o que acontecia nos últimos tempos, depois que Asha encontrara um lugar melhor para esconder sua carteira. Na esperança de aliviar seu sofrimento, ele ofereceu sua habilidade de construção para os Husain por 100 rúpias.

Abdul, que não entendia muito bem o trabalho que estava fazendo, ficou feliz com a ajuda de Mahadeo. Asha era a única daquela família que o deixava nervoso.

— Acho que ela é louca em suas ambições — o pai de Abdul tinha dito algumas noites atrás. — Ela quer brilhar na vida pública, quer ser uma grande política, enquanto sua vida particular é uma vergonha. Será que ela pensa que as outras pessoas não escutam suas brigas com o marido, à noite? — As brigas deles eram, realmente, tão barulhentas quanto as que aconteciam entre Fátima, a Perna Só, e seu marido. Dizem que Asha sempre vencia.

Enquanto Mahadeo e as crianças Husain trabalhavam, alguns dos alunos de Manju vieram espiar, curiosos. Logo Manju os estaria chamando para a aula, mas naquele meio-tempo eles ficaram olhando os objetos dos Husain empilhados no meio do *maidan*. Os adultos também vieram olhar. Somente alguns vizinhos já tinham entrado no barraco dos Husain, só que, a julgar pelas pilhas, os muçulmanos do lixo eram bem menos pobres do que pareciam.

Muitos annawadianos lembravam-se de tudo que os Husain perderam na enchente de 2005. Sua filha mais nova quase tinha se afogado, suas roupas, o estoque de arroz e as economias de cinco mil rúpias foram levadas embora. Agora eles tinham um armário de madeira para guardar roupas, um armário duas vezes maior que o de Asha. Uma pequena TV comprada a prestações. Dois edredons grossos de algodão, um xadrez azul e branco e um marrom-chocolate. Onze pratos de aço inoxidável, cinco panelas. Temperos frescos como cardamomo e canela de qualidade melhor que os condimentos usados pela maioria dos annawadianos. Um espelho rachado, um tubo de Brylcreem, um enorme saco de remédios. A cama enferrujada. A maioria das pessoas na favela, inclusive Asha, dormia no chão.

— Todo mundo está com inveja de nós porque estamos reformando a nossa casa — Kehkashan explicou a um primo mais velho que tinha acabado de chegar do campo.

— Deixe que eles fiquem com inveja — Zehrunisa exclamou. — Por que não podemos morar num lugar melhor, agora que estamos ganhando um pouco mais?

Apesar disso, ela decidiu confiar a TV aos cuidados do dono do bordel, enquanto durasse a reforma.

Nenhum curioso perguntou: "Por que reformar uma casa quando as autoridades aeroportuárias podem demoli-la?" Quase todo mundo ali melhorava seu barraco quando podia, em busca não apenas de uma melhor higiene e proteção contra a monção, mas proteção da autoridade aeroportuária. Se as escavadeiras viessem para destruir a favela, um barraco decente seria visto como um tipo de seguro. O estado de Maharashtra prometera realocar aquelas famílias, que tinham invadido o terreno do aeroporto desde 2000, para pequenos apartamentos em prédios altos. Para os annawadianos, uma casa difícil de ser derrubada aumentava as chances de que sua posse fosse reconhecida pelas autoridades de realocação. Então eles punham dinheiro naquilo que poderia ser destruído.

Para Abdul, reformar o barraco da família não parecia ser uma decisão sábia, por razões diferentes e que não tinham nada a ver com as autoridades aeroportuárias. Para ele, a reforma era como ficar no alto do teto vangloriando-se de que uma família muçulmana estava ganhando mais do que as famílias hindus. Por que jogar álcool no fogo? E, no fim, o novo piso de cerâmica de sua mãe seria coberto pelo lixo.

Se os fundos da família estivessem ao seu dispor, ele teria comprado um iPod. Mirchi tinha contado a ele sobre o tal iPod, e, embora Abdul conhecesse pouco de música, ele ficou encantado com a ideia: um pequeno aparelho que permitia que você escutasse apenas o que quisesse. Um aparelho que abrandava o barulho provocado pelos seus vizinhos.

A janela que deixava a fumaça do fogão sair ficou pronta no primeiro dia, e no segundo dia as crianças começaram a quebrar o chão de pedra rachado e nivelá-lo para receber o piso.

— Piso de cerâmica — Zehrunisa instruiu o marido, que se sentia bem o bastante para sair e comprá-lo. Lallu, de 2 anos, ficou triste por ser excluído do trabalho da construção e amarrou um trapo nos sapatos do pai antes que ele saísse para sua importante compra. Pouco depois do meio-dia, Karam colocou 2 mil rúpias no bolso e saiu para uma pequena loja de pisos e ladrilhos em Saki Naka. Abdul ficou feliz ao vê-lo sair. Atrasar-se era uma especialidade de seu pai, e Abdul pretendia terminar o trabalho antes do anoitecer.

— Você está martelando muito alto! Não consigo ouvir meu rádio! — Fátima gritou do outro lado da parede, depois de alguns minutos. Os pequenos Husain olharam-se achando graça da situação. Em cada uma das três vezes em que eles fizeram pequenos consertos em casa, ela teve um de seus famosos ataques.

— Estamos quebrando o chão, fazendo uma cozinha — Zehrunisa gritou de volta. — Bem que eu gostaria que o piso e a prateleira da cozinha se instalassem magicamente no lugar certo, mas isso não vai acontecer, portanto vai ter barulho hoje.

Abdul ignorou a conversa, preocupado com seu próprio problema. O balcão para sua mãe cozinhar estava deixando-o louco. A pedra cinza de um metro era irregular, assim como o chão, por isso, a prateleira oscilava perigosamente nos dois suportes que ele tinha colocado para segurá-la. Nada nesta casa estúpida era reto. O único modo de estabilizar a prateleira, e fazê-la ficar reta, seria quebrar a parede de tijolos, que também era irregular, e cimentar a pedra no lugar.

O marido de Asha estava com muita ressaca para trabalhar hoje, então outro vizinho ofereceu-se para ajudar, recebendo dinheiro na hora. Este homem também parecia estar cambaleante, mas Abdul tentou não pensar nisso enquanto os dois começavam a quebrar o tijolo. Zehrunisa falou:

— Vamos escutar muito da Perna Só hoje.

Trinta segundos depois, Fátima começou a gritar.

— O que está acontecendo com a minha parede?

— Não se preocupe, Fátima — Zehrunisa gritou de volta. — Estamos fazendo a prateleira agora. Tenha paciência por um dia, também queremos que isso acabe logo, antes de a chuva começar.

Abdul continuou a trabalhar. Ele analisava as pessoas tão bem quanto o lixo e, por mais diferente que Fátima parecesse, ele a considerava um tipo comum.

No fundo de seu mau humor, como atrás de muitos de seus outros destemperos, o que havia, provavelmente, era inveja. E no fundo da inveja havia possivelmente esperança: de que a boa sorte dos outros um dia pudesse ser a dela. Sua mãe afirmava que, antigamente, quando todo mundo em Annawadi sofria da mesma miséria, os ressentimentos dos vizinhos não saíam do controle, mas Zehrunisa era conhecida por seu sentimentalismo quando falava no passado.

— Seus cretinos! Vocês vão derrubar minha parede!

Fátima de novo.

— Sua parede? — Zehrunisa falou irritada. — Nós construímos esta parede e nunca cobramos um centavo de você. Será que não temos permissão de martelar um prego de vez em quando? Tenha paciência. Se alguma coisa acontecer, vamos consertar quando a prateleira estiver montada.

Fátima ficou quieta até os tijolos começarem a desmoronar no seu lado.

— Tem entulho no meu arroz! — ela gritou. — Meu jantar está arruinado! Tem areia espalhada por todo lugar!

Abdul ficou desanimado. A rapidez com que os tijolos se desmanchariam era algo de que ele já suspeitava, mas agora estava confirmado. Eles foram feitos com muita areia e o reboque entre eles tinha se deteriorado. As porcarias dos tijolos nem mesmo estavam grudados uns aos outros; aquilo não era uma parede, e sim uma pilha tremulante. Enquanto ele pensava em como instalar o balcão da cozinha sem derrubar a casa toda, Zehrunisa foi para fora. Fátima fez a mesma coisa, e as duas mulheres começaram a se empurrar. Os vizinhos vieram olhar. As crianças discutiam qual das duas mulheres era mais parecida com a Grande Khali, uma lutadora indiana do campeonato World Wrestling Entertainment.

— Se não parar de quebrar minha casa, sua puta, vou colocar você numa enrascada — Fátima gritou.

— A parede é minha e eu quebro quando eu quiser, sua prostituta — Zehrunisa retrucou. — Se nós tivéssemos esperado você construir um muro ainda estaríamos nos vendo pelados!

Abdul correu para fora e separou as duas mulheres. Pegando sua mãe pelo pescoço, ele a arrastou de volta para casa.

— Vocês não têm filhos? — ele falou enojado. — Você não é melhor que a Perna Só, brigando na frente de todo mundo! — Essas cenas violavam o princípio primordial de Annawadi: não chame atenção para si mesmo.

— Mas ela falou palavrão primeiro — a mãe dele protestou.

— Essa mulher usa palavrão com seu próprio marido — Abdul falou. — Você acha que ela hesitaria em xingar você? Mas você não tinha que responder aos xingamentos. Ela é louca; ela é louca, e você sabe disso.

Fátima ainda estava praguejando quando cruzou o *maidan* e saiu de Annawadi; Abdul ouviu as vizinhas rindo dela quando ela passou, mas as coisas de que as mulheres achavam graça não lhe interessavam. A única coisa que percebeu foi que a ausência de Fátima iria permitir-lhe instalar o balcão em paz. A não ser pelo vizinho que ele contratara para ajudar, mas que tinha desmaiado, levando a pedra para o chão com ele.

— Você está bêbado! — Abdul acusou o vizinho que ficou preso no chão debaixo da pedra.

O homem não tinha como negar. Ele tinha tuberculose em estágio avançado e explicou:

— Ultimamente, se eu não bebo, não tenho força para pegar nada.

Abdul teve vontade de chorar quando viu a destruição da parede. Felizmente, a pedra não tinha se quebrado com a queda, e o vizinho ficara mais sóbrio com o acidente. Ele garantiu a Abdul que poderiam terminar o trabalho em uma hora. Abdul se acalmou pensando que se a mãe dele teria uma casa mais agradável, talvez ela devesse começar a usar uma linguagem mais afável.

Porém agora um vizinho chegava para relatar um fato extraordinário. Fátima, a mulher que não tinha rúpias para gastar, fora vista entrando num requixá.

Outro relato, quinze minutos depois: Fátima estava na delegacia de polícia de Sahar, acusando Zehrunisa de agressão.

— Allah — suspirou Zehrunisa. — Quando foi que ela se tornou tão mentirosa?

— Vai rápido — Kehkashan apressou sua mãe. — Se você não chegar logo na delegacia, eles só vão escutar o lado dela da história.

Karam estava voltando para casa quando sua esposa estava saindo. O piso de cerâmica era mais caro do que ele esperava e estavam faltando 200 rúpias para completar o pagamento. Ela falou para ele:

— Não atrase mais. Pegue o dinheiro e compre o piso. Se a polícia chegar e vir tudo o que temos do lado de fora, eles vão nos limpar. — Os meninos mais novos já estavam pegando os objetos da família e jogando-os para dentro do depósito.

— Não se preocupe comigo — Zehrunisa falou para Abdul. — Não pare de trabalhar, acabe logo com isso.

Quando Zehrunisa chegou à delegacia, com a respiração ofegante pela corrida de quase 300 metros, Fátima estava sentada em frente a uma mesa, contando sua versão da história para uma policial feminina chamada Kulkarni.

— Foi essa daí que me bateu, e você pode ver que sou uma aleijada, com uma perna só — Fátima reclamou.

— Eu não bati nela! — Zehrunisa protestou. — Tinha muita gente lá fora observando e ninguém vai confirmar isso. Ela que chegou e começou a briga.

— Eles quebraram minha parede! Caiu areia no meu arroz!

— Ela disse que iria nos fazer cair numa armadilha! A gente não faz nada mais além de trabalhar e cuidar das nossas vidas...

Fátima estava chorando, então Zehrunisa colocou em funcionamento seu arsenal de lágrimas.

A policial levantou as mãos.

— Vocês são loucas nos importunando deste modo? Vocês acham que a polícia não tem nada melhor pra fazer do que escutar suas briguinhas? Estamos aqui para proteger o aeroporto. Você vai pra casa, faça seu jantar e cuide de seus filhos — ela ordenou a Fátima. Para Zehrunisa, ela disse: — Você, sente-se ali.

Zehrunisa sentou-se em uma fileira de assentos e curvou-se. Agora as lágrimas eram verdadeiras. Fátima a colocara em uma armadilha, exatamente como tinha ameaçado. Logo, ela estaria de volta em Annawadi falando pra todo mundo que a polícia tinha retido Zehrunisa como uma criminosa comum.

Quando ela se recuperou da crise de choro, viu Asha sentada ao lado dela.

Asha estava ajudando alguns policiais a encontrar um apartamento subsidiado pelo governo em troca de liberação para um negócio paralelo, negócio pelo qual ela esperava ter um bom lucro. O dinheiro que ela receberia para resolver a disputa entre as duas mulheres muçulmanas seria pequeno. Entretanto, se ela não lidasse com esses conflitos menores de Annawadi, as pessoas iriam acabar procurando uma mulher do Partido do Congresso, a quem todos chamavam de Sári Branco, e o representante distrital saberia disso.

Asha olhou dentro dos olhos de Zehrunisa. Por mil rúpias, Asha disse, ela convenceria Fátima a não criar mais problemas. O dinheiro não seria todo para Asha. Ela colocaria uma parte dele nas mãos de Fátima.

Nem sempre Asha era tão explícita assim sobre dinheiro, mas achou que deveria agir deste modo com Zehrunisa. Mirchi, certa vez, fora pego pela polícia por ter comprado objetos roubados, e Zehrunisa tinha suplicado a ajuda de Asha. Asha comoveu os policiais ao dizer que Mirchi ainda era uma criança e não estava muito bem, o que era mesmo verdade já que o garoto estava com seis mordidas de rato infeccionadas em seu traseiro. Quando Asha trouxe Mirchi de volta para casa, Zehrunisa agradeceu-lhe como se não soubesse que a ajuda de Asha tinha um preço.

Mas Zehrunisa não confiava em Asha, assim como Asha desconfiava dela. Asha era do Shiv Sena, antimuçulmana, como muitos daqueles policiais da delegacia.

— Vamos resolver isso com o marido de Fátima — Zehrunisa falou terminando a conversa. — Muito obrigada, mas vai dar tudo certo.

Uma hora depois, ela começou a acreditar que as coisas ficariam bem quando a policial Kulkarni ofereceu-lhe uma xícara de chá e um conselho:

— Você precisa dar uma surra nesta Perna Só e acabar com a questão de uma vez por todas.

— Ah, mas como eu posso bater nela se ela é uma aleijada?

— Mas com gente igual a ela, se você não atacar, terá que lidar com isso inúmeras vezes. Dê-lhe uma surra, e eu resolvo isso quando ela vier reclamar. Não se preocupe.

Zehrunisa pensou que a gentileza da oficial também fosse um pedido de pagamento. Um policial chamado Thokale foi menos sutil. Ele regularmente exigia propinas de sua família, já que as pessoas assentadas na área do aeroporto não tinham permissão para ter negócios.

— Você está me devendo há meses — ele disse quando a viu. — Está se escondendo de mim? Agora que está aqui, podemos acertar nossas contas.

Zehrunisa tinha mais dinheiro que Fátima. Provavelmente, fora por este motivo que ela ficara retida na delegacia, e não a Perna Só. Teria que pagar Thokale, do contrário ele fecharia o negócio deles. Mas, para a policial Kulkarni, ela decidiu olhar com os olhos marejados de lágrimas e expressar, assim, a enorme gratidão pelo conselho de bater em sua vizinha. Então, voltou sua atenção para a xícara de chá com leite.

Já era entardecer em Annawadi, e Kehkashan estava furiosa. Sentada na clareira para tomar conta das coisas da família, ela podia ver seus irmãos, apavorados, passando cimento, tentando terminar a obra antes que a polícia aparecesse e exigisse dinheiro. Kehkashan também podia enxergar, através da porta aberta de Fátima, que ela estava rebolando nas muletas ouvindo uma fita cassete de músicas de um filme hindu, num volume bem alto. Quando voltou da delegacia de polícia, Fátima tinha pintado o rosto com mais extravagância do que o normal: um *bindi* cintilante na testa, *kajal* preto em volta dos olhos e batom vermelho. Parecia estar pronta para subir num palco.

Kehkashan não conseguiu ficar quieta.

— A polícia esta segurando minha mãe por causa das mentiras que você contou, e você está se arrumando e dançando como uma heroína do cinema?

Uma nova briga começou no *maidan*.

Sua vagabunda, vou colocar você na cadeia também — Fátima gritou. — Não vou deixar barato, vou colocar sua família numa enrascada!

— Você não acha que já fez o bastante? Fazer minha mãe ser presa? Eu deveria torcer sua outra perna por causa disso!

A plateia de vizinhos retornou para assistir a mais essa performance. Ninguém, antes, tinha visto Kehkashan nervosa; geralmente ela servia de mediadora entre as mulheres de Annawadi. Agora, com seus olhos cintilantes e cheios de lágrimas, ela parecia Parvati naquela novela, *Kahaani Ghar Ghar Ki*.

— Você pode torcer minha perna, mas eu vou fazer coisa pior com vocês — Fátima falou. — Você diz que é casada, mas onde está o seu marido? Ele descobriu que você se prostitui com outros homens?

Ouvindo a honra de sua filha ser difamada, Karam veio para fora. Ser chamada de prostituta não era a maior das preocupações de Kehkashan. Ela falou para o pai:

— Você perdeu a noção da hora? Já é quase noite e a mãe ainda está na delegacia.

— Corra e veja se sua mãe está bem — Karam ordenou para Mirchi. Para Fátima, ele disse: — Ouça, sua mendiga... Vamos terminar esta obra e então vamos deixar nossas famílias afastadas para sempre.

Dentro do barraco, Abdul estava ensacando pedaços de tijolos. O balcão da cozinha estava, finalmente, instalado. Há alguns dias, Abdul imaginara a alegria de sua mãe ao ver a cozinha pronta. Em vez disso, hoje ela estava detida na delegacia. O chão era metade entulho e metade cimento molhado, aguardando o piso que seu pai ainda não tinha comprado. A TV comprada a prestações, e guardada na casa do dono do bordel, fora quebrada pelo filho do homem. Os irmãozinhos de Abdul estavam assustados com toda a gritaria, e seu pai, observando a destruição de sua casa, parecia estar enlouquecendo.

De repente, Karam voltou enfurecido à porta de Fátima.

— Sua idiota — ele gritou. — Você mentiu e disse que minha mulher te atacou, então agora eu vou fazer você se lembrar de como é apanhar de verdade!

Porém, pensando melhor, concluiu que não iria lhe dar essa surra ele mesmo.

— Abdul — chamou o filho. — Venha e bata nela!

Abdul ficou parado. Embora tenha obedecido a seu pai a vida toda, ele não estava disposto a bater em uma mulher deficiente. Felizmente, sua irmã mais velha interviu.

— Pai, se acalme — ela ordenou. — A mãe vai resolver isso quando chegar em casa! — Kehkashan sabia onde estava a autoridade da família em um momento de crise.

Enquanto ela acompanhava o pai de volta para casa, ele gritou por cima do ombro:

— Perna Só, diga a seu marido que se é deste modo que você retribui nossa bondade, durante todos esses anos, eu quero metade do que gastamos para fazer esta parede.

— Sim, você vai precisar de um troco para seu próprio enterro — Fátima replicou. — Vou acabar com todos vocês.

Logo Mirchi voltou de sua missão de reconhecimento na delegacia de polícia: sua mãe, aparentemente bem, estava sentada silenciosamente ao lado de uma policial feminina. Aliviada, Kehkashan começou o jantar.

Nessa hora, as chamas dos fogões estavam acesas em Annawadi, as colunas de fumaças convergindo para formar uma enorme coluna por toda a favela. No Hyatt, as pessoas que estavam nos andares mais altos logo iriam começar a ligar para o saguão do hotel.

"Um enorme incêndio está vindo em direção ao hotel!" ou "Acho que aconteceu uma explosão!". As reclamações sobre as cinzas de bosta de vaca caindo na piscina do hotel começariam meia hora mais tarde.

E agora tinha mais um fogo, no barraco de Fátima.

Noori, a filha de 8 anos de Fátima, tinha chegado em casa para o jantar, mas a porta de madeira não abriu quando ela empurrou. Do lado de dentro, uma música romântica tocava em volume alto, e ela pensou que sua mãe estivesse ocupada dançando e tivesse se esquecido da hora. Noori correu para chamar Cynthia, a amiga de sua mãe. Cynthia também não conseguiu abrir a porta, mas ergueu Noori até um buraco perto do teto do barraco, um buraco que Noori chamava orgulhosamente de janela.

— O que você está vendo, Noori?

— Ela está jogando querosene sobre a cabeça.

— Não faça isso, Fátima — Cynthia gritou, tentando ser ouvida sobre o ruído da música.

Alguns segundos depois, a música foi superada por um "whoosh", uma pequena explosão, e o grito de uma menina de 8 anos:

— Minha mãe! Está pegando fogo!

Kehkashan deu um grito alucinante. O dono do bordel foi o primeiro a atravessar o *maidan*, três meninos vieram correndo atrás dele e tentaram abrir a porta com seu peso até que ela cedeu. Encontraram Fátima rolando no chão, com fumaça saindo de sua pele. Ao lado dela estava caída a garrafa plástica, amarela, de querosene, e um jarro d'água. Ela tinha despejado combustível de cozinha em cima da própria cabeça, acendido um fósforo e, em seguida, apagado as chamas com a água.

— Me salvem! — Fátima gritou.

O dono do bordel ficou tenso. Alguma coisa perto do quadril de Fátima ainda estava queimando. Ele agarrou um cobertor e apagou a chama, enquanto uma multidão enorme se formava do lado de fora do barraco.

— O dia inteiro estes muçulmanos do lixo estiveram brigando ruidosamente.

— Será que ela não pensou nas filhas antes de fazer isso?

— Ela está bem agora — o dono do bordel anunciou, afastando algumas panelas que ele tinha derrubado sobre Perna Só, na pressa de extinguir o fogo. — Está viva, sem problemas!

Ele levantou Fátima. Quando a soltou, ela despencou no chão gemendo.

As pessoas notaram o jarro d'água virado.

— Ela é uma tola — disse um velho. — Queria se queimar apenas um pouco, criar um drama e, em vez disso, se queimou demais.

— É por causa desta gente que eu fiz isso — Fátima gritou com a voz espantosamente clara. Todo mundo sabia a quem ela estava se referindo.

Kehkashan parou de soluçar, o suficiente para dar uma ordem para seus irmãos e pai.

— Corram! Vão embora! Ela disse que iria nos colocar numa armadilha. Ela vai dizer que nós a incendiamos!

— É um caso de polícia agora, eles estão acabados — um vizinho disse ao ver os meninos Husain passarem correndo pelo banheiro público em direção ao Hotel Leela, com suas suítes de 800 dólares.

— Água! — Fátima estava suplicando. Seu rosto estava vermelho e preto.

— Mas se ela morrer enquanto estiver lhe dando água, o fantasma dela vai entrar em você — alguém falou.

— Fantasmas de mulheres são os piores. Os anos passam, e eles não vão embora.

Uma adolescente infeliz, chamada Priya, finalmente trouxe água. Priya, uma das meninas mais pobres de Annawadi, às vezes ajudava Fátima a cozinhar e a tomar conta das crianças em troca de comida. Diziam que ela já tinha dois fantasmas dentro dela.

— Gente burra. Dizem que é ruim dar água depois de uma queimadura.

Esta era uma voz recém-chegada, mais estridente do que as outras: a voz de Asha. Ela estava em pé, atrás da multidão.

As pessoas se viraram.

— Fale para ela não beber, Asha! Não deixe que ela beba!

— Mas como posso evitar isso? — Asha respondeu. — Se é seu último momento, não quero ficar com a praga de uma moribunda. E se ela morresse nesse instante?

Manju veio para fora. Sua mãe ordenou que ela voltasse para dentro. Meena, a melhor amiga de Manju, aproximou-se. Foi indescritível o que ela viu. Fátima se contorcendo num conjunto marrom, com flores cor-de-rosa na frente e atrás, a maioria delas queimadas agora. No lugar das flores, pedaços de pele estavam pendurados. Meena correu para vomitar. Ela achou que ficaria enjoada para o resto da vida depois de ter visto aquilo.

— Como eu vou para o hospital? — Fátima estava perguntando. — Meu marido não está aqui!

— Alguém devia pegar um requixá e levá-la para o Hospital Cooper. Esses idiotas ficam aqui olhando, ela vai morrer na nossa frente.

— Mas, se você levá-la para o Cooper, a polícia vai dizer que foi você quem a queimou.

— Asha deveria levar a Perna Só para o hospital — alguém disse. — Ela é do Shiv Sena. A polícia não vai ser meter com ela.

Os olhos de Fátima se apoiaram em Asha.

— Professora — ela gritou. — Como posso andar desse jeito?

— Eu pago pelo requixá — Asha retrucou. — Mas há pessoas esperando por mim. Estou muito ocupada para ir eu mesma.

Os outros annawadianos observaram Asha enquanto ela voltava para seu barraco.

— Eu me ofereci para pagar o requixá, mas por que deveria ir junto? — Asha contou a seu marido mais tarde em casa. — Foi uma briga entre esse pessoal do lixo; e sabe-se lá o que pode acontecer quando a gente se envolve. De qualquer modo, Zehrunisa deveria ter aceitado minha oferta de ajuda na delegacia. Ela não entende uma coisa básica: você paga antes e vai te custar menos mais tarde. Você põe dinheiro na mão da Perna Só, como se ela fosse uma mendiga, você evita que isso chegue ao nível do histerismo. Agora vai virar um caso de polícia, e ela vai precisar de um advogado. Você acha que o advogado vai fazer o trabalho primeiro e receber depois? Por acaso a parteira espera para ser paga? Mesmo quando o bebê morre, a parteira recebe seu pagamento. Mas eu lavo minhas mãos de Fátima, daquela família e de seu dinheiro sujo. *Haram ka paisa*[26].

Ela sorriu.

— O que a Perna Só deveria fazer era contar para a polícia: "Eu nasci hindu e estes muçulmanos me mancharam e me tacaram fogo por eu ser hindu", então esses caras ficariam numa prisão para sempre.

Eram 20 horas agora, o céu sobre o *maidan* estava roxo como um machucado. Todos tinham decidido que, quando o marido de Fátima retornasse de seu trabalho de separar lixo, ele levaria sua esposa para o hospital.

Os adultos voltaram para seus jantares, enquanto alguns meninos esperaram para ver se o rosto de Fátima iria desmanchar. Isso acontecera com uma mulher que tinha alugado um cômodo de Asha. O marido da mulher a abandonara, e ela, ao contrário de Fátima, colocou fogo no corpo todo.

A pele queimada do rosto da mulher ficara grudada no chão, e Rahul contou que o peito dela tinha, praticamente, explodido, e dava para ver perfeitamente o seu coração.

---

[26] Dinheiro fácil. Nesse caso, uma alusão ao trabalho dos catadores, vistos como preguiçosos (N. E.).

7.
A destruição

O CABELO DE FÁTIMA, PELO MENOS o que sobrara dele, caiu do coque que ela havia feito antes de acender o fósforo. Seu rosto agora estava preto e brilhante, como se um artista tivesse laqueado os olhos de uma estátua de Kali, entusiasmado-se e pintado sua cara toda. Não havia espelho no setor de queimados número 10 do Hospital Cooper, o grande hospital que atendia aos pobres dos bairros ocidentais de Mumbai, mas ela não precisava se olhar para saber que estava enorme. O inchaço era parte disso, mas havia outros motivos pelos quais o fogo a fizera sentir-se engrandecida.

Ao sair de Annawadi, com seu marido franzino carregando-a nas costas, ela fora tratada como uma pessoa importante.

— Que foi que eu fiz comigo mesma? — Ela tinha gritado para alguns transeuntes penalizados perto do Hyatt. — Mas está feito agora, e eu vou fazer com que eles paguem!

Nenhum motorista de requixá quisera transportar alguém em tais condições devido ao potencial prejuízo para a cobertura dos assentos. Porém três jovens intercederam e, ameaçando matar o motorista, levaram-na para o hospital.

No Cooper, em que as luzes fluorescentes zumbiam como moscas, ela continuava a se sentir valorizada. Embora o pequeno setor de queimados fedesse com as ataduras podres, era um belo lugar se comparado às enfermarias gerais onde muitos pacientes dormem no chão. Ela estava dividindo o quarto com apenas outra mulher, cujo marido jurava não ter acendido o fatídico fósforo.

Ela deitou-se em seu primeiro colchão de espuma, ainda que ensopado de urina. Tinha um tubo plástico nas narinas ligado a nada. Um saco de soro com uma seringa usada presa nele, já que a enfermeira atestara que era um desperdício usar uma seringa nova todas as vezes. Puseram um dispositivo de metal enferrujado no tórax, para evitar que o lençol manchado grudasse em sua pele. Mas, de todas as novas experiências que Fátima estava experimentando na área de queimados, a mais surpreendente foi a quantidade de respeitáveis visitantes femininas de Annawadi.

A primeira a vir fora sua antiga melhor amiga, Cynthia, a quem Fátima culpava por sua situação atual. O marido de Cynthia tivera um comércio de lixo que tinha fracassado, enquanto o negócio dos Husain prosperava, e fora Cynthia quem encorajara Fátima a fazer algo dramático para criar um caso de polícia contra a família que estava em melhores condições que sua própria. Este foi um conselho terrível, Fátima reconhecera tardiamente, mas a banana que Cynthia havia trazido estava gostosa.

Zehrunisa também viera. Fátima a vira de relance numa manhã, parada do outro lado da porta do quarto. Então, quatro outros vizinhos apareceram acompanhados de Asha. Fátima sentiu-se honrada com a visita de Asha. Em Annawadi, a mulher do Shiv Sena mal a olhara. No entanto, agora, oferecendo suco de lima e água de coco, Asha sussurrava nos ouvidos enegrecidos de Fátima.

Ela lembrou a Fátima que o que acontecera entre ela e os Husain fora visto por centenas de pessoas no *maidan*, e que Fátima não deveria contar mentiras sobre ter apanhado ou ter sido incendiada.

— Qual a vantagem de tamanho *ghamand*[27]? O ego? — Asha quis saber. — Sua pele está queimada, você fez essa coisa estúpida e ainda assim seu coração está cheio de vingança?

Asha estava tentando mediar uma trégua que evitasse que o caso fosse parar na polícia. Se Fátima admitisse que os Husain não a atacaram, Zehrunisa pagaria por um leito num hospital particular e daria algum dinheiro para as filhas de Fátima. Ela sabia que Asha pretendia pegar uma comissão de Zehru-

---

[27] Orgulho, presunção (N. E.).

nisa para fazer este acordo. Ela estava queimada, não louca. Mas era tarde demais para dizer a verdade. Ela já fizera suas acusações para a polícia.

Na chegada ao hospital, Fátima dissera para o marido que Karam, Abdul e Kehkashan colocaram fogo nela, e foi isso que levou os policiais para Annawadi depois da meia-noite para prender Karam, enquanto Abdul ficava escondido em seu lixo. Porém, na manhã seguinte, a polícia de Sahar soubera que o depoimento de Fátima era falso. Sua filha de 8 anos, Noori, fora bem clara em sua declaração: ela tinha visto, através do buraco no barraco da família, quando sua mãe ateara fogo em si mesma.

Para a acusação contra os Husain dar certo, e para que a polícia conseguisse tirar algum dinheiro da família, uma declaração mais plausível da vítima seria necessária. Para ajudar Fátima a prestar tal depoimento, a polícia despachara uma policial feminina bonita e cheinha para o hospital, uma mulher com óculos de aros dourados que tinha saído do quarto de Fátima um pouco antes da chegada de Asha.

Poornima Paikrao, uma funcionária executiva do governo de Maharashtra, foi designada para tomar depoimentos de vítimas que estavam hospitalizadas. Gentilmente, ela ajudou Fátima a elaborar um novo depoimento dos eventos que culminaram em sua queimadura. Mesmo quando Fátima admitiu que não conseguira ler o que a funcionária tinha escrito, nem assinar seu próprio nome embaixo, a mulher dos óculos dourados continuou respeitosa. Colocar seu dedão para imprimir suas digitais seria o suficiente.

Segundo a funcionária, incitar uma pessoa a cometer suicídio é um crime sério na Índia. A Grã-Bretanha escrevera o código criminal, e suas rígidas provisões antissuicídio foram elaboradas para pôr um fim na prática das famílias indianas de encorajarem as viúvas a se jogarem nas piras funerárias dos maridos mortos, uma prática que diminuía as despesas das famílias com a alimentação das viúvas.

No novo depoimento, Fátima admitiu ter, ela mesma, se queimado e, então, cuidadosamente, repartiu a culpa pela sua autoimolação. Ela relatou precisamente a ameaça que Kehkashan fizera ao entardecer sobre torcer sua outra perna. Contou com detalhes a ameaça de bater nela, feita por Karam, bem como sua exigência de que o marido dela pagasse pela metade da parede que dividia seus barracos. Mas não mencionou Zehrunisa, que tinha o melhor álibi possível, já que estava na delegacia de polícia enquanto Fátima queimava. Em vez disso, Fátima jogou todo o peso de sua acusação em Abdul.

Abdul Husain a ameaçara e tentara estrangulá-la, ela contou em seu depoimento. Abdul Husain a espancara.

Como você poderia destruir uma família que invejava sem mencionar o nome daquele que era seu arrimo?

— Minha perna esquerda é defeituosa e eu não tive como retaliar. Com raiva, peguei o querosene que estava em minha casa, joguei sobre minha cabeça e pus fogo — e ela terminou assim seu depoimento.

A policial acrescentou ao seu relato: "Depoimento tomado sob a luz clara de uma lâmpada", e saiu do quarto do hospital para começar seu trabalho de verdade. Com este novo depoimento da vítima, e vários outros depoimentos de testemunhas que esperava influenciar em Annawadi, ela achou que poderia tirar um belo dinheiro dos Husain.

No terceiro dia de Fátima no hospital público, a pele escurecida de seu rosto estava enrugada, deixando seus olhos, que eram amendoados, redondos.

Ela parecia surpresa, como se não soubesse previamente o que aconteceria quando acendera aquele fósforo.

— Quanto mais falo, mais dói — ela falou para o marido que estava de pé, ao lado de sua cama. Apesar da dor, ela se sentia impelida a gritar com ele de tempos em tempos, embora sua voz estivesse com o timbre mais baixo que de costume.

Seu marido sempre tivera feições angulosas, mas, agora, seu rosto parecia se alongar ainda mais a cada dia. E, embora ele tivesse uma boa coordenação para separação do lixo, seu jeito abatido fazia dele um incompetente. Amassando os comprimidos de Fátima até virarem pó, parecia confuso pela complexidade da tarefa física. Ele partiu o pão, que trouxera para alimentá-la, em migalhas.

Ela não tinha muita fome, o que era uma sorte. A comida não era uma das comodidades oferecidas no Cooper, o hospital de 500 leitos, do qual dependiam milhões de pessoas pobres. Tampouco os remédios.

— Acabou o estoque — foi a explicação oficial das enfermeiras.

Saqueados dos armários de suprimentos e revendidos, era a explicação não oficial. As famílias tinham que comprar na rua e trazer para o hospital o remédio de que os pacientes precisavam. O pequeno tubo de prata de sulfadiazina, creme para queimaduras recomendado pelo médico, custava 211 rúpias e acabava em dois dias; o marido de Fátima teve que pegar dinheiro emprestado para repô-lo. Ao aplicar o creme, ele temia machucar sua esposa, especialmente quando tocava a parte da barriga onde a pele fora arrancada. Ele achava que as enfermeiras fossem ajudar, mas elas evitavam contato físico com os pacientes.

O jovem e alto médico não se importava de tocar os pacientes. Em uma noite, ele chegou e esticou um dos braços de Fátima, depois o outro e, quando fez isso, as gazes da atadura que tinham ficado amareladas e escuras se soltaram.

— Alguma coisa está errada — ela falou para o médico. — Estou com muito frio.

— Beba três garrafas de água por dia — ele falou e colocou de volta as faixas imundas no lugar. Depois de comprar o creme para queimaduras, não havia dinheiro sobrando para que o marido de Fátima comprasse garrafas de água. O médico chamou o velho de irresponsável, pelas suas costas, por deixar de dar a esposa o que ela precisava.

Enquanto o marido retornava ao trabalho para conseguir dinheiro para os suprimentos médicos, a mãe de Fátima vinha para o hospital ficar ao lado dela. — A família do vizinho me botou fogo — Fátima falou para sua mãe e, então, contou uma versão diferente do que acontecera, e sua mãe ficou confusa. Ela mesma já estava confusa e não queria explicar tudo novamente. Sua tarefa era sarar. A polícia poderia cuidar dos detalhes de sua acusação, agora que eles estavam com Abdul e Karam Husain na delegacia.

Abdul gritou, antes mesmo que a correia de couro tocasse nele, da primeira vez em que o policial com lábios de peixe lhe bateu. Um uivo dolorido estava se formando dentro dele desde a madrugada, quando correra até a delegacia de polícia para se entregar.

Correndo pelo aeroporto, ele tinha esperança de conseguir explicar o que acontecera na noite anterior ou, pelo menos, oferecer seu próprio corpo para proteger seu pai da violência. Talvez, curvado sobre uma mesa de madeira, ele estivesse recebendo os golpes que de outro modo cairiam sobre seu pai. Ele não tinha certeza. A única coisa certa era que os policiais não estavam prestando atenção ao que ele dizia. Eles não estavam interessados numa história de temperamentos exaltados e uma parede de tijolos de baixa qualidade. Parecia que eles queriam que Abdul confessasse ter derrubado querosene em uma mulher deficiente e acendido um fósforo.

— Ela vai morrer, e isso vai virar um 302 — um deles falou para Abdul, com um prazer quase infantil. Abdul sabia que 302 era assassinato no código penal indiano.

Mais tarde, mas ainda durante o espancamento, não sabia ao certo há quanto tempo estava apanhando, ele recuperou a lucidez ao ouvir o som da voz de sua mãe. Ela parecia estar do lado de fora daquilo que os policiais chamavam de sala de recepção da delegacia.

— Não o machuquem — ela estava suplicando num volume consideravelmente alto. — Façam isso pacificamente! Demonstrem um pouco de bondade!

Abdul não queria que sua mãe o ouvisse gritar. Ele tentou reunir seu autocontrole. Não adiantava ficar olhando para suas algemas. Não adiantava olhar para o policial de lábios grossos, com aquelas calças do uniforme cáqui e de vincos marcados. Ele fechou os olhos e tentou se lembrar de algumas palavras-chave da última oração que fizera.

Seus esforços não o ajudaram a ficar em silêncio. Seus gritos, e depois seus soluços, chegaram até a rua. Então, ao perceber os sapatos marrons brilhantes se afastarem, ele tentou se consolar dizendo a si mesmo que não emitira nenhum som. E, embora os lamentos de sua mãe tivessem se tornado ensurdecedores enquanto ele apanhava, isso não era conclusivo. Dadas as tendências de sua mãe, ela, provavelmente, chorara o dia todo.

Um ponto positivo nisso tudo é que agora sua agonia vinha de longe. Talvez os policiais o tivessem arrastado para fora por causa do barulho que sua mãe fazia. A administração do aeroporto tinha melhorado as instalações da velha casa que abrigava a delegacia de polícia, enfeitara a frente com flores cor-de-rosa e plantas tropicais, com folhas tão brilhantes quanto os novos jipes da polícia estacionados ali perto. Abdul esperava que sua mãe estivesse se afastando dali, pra bem longe daquele jardim. Ele queria pensar nela como se ela estivesse em casa.

A enorme cela em que estava preso também guardava sete outros prisioneiros, incluindo seu pai, que fora espancado em sua frente. O lugar não era nada parecido com as celas dos filmes que Abdul tinha visto no galpão de Saki Naka. Ao contrário, ela possuía cadeiras de metal, uma enorme e bonita mesa de madeira com o topo laminado, e quatro novos arquivos de metal, os mais lindos arquivos que Abdul já tinha visto. Da marca Godrej. Pintados em bronze e dois tons de azul. Dois armários tinham espelhos brilhantes presos às portas. Era como estar no showroom de uma loja de armários e arquivos, com exceção da tensão e dos gritos.

A polícia de Sahar tinha uma cela mais comum em outro lugar da delegacia. O cômodo onde Abdul e seu pai estavam sendo mantidos era o que os presos habituais costumavam chamar de cela paralela, um enorme escritório em que a papelada da polícia era feita. Para efeitos legais, os Husain não foram presos, eles não estavam retidos. O que acontecia na sala não era registrado. A melhor característica desse cômodo, e todos os presos ali concordavam, era uma pequena janela através da qual os amigos e parentes conseguiam passar cigarros e presentinhos.

Abdul ficou esperando que Sunil ou Kalu, o ladrão de lixo, ou algum outro menino, viesse vê-lo, perguntar se ele estava bem. Abdul imaginava a resposta que daria. "Não estou bem." Então imaginava respostas tranquilizadoras. No entanto, ninguém, a não ser sua mãe, viera vê-lo. Lá pelo terceiro dia, ele já tinha desistido de esperar que alguém viesse.

— Por que você fez tal coisa com uma aleijada? — os policiais faziam a mesma pergunta todas as vezes.

Abdul sempre dava a mesma resposta patética: — Senhor, sou um fracote e depois de apanhar tanto já teria lhe contado se tivesse feito alguma coisa. Por favor, vá até Annawadi perguntar. Havia tanta gente lá. Eu nem toquei nela.

Por que brigaria com uma mulher? Uma mulher de uma perna só? Pergunte a qualquer um se eu já perturbei uma mulher. Eu não brigo. Não falo com ninguém. A única pessoa que eu provoco é o meu irmão Mirchi. E nem mesmo quando ele era pequeno eu batia nele, meu próprio irmãozinho, em quem eu sabia que podia bater.

Entretanto, ele temia que a polícia não fosse até Annawadi fazer perguntas. Isso inspirou sua resposta resignada: — Ela mesma se incendiou num acesso de raiva. Ela tinha começado uma briga com minha mãe e estendeu a coisa como se fosse um elástico. Mas de que adianta? Agora que ela fez isso, e disse isso, vocês vão escutá-la porque ela está queimada. Vocês não vão me dar ouvidos.

Os policiais fizeram perguntas mais interessantes ao pai dele, por exemplo: — Por que você teve tantos filhos, muçulmano? Você não vai conseguir alimentá-los e educá-los agora. Vai ficar na prisão por tantos anos que sua mulher nem vai se lembrar da sua cara.

— Preferia ser espancado que vê-los baterem em você — disse Abdul a seu pai. E o pai dele disse a mesma coisa quando foram colocados juntos, algemados, sobre o chão duro em uma noite sem dormir. O efeito salutar causado pelo oxigênio que Karam havia recebido duas semanas antes, no hospital particular, tinha se acabado.

Enquanto estavam deitados no chão frio, Karam tentou convencer seu filho de que a polícia realmente não acreditava que eles tinham tentado matar Fátima.

— A essa altura — ele sussurrou — os policiais já sabem o que realmente aconteceu, já que havia uma centena de testemunhas.

Mas os detalhes do que tinha ou não tinha sido feito a uma mulher deficiente não eram a maior preocupação dos policiais.

— O interesse deles — ele contou ao filho — era o dinheiro que poderia resultar da tragédia.

— Então, você ganhou bastante dinheiro lá em Annawadi — um policial falou para Karam.

A ideia era aterrorizar os prisioneiros até eles pagarem tudo o que tinham, e tudo que pudessem conseguir de um agiota, para evitar que uma falsa acusação de crime fosse registrada. Espancamentos, embora fossem considerados ilegais de acordo com o código dos direitos humanos, eram funcionais, já que aumentavam o preço que os presos estavam dispostos a pagar para serem soltos.

O sistema de justiça criminal da Índia era um mercado, assim como o do lixo, Abdul entendia isso agora. A inocência e a culpa poderiam ser compradas e vendidas como um quilo de sacolas plásticas.

Abdul não tinha certeza de quanto dinheiro sobrara para sua família depois da reforma da casa e depois de pagar a conta de seu pai no hospital. Mas ele tinha certeza de que não importava o quanto sobrara, pois teriam que pagar o que fosse para serem inocentados. Ele queria ir para casa, para o lugar que odiava.

— Mas e se a Fátima morrer amanhã... — Karam comentou. Abdul sabia que seu pai estava falando consigo mesmo, não estava pedindo um conselho. Se eles pagassem agora, e Fátima morresse, eles teriam esgotado suas economias e a polícia ainda poderia registrar uma queixa de crime contra eles. Então, como eles poderiam pagar um advogado? A voz de seu pai mudava todas as vezes em que dizia esta palavra odiosa: advogado. Outro homem, que fora preso ilegalmente e levado a julgamento, advertira os presos de que ficariam na prisão para sempre caso usassem um dos defensores públicos.

À medida que os dias na prisão passavam, Abdul e seu pai pararam de conversar; o que não fez diferença para Abdul, afinal de contas, o que ele tinha a dizer? Que, se seus pais fossem tão paranoicos e cuidadosos como ele, teriam ficado de boca calada com a Perna Só? Era melhor fingir que ele e seu pai estavam cansados demais para conversar depois de terem respondido a todas as perguntas do investigador-chefe, o subinspetor Shankar Yeram, cujos lábios se pareciam mais com os de um macaco do que com os de um peixe.

Diariamente, umas duas vezes ao dia, uma Zehrunisa abatida aparecia na janela da cela para explicar o preço total da liberdade deles. Asha dizia que custariam 50 mil rúpias para a polícia esquecer o caso. Não que ela tivesse aquele dinheiro guardado, é claro. Ela pagaria a polícia e aplacaria o marido de Fátima com uma quantia mais modesta.

Zehrunisa ficara agradecida a Asha nos primeiros dias depois da queimadura. Apesar de sua antipatia política em relação aos muçulmanos e migrantes, Asha trabalhara duro em favor dos Husain e da liberdade deles. Além de pedir à Fátima para retirar sua acusação falsa, ela tinha acompanhado Zehrunisa à delegacia de polícia para reforçar, junto aos policiais, a ideia de que a deficiente tinha incendiado a si mesma. Essa tentativa de intervenção deu muito errado. Um policial tinha gritado: — O quê? Vocês mulheres acham que são a polícia? Vão embora! Vamos fazer nossa própria investigação! — Por mais poder que Asha tivesse em Annawadi, seu poder era inconsistente além das fronteiras da favela.

Na janela da cela, Zehrunisa falou ao marido:

— A questão é a seguinte: nos primeiros dias, Asha ajudou de graça, mas agora ela está dizendo que eu estou sentada na grana e tenho que abrir a carteira. Eu faria isso se achasse que tiraria vocês dois daí, mas não tenho certeza de que pagá-la vai adiantar alguma coisa.

Zehrunisa já tinha pagado o policial Thokale, o homem que pediu que ela acertasse as contas com ele quando estivera na delegacia depois da sua briga com Fátima. Após o incêndio, ele dissera que poderia ajudar a manter a investigação justa e que o marido dela e o filho não seriam maltratados durante as interrogações.

— Disse a ele que pagaria qualquer coisa e acho que ele ficou com pena de nós, de verdade — ela falou ao marido. — Ele sabe que é uma armação. Ele poderia ter pedido muito mais dinheiro do que pediu.

A funcionária executiva que pegou o depoimento de Fátima no hospital também queria dinheiro. Ela tinha visitado Zehrunisa para relatar que aquele depoimento, e os outros depoimentos das testemunhas de Annawadi, estavam sob seu controle. Ela fora gentil com Zehrunisa, assim como fora com Fátima, dizendo com a palma das mãos virada para cima:

— O que você quer que eu faça? Bons depoimentos ou depoimentos prejudiciais? Estou trabalhando para o governo, então o que eu disser vai decidir o assunto. Está em suas mãos e você vai ter que decidir em breve, muito breve.

Zehrunisa contou ao marido:

— Ela é igual à Asha. Disse que o que pagarmos não será para ela, que ela dará todo o dinheiro para o marido de Fátima. Mas eu já falei diretamente com ele e expliquei que vou ajudar as meninas e colocar Fátima em um hospital particular, vou pagar tudo, leito, remédios, comida. Tenho medo de pagar esta mulher que ouviu os depoimentos. E se ela roubar o dinheiro e Fátima ficar no Cooper?

— O que o marido disse quando você falou sobre o hospital particular?

— Não disse uma única palavra. Ele está tão perturbado que não consegue tomar uma decisão. É uma loucura. Será que ele quer que ela morra para poder arrumar uma nova esposa? Ela vai acabar morrendo no Hospital Cooper e, então, tudo o que temos...

Havia um verso que Zehrunisa tinha ouvido Mirchi cantar: "As pessoas que vão para o Cooper vão *se elevar*". Elas vão para o alto, para o céu. Se Fátima fosse *se elevar*, o marido, o filho e a filha de Zehrunisa enfrentariam mais de uma década de prisão.

Karam concordou que sua esposa deveria ignorar a funcionária de alto escalão do governo e continuar a pressionar o marido de Fátima para transferi-la para um hospital particular.

— Tudo bem — ela falou começando a chorar. — Mas agora você entende o que está acontecendo. Esta mulher do governo vai ficar com raiva e fazer os investigadores pegarem depoimentos daquelas pessoas que querem nos destruir. Se fosse em nossa própria aldeia, com a nossa própria gente, poderíamos ter esperanças que as testemunhas se importassem conosco e contassem a verdade. Mas estamos isolados nesta cidade.

Uma chuva fina começou a cair e, em uma noite assim, ao escutar os pingos caindo no teto da delegacia, Abdul se lembrou de um filme de ação a que ele e Kalu tinham assistido. *Zinda*. Vivos. O herói ficara aprisionado durante anos sem nem saber o porquê de sua prisão e quase enlouquecera por não saber o que estava acontecendo.

Kalu gostava da parte no final, quando o cara escapava e descobria por que tinha sido preso e, então, eliminava um por um os responsáveis por sua prisão, apesar de estar com uma faca enfiada nas costas. Na parte de que Abdul se lembrava, o homem ainda estava preso na cela, mas, depois de anos raspando a parede de tijolos, que aparentemente era mais resistente que aquela entre o barraco dos Husain e o de Fátima, o homem conseguira fazer um pequeno buraco. O prisioneiro enfiou a mão pela fresta e se deliciou ao sentir as gotas de chuva caindo em sua pele.

Em casa, Abdul não costumava ficar pensando muito em seu futuro, além de umas vagas fantasias sobre morar em Vasai e algumas preocupações mais concretas com sua saúde. Seus pulmões ficariam doentes como os de seu pai? Será que seu ombro direito iria se encurvar para frente? Isto costumava acontecer depois de se manter por uma década agachado sobre o lixo.

Desde cedo, ele aceitara o trabalho de separação de lixo e se considerava uma espécie à parte de seu irmão Mirchi, ou da garota-maravilha da favela, Manju, ou dos outros jovens de Annawadi que acreditavam que teriam um futuro diferente.

Abdul desejava um futuro parecido com o passado, mas com mais grana. A ira de um vizinho com menos dinheiro não entrava em seus projetos.

Ele não sabia se sua mãe estava certa sobre uma época passada, mais tranquila e pacífica, na qual as pessoas pobres aceitavam os destinos que seus respectivos deuses haviam escrito nas suas testas e, por isso, tratavam uns aos outros com mais bondade. Ele só sabia que ela não desejava uma miséria compartilhada. Ela conhecera o desprezível, abominava essa lembrança e criara seu filho para uma era moderna de competição implacável. Nesta época, algumas pessoas subiam e algumas caíam e, desde que era pequeno, ela o fizera compreender que ele tinha que subir. Eles já perderam muitas coisas na enchente de 2005, mas muitas outras famílias de annawadianos também haviam perdido. Abdul sentia que sua mãe não o preparara para o que estava vivendo agora, não o preparara para despencar para o fundo de um abismo, sozinho.

Que dia era hoje? Há quanto tempo estava ali? Ele estava sendo espancado, e os telefones não paravam de tocar na sala ao lado, que Abdul imaginou que fosse um tipo de sala de controle de operações por causa da estática do rádio. Os policiais falavam em marathi, o que dificultava o entendimento. Tentar descobrir o que estavam conversando era uma distração de suas próprias angústias e fazia com que ele pensasse em outras coisas, além de se preocupar com o problema óbvio de ser inocente e ser espancado na cadeia.

Os policiais estavam se concentrando em bater em suas mãos, a parte do corpo da qual dependia sua sobrevivência. As mãos eram pequenas, com as veias saltadas, manchas cor de ferrugem e cortes cicatrizados, o que era um padrão em sua profissão. Ele tinha ferido as mãos com seriedade apenas uma vez, quando o aro de uma bicicleta se rompera e lhe fizera um corte profundo.

Sua mente divagou. As conversas telefônicas na outra sala desapareceram gradualmente. Somente mais tarde, quando as vozes voltaram, foi que ele percebeu que tinha um policial falando sobre ele.

— Os que atacaram a aleijada... Não o pai, o menino... Mas ninguém está espancando ninguém, Asha... Não, nada disso.

Asha de Annawadi estava ao telefone. Abdul ficou apavorado quando ouviu o nome dela. Provavelmente ela estava ligando para aumentarem as punições, de modo que sua mãe mudasse de ideia sobre seu pagamento.

De repente, o policial Thokale entrou na cela não oficial.

— Asha avisou que este menino não colocou fogo em ninguém, que ele não causa problema algum em Annawadi, portanto não tem sentindo castigá-lo — ele falou para seus colegas que seguravam as correias. Levantaram Abdul e nem ele nem seu pai foram espancados novamente. Tiraram também as correntes que o prendiam.

Abdul tentou entender a razão desse indulto. O filho de Asha, Rahul, era o melhor amigo de seu irmão Mirchi. Talvez Rahul tivesse convencido sua mãe a proteger Abdul. Ou talvez Asha tivesse percebido, ao longo dos anos, como Abdul era trabalhador, separando cuidadosamente o lixo no *maidan*, vendo que ele era um garoto esforçado, um pobre coitado que não merecia ser brutalizado.

O pai de Abdul pensava diferente. A ligação provavelmente fora uma exibição para pai e filho que, certamente, contariam o acontecido para Zehrunisa. Asha e Thokale frequentemente trabalhavam juntos. Agora o policial estava demonstrando seu poder e garantindo que Abdul e seu pai não fossem maltratados enquanto estivessem na prisão, o que ele já prometera para Zehrunisa em troca de dinheiro. Para Asha, a conversa provava aos Husain que ela realmente tinha influência na delegacia de polícia de Sahar, e também aumentava suas chances de receber um pagamento.

No entanto, Karam não estava disposto a explicar para seu filho já traumatizado as questões econômicas por trás dessa concessão. Ele achou melhor que o menino acreditasse que alguém tivesse percebido seu esforço frenético para sustentar a família e decidisse defendê-lo por pura bondade.

Ao pôr do sol, quatro dias depois da queimadura, um faquir muçulmano chegou a Annawadi, com uma vassoura de penas de pavão, para oferecer bênçãos e afastar espíritos malignos. Os faquires raramente vinham a Annawadi, porque a favela tinha poucos muçulmanos, que era a população geralmente disposta a pagar por seus serviços do outro mundo.

A irmã de Abdul, Kehkashan, deu um pulo quando viu o velho. A mãe dela, temendo o que poderia acontecer a uma bela jovem na delegacia de polícia, suplicara ao policial Thokale para evitar prendê-la pelo tempo que pudesse, mas Kehkashan tinha recebido uma ordem para se entregar. Ela estava desesperada por uma bênção do faquir.

Tirando uma nota de dez rúpias de seu sutiã, ela fechou os olhos quando o faquir tocou o alto de sua cabeça com a vassoura e ficou aliviada por ele não lhe bater com a vassoura, como alguns faquires costumavam fazer quando realizavam o *jhaad-phoonk*. Ela esperava que isso significasse que o faquir não sentira nenhum espírito diabólico pairando sobre ela, e não que significasse que ele adotara uma técnica mais moderna, que agradava mais aos clientes. Enquanto Kehkashan estava sentada quieta esperando que suas bênçãos se espalhassem por seu corpo, o faquir caminhou até a porta de Fátima.

O marido de Fátima saiu furioso do barraco, com os olhos delirantes.

— Você não tem mãos? Você não tem pernas? Você veio me pedir esmolas? Pelo amor de Deus! Vá ganhar seu sustento, vá arrumar um emprego!

O faquir olhou para o céu, tocou os fios dourados do *zari*[28] que estava no bolso da sua kurta e se afastou.

Kehkashan ficou desnorteada.

[28] Um fino tecido bordado a ouro ou prata, um brocado tradicional indiano (N. E.).

— Allah! Mandar um faquir embora, receber sua praga?

O marido de Fátima tinha atraído a má sorte para si mesmo pelo modo como falara com o faquir, e o azar que provavelmente cairia sobre ele também seria a ruína dos Husain.

— O que aconteceu com aquele homem? — o faquir quis saber.

— A esposa dele ateou fogo em si mesma — Kehkashan falou em voz baixa.

— Quando ela morreu?

— Não! Não! — Kehkashan deu um grito. — Reze para que ela viva, do contrário todos estaremos numa situação gravíssima.

A filha de Fátima, Noori, se encostou em Kehkashan. A garota estava se apoiando nela desde que vira sua mãe se queimar.

— Estou brincando de ser o menino hoje — Noori falou. — Também estou falando como um menino.

— Igualzinha à minha irmã Tabu — Kehkashan respondeu distraída. — Ela só quer vestir roupas de menino ou então chora.

Mas Kehkashan resolvera não chorar mais.

— Pegue o arroz para eu poder lavá-lo — ela falou para Mirchi, se levantando e sacudindo o corpo. — E de quem é a vez de ir à bica?

Seu irmão mais novo, Lallu, já estava bem crescidinho para praguejar exatamente como a mãe: "Traz o meu jantar rapidinho, ou eu vou arrancar seus olhos!". Sua irmã mais nova estava se sentindo em segundo plano por não ter recebido sua cota do pacote de biscoitos Parle-G.

Quando o faquir completou suas bênçãos e foi embora de Annawadi, a cena vista através da porta do barraco dos Husain não era diferente do que acontecia por trás das outras portas por onde ele passara. Quando a noite derramou seu manto sobre a favela, os jantares estavam sendo preparados, as brigas tinham diminuído e as lágrimas, secado. Na manhã seguinte, Fátima voltou para casa em uma caixa de metal branco.

Uma infecção a matara. Um médico corrigiu o registro para isentar o hospital de responsabilidades. Queimaduras tinham coberto 35% do corpo de Fátima quando ela dera entrada no Cooper, mas se tornaram 95% quando ela morrera. Fora uma fatalidade certeira, um caso sem salvação. Um lamaçal amarelo esverdeado se formara sobre toda a parte queimada, deixando um cheiro fétido, dizia a autópsia. Cérebro congestionado, pulmões congestionados. Coração fraco. A ficha médica de Fátima fora amarrada com um cordão vermelho e enviada para a sala de arquivos do necrotério, onde cachorros selvagens dormiam entre as enormes pilhas de pastas no chão, e o canto de um passarinho entrava pela janela. Um bando de pombos pintadinhos tinha feito ninho em uma palmeira do lado de fora, o croo-croo-croo de um dos pássaros suplantava o canto do outro.

Fátima, ao morrer, tinha ficado pequena novamente, ocupara menos da metade do caixão. Todos de Annawadi vieram para fora, exatamente como no dia em que ela se queimara, porém, desta vez, os curiosos ficaram olhando a distância. A favela ficou cada vez mais silenciosa e silenciosa, até que Zehrunisa e Kehkashan saíram de seu barraco, com as cabeças cobertas, para lavar o corpo.

Somente outras mulheres muçulmanas poderiam realizar este ritual importante, a lavagem dos pecados de Fátima. Não importava o que havia acontecido, Zehrunisa sempre dizia: "Os muçulmanos tinham que se unir nas festividades e nos sofrimentos". Era da tradição dizer agora para Fátima que ela estava morta e seria enterrada; que assim as mulheres Husain murmuraram as palavras enquanto mergulhavam trapos de algodão em uma vasilha com água e óleo de cânfora. Erguendo um lençol de musselina branca, elas começaram a limpar o corpo de Fátima. Começaram por sua perna comprida, depois pela perna pela metade, limpando vagarosamente em direção ao rosto preto brilhante.

— Feche a boca — alguém falou. — As moscas estão entrando.

Quando Fátima ficou limpa e sem pecados, Kehkashan fechou o caixão e cobriu o ataúde com a melhor manta de algodão dos Husain, aquela com xadrezinho azul. Fátima, agora, seria levada para um cemitério muçulmano, a um quilômetro e meio de distância, e Kehkashan iria para a prisão. Uma acusação seria registrada, provavelmente baseada no segundo depoimento de Fátima, quando ela afirmara que os Husain tinham-na espancado, o que levara à autoimolação, e em que acusava Abdul como seu mais violento algoz. Na delegacia de polícia, um policial dissera a Zehrunisa que ela teria que pagar outras cinco mil rúpias para ver a denúncia.

Zehrunisa voltou para seu barraco e soluçou ainda agarrada ao pano com o qual tinha limpado sua vizinha. Ela não chorava pelo destino de seu marido, de seu filho, de sua filha ou pela grande rede de corrupção que, agora, ela era obrigada a percorrer, ou por um sistema no qual a maioria dos miseráveis tentava punir aqueles ligeiramente menos desgraçados, ao acionar um sistema de justiça tão maligno que os afundava a todos. Ela chorava por algo mais concreto, algo que ela conseguia mensurar, a perda daquela linda manta, um presente de despedida para uma mulher que tinha usado seu próprio corpo como arma contra seus vizinhos.

Somente homens podem ir ao cemitério muçulmano. Mirchi ficou ao lado do marido de Fátima, que segurava uma das quatro alças do caixão, enquanto o caixão de metal, cheirando a cânfora, descia pela estrada do aeroporto na hora do *rush*.

A procissão dolorosa dos favelados parecia ainda menor em contraste com a animação enorme da cidade do aeroporto. Painéis gigantes anunciavam o lançamento iminente da versão indiana da revista *People*. Carros pretos dirigidos por motoristas rolavam silenciosamente para fora do Hyatt, participantes de uma convenção farmacêutica, fazendo uma pausa para conhecer a cidade. No Hotel Leela, representantes americanos do parque temático da Universal sentiam-se otimistas com seus planos de entrar no mercado indiano. "A porcentagem de pessoas ricas na Índia é pequena, mas olhem os números absolutos. Existe o suficiente para a gente fazer isso dar certo. Nem me fale sobre a Disney, somos a melhor marca. *Homem-Aranha*, *A vingança da múmia*, e agora estamos tendo bons resultados com o *Harry Potter*. Eu sei, as pessoas vão dizer que eu deveria ir a Disney World, espionar o rival, mas não posso fazer isso. Sou competitivo demais, não dou um centavo para a oposição..."

O caixão branco prosseguiu através de um cruzamento movimentado, logo depois da Escola Municipal Marol, por meio de vielas estreitas de uma favela após a outra, até alcançar uma mesquita verde marcada pela enchente, um mamoeiro e um cemitério cheio de pombos.

Fátima desceu para a terra que já abrigava sua filha de 2 anos, que morrera afogada. Em questão de dias, suas outras duas filhas foram entregues aos cuidados da Irmã Paulette.

O marido de Fátima adorava as filhas e lamentou-se ao vê-las indo embora. Mas ele trabalhava quatorze horas ao dia, separando lixo, e, às vezes, os bêbados locais abusavam das menininhas que ficavam sozinhas em casa, em Annawadi.

8.
O Mestre

AGORA A CHUVA CAÍA FORTE, UMA CHUVA TORRENCIAL. Nos terrenos altos da cidade líquida, os ricos falavam dos romances das monções: sexo preguiçoso, terapia de compras e rosquinhas quentes que facilitavam a temporada que ia de julho até agosto. Em Annawadi, o lago de esgoto continuava crescendo como coisa viva. Os búfalos d'água, doentes, procuravam por comida nos montes de lixo molhado e sem valor, despejando sua bosta fedida com tal velocidade que as bicas de água de Annawadi não eram suficientes. As pessoas, também doentes, batiam com os pés na lama e diziam: "Meu estômago está queimando, meu peito também". "Minha perna fica pulando a noite toda."

Os sapos do esgoto cantavam simpaticamente, mas não dava para ouvir a canção dos sapos de dentro de casa, porque a chuva caía com força, nos telhados de zinco, fazendo um barulho enorme como se uma manada de zebras estivesse correndo em disparada sobre suas cabeças.

Uma vez alguém contou a Sunil que a chuva limpava a mesquinhez das pessoas. Com certeza, ela apagava as listras das zebras. Durante semanas, os cavalos andaram por ali com os ossos aparentes, com o couro amarelado, até que Robert, senhorio-em-declínio-da-favela, refez as tiras pretas com tinta de cabelo Garnier Nutrisse.

A trilha de lixo era mais esparsa nas monções do que nas outras estações do ano, já que o tráfego do aeroporto diminuía e os projetos de construção praticamente paralisavam-se. O parapeito de concreto de Sunil, sobre o rio Mithi, tinha sido lavado pelo vento e pela chuva. Ele tranquilizou-se ao encontrar um prêmio de consolação atrás de um dos muros que circundavam a estrada do aeroporto. No matagal molhado e emaranhado, seis flores de lótus, de cor púrpura, floresceram. Ele guardou segredo sobre a descoberta temendo que os outros meninos pudessem arrancar os brotos e tentar vendê-los.

Enquanto Sunil andava pelas ruas, em torno de seus lótus secretos, procurando sandálias de dedo descartadas, garrafas plásticas e outros achados, às vezes ele se deparava com Zehrunisa Husain, estranhamente vestida com uma burca. Ela tropeçava constantemente ao tentar andar rápido o bastante para se esquivar das poças enlameadas que se formavam nas ruas.

Outros catadores sussurraram que ela tinha vendido o cômodo nos fundos do barraco da família para pagar um advogado. Sunil esperava que ela fosse bem-sucedida no que estava fazendo e tirasse Abdul logo da prisão, já que Mirchi era inútil como substituto do irmão na balança de peso. O menino mais jovem dos Husain não sabia o valor de nada e, quando Sunil e os outros catadores de lixo tentavam ajudá-lo, ele fazia gozação sobre seus furúnculos.

Os catadores eram sensíveis em relação aos seus furúnculos e ao valor de seus objetos. O negócio do concorrente dos Husain, o homem de Tamil, do salão de *video game*, veio a calhar.

Zehrunisa viu que a inexperiência de Mirchi estava prejudicando o negócio, mas ela estava ocupada demais com o caso na justiça para negociar, ela mesma, com os catadores. Ela nem tinha tempo de dar banho ou alimentar seus filhos pequenos. Essas crianças também tornaram-se responsabilidades de Mirchi, já que os parentes a quem Zehrunisa podia pedir ajuda estavam espalhados por favelas em toda a cidade castigada pela chuva.

— Por favor, você pode pagar a fiança para tirar meu marido doente, meu filho e filha da prisão?

Em cada barraco, ela tivera que sentar-se por uma hora recebendo olhares solidários e desculpas antes de passar para a próxima visita humilhante. Apenas uma das seções de súplica fora breve. Ela praticamente tivera que nadar pela favela de Saki Naka, vestida naquela droga de burca, para chegar ao barraco da família da futura noiva de Abdul. O pai da garota olhou-a como se ela tivesse passado a manhã toda no alambique, e não deu conversa.

Seu problema era que ela não tinha uma caução adicional para conseguir garantir o pagamento da fiança. Como ela não sabia ler, Mirchi tinha revisado os documentos oficiais que seu marido guardara em uma pasta cinza de plástico, juntamente com alguns poemas de Iqbal e um romance de suspense em urdu. Mirchi conseguira desencavar um documento para cada uma das cinco coisas que compunham a fortuna da família. Um carrinho de mão, que tinha permitido que seu pai carregasse o lixo até as fábricas de reciclagem e, assim, se tornasse um comprador do material trazido pelos catadores. O barraco da família, comprado de um migrante que desistira de viver em Mumbai. O depósito ao lado do barraco, que permitia que a família armazenasse seus bens para não precisar vendê-los quando os preços do mercado estavam mais baixos. O calhambeque de três rodas, com carroceria, que conseguia transportar mais coisas do que o carrinho de mão. O dinheiro depositado para o terreno de Vasai. Entretanto, apenas o nome de Karam Husain estava escrito nestes papéis.

— Mãe, fique calma. Eu estou bem aqui — mentiu Kehkashan, quando sua mãe foi até a ala feminina da prisão de Byculla para explicar por que não conseguira pagar a fiança.

Karam foi menos compreensivo quando ela chegou à prisão de Arthur Road, a maior da cidade, o centro de detenção mais infame. Ela teve que ficar na fila por quatro horas para poder vê-lo e teve que pagar propina aos guardas e policiais antes de conseguir atravessar os portões. Por trás daquelas grades, havia quatro vezes mais presos que a capacidade real do lugar permitiria.

— Estou desesperado — seu marido desabafou. Sua cela tinha tanta gente que não dava para ninguém deitar-se completamente. Ele não conseguia respirar por causa da superlotação. Ele não conseguia engolir a comida. Ele gritou com ela por ter começado a briga com Fátima e depois gritou com ela para tirá-lo dali. Como se ela não estivesse tentando. Como se ele não tivesse sido o idiota que ameaçara bater em Fátima. Como se ele não tivesse sido o burro que não colocara o nome da esposa nos documentos da família.

Estava furiosa com o marido quando saiu da prisão e já não conseguia suportar aquela situação. A prisão de Arthur Road era um nome que aterrorizava qualquer pessoa sensível de Mumbaikar, assim como Zehrunisa, que não estava muito sensível naquele momento. O fato de seu marido doente ter entrado em uma briga e ter se tornado um detento de Arthur Road, enfrentando uma sentença de dez anos, era uma eventualidade para a qual nenhum dos dois havia se preparado.

Certa manhã, do outro lado das grades da prisão, debaixo de uma chuva torrencial, com Lallu esbravejando em seu colo porque a burca o impedia de buscar o peito da mãe, ela recebeu uma ligação pelo celular de seu marido, agora em suas mãos: o policial Thokale, seu único aliado na delegacia de polícia de Sahar, estava mais furioso que Lallu. Como as outras pessoas em Annawadi souberam que ele recebera dinheiro para ajudá-la com o caso?

E o que Zehrunisa poderia dizer? Ela estava brigando a respeito de qualquer coisa com todo mundo, andando como louca nas semanas que se seguiram às prisões. Ouvira seu filho mais velho gritando ao ser espancado na delegacia. Vira a polícia levar sua filha, delicada e gentil, para a prisão e, naquele momento, a única palavra que viera à cabeça de Zehrunisa fora *qayamat,* o fim do mundo.

Com tudo isso, ela não conseguia mais dormir. Ela já não conseguia dormir mesmo antes disso. Ela já nem sabia na porta de qual prisão estava naquela manhã. Com a chuva, surgira uma névoa branca que se esgueirava pelo ar. Lallu dizia:

— Vou fazer aquele cachorro morder você!

Garotos montados em bicicletas passavam apressados para entregar o almoço para os empregados dos escritórios. Uma ambulância da empresa Saifee Ambulance Day and Night parecia estar com o pneu furado.

O policial ao telefone ainda gritava.

— Sim, mas não, *sa'ab* — ela falou em pânico para Thokale. — Estou na rua. Estou no hospital. Quem disse isso tudo? Não, *sa'ab,* não. Eles estão simplesmente inventando uma história falsa, instigando tudo isso, deixando você com raiva de mim. Estou no hospital e minha saúde não está muito boa. Por favor, me escute... Tanta preocupação com meu filho, com minha filha. Não, senhor, estou em dívida com o senhor. Quem quer que seja que esteja inventando tudo isso deve ser louco. Não, senhor, eu não disse nada disso.

Ao pôr do sol, as nuvens espalhadas, o céu das monções rabiscado de vermelho, e ela de joelhos na frente da delegacia, suplicando o perdão do policial. Só Allah sabia o que um policial enfurecido poderia fazer para prejudicar uma família.

O julgamento estava a anos de distância, e o dinheiro que ela conseguira ao vender o quarto dos fundos do barraco já tinha acabado. O dinheiro que Mirchi fazia com o lixo só dava para a comida e pouca coisa a mais. Será que ela deveria vender o depósito a seguir? Com a prisão de seu marido, era ela quem teria que tomar as decisões da casa, e todas as escolhas que ela fizera até agora pareciam ser erradas. Talvez ela fosse o zero que tanto dizia a seu marido que não era.

Ela deveria ter pago Asha para acalmar Fátima naquele dia na delegacia. Ela deveria ter pago a funcionária executiva que afirmava poder manipular os depoimentos das testemunhas. Ela deveria ter ficado quieta sobre o pagamento que fizera para que Thokale parasse com os espancamentos e adiasse a prisão de sua filha. Havia apenas uma decisão sobre a qual ela estava segura de ter acertado: foi a decisão que ela tomou sobre Abdul.

A polícia incriminaria Abdul como adulto, porque ele parecia um, e porque Zehrunisa não tinha nenhuma prova de sua idade. Portanto, ele seria encaminhado para a prisão de Arthur Road, junto com seu pai.

Nem mesmo Zehrunisa sabia ao certo qual a idade de Abdul. Dezessete anos era o que ela costumava dizer antes da tragédia, quando as pessoas lhe perguntavam; mas, pelo seu entender, ele podia ter 27. Você não presta atenção na idade dos seus filhos quando tem que lutar diariamente para que eles não morram de fome, como ela e outras mães de Annawadi faziam com seus filhos adolescentes desde quando ainda eram jovens.

Asha tinha inventado datas de nascimento para seus filhos e os marcava com festas e bolo. Em janeiro, Manju tinha celebrado 18 anos pelo segundo ano consecutivo, um dos truques de Asha para preservar o valor da filha como noiva. Abdul nunca tinha pedido uma festa de aniversário. Ele só queria saber uma data e um ano. Sua mãe só podia lhe dizer o que ela sabia:

— Antes de você nascer, Saddam Hussein estava matando um bando de gente em algum lugar. Talvez um ano antes, ou dois, não sei ao certo. Ah, você me chutava quando estava dentro de mim, mais que qualquer um de seus irmãos e irmãs que vieram depois, e eu gritei tanto no parto que as pessoas começaram a falar que eu tinha outro Saddam na minha barriga. Quando você saiu, você era tão pequeno quanto um ratinho, não era como um Saddam. Ainda assim, resolvemos escolher um nome de paz para você, porque nos preocupamos que o que as pessoas falaram poderia ser verdadeiro. Abdul Hakim, uma pessoa que cura os outros apenas com sua compreensão. Quando você ficou um pouquinho mais velho, fiquei aliviada ao ver que você não era nada parecido com Saddam.

Se Abdul fosse mais parecido com Saddam, ela não teria ficado tão preocupada com a possibilidade de ele ir para a prisão de Arthur Road, repleta de assassinos de aluguel, pedófilos e gente do crime organizado. Mas ela temia que, por uma briga que ela começara, ele fosse sacrificado, talvez estuprado, em Arthur Road. O único jeito em que ela conseguira pensar para evitar mais essa tragédia fora pagar para alguém falsificar uma certidão de nascimento e assegurar que ele seria processado como menor.

Ela atravessou o *maidan* para encontrar o dono do bordel que já tinha sido acusado de cafetão, tráfico de drogas, roubo e quem sabe o que mais ao longo dos anos, mas só fora para a prisão duas vezes. Zehrunisa achava que ele saberia um jeito eficaz de subornar alguém.

O dono do bordel reconheceu que esta era uma das suas especialidades, e estava ansioso para ajudá-la em troca de recompensa financeira. No entanto, registros de idade não faziam parte do seu repertório.

Quem mais poderia saber a quem, e como, subornar para conseguir tal registro? Claro: a polícia de Sahar. Ultimamente ela tinha percebido que um dos guardas estava fazendo insinuações quanto a isso já havia alguns dias.

Depois de receber sua orientação, ela mandou dinheiro para a Escola Municipal Marol e para o bolso do guarda. E voltou para casa trazendo exatamente o que queria: um registro falso, vindo da escola, declarando que Abdul Hakim Husain, ex-aluno, tinha 16 anos de idade. Seu filho, que não era mais uma criança, seria, pelo menos, tratado como uma pelo sistema de justiça criminal.

O centro de detenção para menores de Mumbai ficava em Dongri, um bairro a vinte quilômetros ao sul de Annawadi. Na primeira parte da viagem até lá, Abdul fora empurrado ao encontro de duas dúzias de outros menores para dentro da perua da polícia. Mas, depois de uma parada no tribunal em Bandra, onde seu *status* como menor foi registrado, ele acabou indo para Dongri num táxi, acompanhado de uma funcionária civil. Através das costas dela, ele podia ver a vida noturna das ruas de um próspero bairro muçulmano.

Ao lado de uma mesquita verde-escura, apesar da chuva, as ruas estavam fervilhantes com o comércio. Açougueiro Halal. Mobílias muçulmanas *wallah*. Farmacêutico Nazir. Hospital Habib. Lojas de cozinha com conchas e escumadeiras penduradas em ganchos. Um restaurante com uma porta amarela brilhante. Bandeirolas gastas penduradas em postes anunciavam cursos preparatórios para aspirantes a políticos muçulmanos. Um homem em uma barraca estava vendendo cata-ventos um pouco antes de o movimento da rua desaparecer.

Muros imensos e cobertos de hera circundavam um quarteirão da cidade. O muro da frente era interrompido por um único portão de ferro. O portão de entrada para o Centro de Detenção era bem pequeno, do tamanho de uma criança, supôs Abdul.

Ele poderia ter saído correndo em vez de se abaixar para atravessá-lo; a pessoa que o escoltava parecia estar com a cabeça longe dali, a mão dela mal segurava a sua. No entanto, ele passou pela porta e entrou em um corredor escuro com um altar hindu de madeira embutido na parede. No final da passagem, ele ficou surpreso ao ver um pátio agradável com uma palmeira.

A instalação para menores era um aglomerado de belos prédios de arenito, construídos pelos britânicos no começo do século 19, ao lado de construções mais novas que eram metade bangalô, metade barracão. Criminosos britânicos e indianos foram enforcados ali, na época da colônia, e seus ossos ensanguentados estavam empilhados nos porões, ou coisa parecida, segundo um dos detentos informou Abdul em sua chegada. Dizia-se que os fantasmas dos enforcados apareciam todas as noites. Embora Abdul tivesse medo de fantasmas, assim como a maioria dos meninos de Annawadi, essas histórias não o assustavam mais. Ser aterrorizado por seres vivos parecia ter diminuído seu pavor pelos mortos.

Depois de lhe confiscarem as roupas, deram a Abdul um uniforme grande demais e o escoltaram até um dos galpões onde ele foi trancafiado em uma sala repleta de recém-chegados. Com as janelas fechadas, o cheiro de respiração e suor deixava o ar fétido. Passada uma hora, Abdul sentia-se tão sufocado que sua mente começou a delirar. "Se eu ficar aqui um pouco mais vou picar uma criancinha e comê-la." Mais tarde, ele ficou atônito por ter pensado nisso. Quando as portas finalmente se abriram e pãezinhos foram distribuídos, ele estava nauseado demais para comer.

Em seguida, foi levado para a sala do diretor para ser admitido como um preso juvenil. Ali, felizmente, as janelas estavam abertas, e o diretor careca e atarracado parecia tenso, mas não cruel. Um jornal importante, *The Times of India*, fizera uma matéria sobre as instalações da prisão com a seguinte manchete: "Viver em Dongri é morar no inferno". Ativistas de direitos humanos pesquisaram e descobriram crianças sem roupas de baixo forçadas a beber água das privadas. As condições das instalações estavam sendo rapidamente melhoradas.

Abdul sentou-se no chão, nos fundos da sala, com alguns outros meninos, esperando o diretor chamar seu nome e preencher seus dados em uma ficha de papel marrom. Ao longo da parede por trás do homem, estavam imagens de autoridades indianas e dos dez rostos retratados ali. Abdul tinha certeza de saber o nome de pelo menos três deles. Ghandi, é claro, embora seus olhos no retrato estivessem mais saltados que nas notas de uma rúpia. Abdul sabia que este Ghandi fora quem cuidara dos pobres, que gostava tanto de muçulmanos quanto de hindus, que afastou os britânicos e tornou a Índia um país livre. Abdul também reconheceu Jawaharlal Nehru, o fundador da Índia independente, que parecia muito branco e diferente de qualquer outro indiano que Abdul tivesse conhecido na vida real. Bhimrao Ambedkar era o homem com uma gravatinha-borboleta vermelha e óculos de aros pretos; fora ele quem lutara pelo direito das castas intocáveis serem tratadas como seres humanos. Em Annawadi, muitas famílias dalits tinham versões empoeiradas deste retrato penduradas nas portas de seus barracos.

Os outros rostos na parede eram tão misteriosos para ele quanto os deuses e deusas hindus, cujas estátuas cobriam a mesa do diretor. Ele acreditava que Mirchi seria capaz de dar nomes a todas as autoridades indianas. Era o tipo de informação que um menino saberia de cor, se ele tivesse tido a sorte de ir para a escola.

Feito o registro, Abdul foi levado para o quartel deitar-se com outros 122 meninos no piso frio de cerâmica. Através de uma janela, vinha o barulho definitivo de portas de aço se fechando; as lojas da vizinhança, do outro lado das paredes de pedra, estavam sendo fechadas ao fim do dia. Ele deve ter dormido, porque os próximos sons que ouviu foram as sonoras chamadas para a oração, o som da madrugada amplificado pelas mesquitas vizinhas. *Allah-u Akbar.* Deus é o maior.

O pai de Abdul considerava desrespeitoso rezar para Allah quando se estava sujo, então raramente Abdul fazia o *namaaz.*

— E mesmo quando estou rezando, estou pensando no trabalho — ele confessara recentemente a Kehkashan. Ainda assim, Abdul sempre se tranquilizava ao ouvir os *muezins* convocando os crentes ou anunciando que as crianças perdidas estavam na mesquita esperando alguém para buscá-las. Sob a proteção de homens com tais vozes, ele imaginava que todas as crianças estariam seguras.

Sobre a existência de Allah, Abdul pensava em uma prova de sua existência baseada na economia, já que ele não tinha uma convicção interna forte de Sua existência. Ele colocava as coisas deste modo: "Eu demoro mais do que as outras pessoas para entender as coisas, mas muita gente inteligente acredita em Allah, os *imams,* os homens que gritam o *azan,* os ricos muçulmanos que fazem tanta caridade. Será que essas pessoas fariam este trabalho e gastariam seu próprio dinheiro por um Deus que não existe? Pessoas tão importantes não desperdiçariam suas rúpias". Portanto, certamente haveria um Allah, e Ele deveria ter um motivo para Abdul ter sido preso por um crime que não cometera.

Um guarda de rosto esburacado estava fazendo todos se levantarem, distribuindo panos e baldes, ordenando que os internos fossem para uma longa fileira de torneiras. Havia mais água aqui do que em Annawadi, e Abdul começou a se sentir um pouco melhor depois de lavar o suor que cobria seu corpo desde que ficara preso naquela cela de polícia. Porém, em sua segunda manhã em Dongri, quando recebeu a ordem de tomar um banho, ele recuou.

Não via motivo para lavar-se diariamente em Annawadi, já que se sujaria novamente assim que se secasse. Às vezes, ele ficava tão fedido que sua mãe esfregava um pano no seu rosto: "Seu tolo, é gostoso se sentir limpo!". Talvez fosse gostoso para os outros.

Pessoalmente, ele achava o ritual de lavar-se não apenas sem sentido, mas também ilusório. Ficar limpo para um novo dia, em que algo novo poderia acontecer! Ele achava melhor começar o dia já sabendo que este dia seria tão chato quanto os anteriores. Desta forma, ele não ficaria tão desapontado.

Abdul informou o guarda que ele não tomaria banho. O guarda retrucou:

— Sem banho, sem café da manhã.

Era esta a regra em Dongri. Abdul decidiu ficar com fome. Olhando pra trás, percebeu que essa birra era uma bobagem.

No entanto, desde que Fátima se queimara, ele se sentia afastado de tudo que lhe dava segurança. Ficar sujo era a única coisa que restava de sua vida anterior, e ele procurou prender-se a isso.

Na terceira manhã, o guarda disse que, se não se banhasse, ele não tomaria o café da manhã e seria colocado em uma cela solitária, onde ficaria com vontade de comer criancinhas. Ele decidiu aceitar as regras de banho em Dongri. Na quarta manhã, seus joelhos e ouvidos estavam mais limpos do que jamais estiveram. Em compensação, os cafés da manhã, recebidos em troca desta heroica rendição, eram horríveis. Havia pedra no arroz. O pão era tão ruim que, se sua mãe tivesse servido-lhe isso, ele o poria no bolso para alimentar os porcos. A maioria dos outros meninos em seu barracão era de muçulmanos. Por toda a Índia, os muçulmanos são a maioria no sistema de justiça criminal, e, quando eles se sentavam no chão para comer, riam da comida ruim. Eles chamavam a prisão das crianças de *chillar*, que significava um troco, algo de pouco valor.

Nas manhãs, o barracão era destrancado e o *chillar* começava a funcionar. No pátio, os meninos recebiam ordens para correr em círculos depois cantar o hino nacional, algo que faziam se esgoelando. Então, eram mandados de volta ao barracão, onde ficavam sentados no chão sem fazer nada. No escritório do diretor havia uma programação oficial das atividades diárias educacionais e vocacionais exposta em destaque. Abdul não se preocupou com esta discrepância. Não importava o que podia acontecer ou não com ele em Dongri, ele estava mais seguro aqui do que na prisão de Arthur Road.

Os outros internos passavam o tempo livre contando histórias e dando conselhos uns aos outros sobre seus casos. Havia um conselho que se repetia: "Diga apenas que você fez o que eles dizem que você fez, e então eles libertam você". Os advogados que vinham de vez em quando também diziam a mesma coisa aos seus protegidos. Admita isso, o caso será encerrado e você vai para casa.

Abdul queria tanto ir para casa que chegou a pensar em dizer que tinha surrado Fátima antes de ela suicidar-se. Ele ainda achava estranho pensar nela morta, porque em Annawadi ele não a considerara completamente viva. Como muitos de seus vizinhos, ele também avaliava sua deficiência física e emocional, e normalmente a colocava em um nível menor de tipo de existência. Porém, como ele ficou sabendo na delegacia, ser deficiente não era nada parecido com ser morto.

Uma noite, no barracão, um adolescente de 16 anos confessou aos outros meninos que esfaqueara e matara o próprio pai.

— Foi uma questão de honra — ele contou, já que seu pai estrangulara sua mãe. No entanto, a polícia o culpava pelos dois assassinatos.

Para Abdul, isso parecia a história de um filme. Para os outros internos, a culpa ou inocência do garoto era menos interessante do que sua afirmação de que viera de uma família com dinheiro, 25 lakhs ou 56 mil dólares no banco.

— Então seus pais estão mortos e você, agora, é um menino rico. — Um dos garotos apontou para o parricida. Mesmo depois que o menino explicou que a acusação de duplo assassinato iria interferir na herança, as outras crianças não conseguiram parar de falar dos carros e das roupas que ele poderia comprar.

Muitas das crianças tinham sido detidas porque foram pegas trabalhando. A maior parte do trabalho infantil já era considerada ilegal desde quando Abdul era bem pequeno, mas, agora, ocasionalmente, a lei era aplicada.

Dois meninos que pareciam ter 7 anos foram pegos enquanto varriam o chão de um hotel barato. Eles se pareciam com seus irmãozinhos menores, e Abdul ficava emocionado perto deles. Ele não conseguia entender por que o Estado os separara dos seus pais. Ser tão pobre para ter de trabalhar tão jovem já parecia um castigo suficientemente grande.

Nos seus primeiros dias em Dongri, Abdul ficou calado, ciente de sua inadequação na arte das conversas, mas o aprisionamento de crianças de 7 anos mexeu com ele.

— Qual a vantagem de prendê-los aqui? — ele falou bruscamente um dia. — Você vê o rosto deles? Tanto entusiasmo pela vida, parece que eles vão romper as paredes desta prisão. O pessoal do governo deveria deixá-los trabalhar, deixá-los livres.

Só quando foi preso, ocorreu-lhe que o trabalho como burro de carga, em um fim de mundo como Annawadi, pudesse ser considerado liberdade. Ele ficou satisfeito quando os meninos dos outros fins de mundo concordaram com ele.

Certa vez, enquanto cantava o hino nacional em uma manhã, uma jovem tâmil deixou seu filhinho de 2 anos do lado de fora da sala do diretor porque não podia mais sustentá-lo. Abdul não conseguiu olhar nos olhos dela e ver o tamanho da dor estampado em seu rosto. Não era comum para ele ser solidário. Ele já tinha visto coisas piores em Annawadi e não se importara, sobrecarregado como estava por seu próprio trabalho e preocupações.

Quando era pequeno, o barraco da família Husain desabara, machucando todo mundo, menos Abdul. Sua mãe sempre dizia que fora o egoísmo dele que o salvou. Ela tinha fritado uma cebola carnuda para o jantar e, quando seu pai deu uma mordida na porção dele, Abdul ficou irritado e saiu correndo do barraco com o resto de sua cebola, um pouco antes de as paredes desabarem.

Agora que estava cativo, não havia nada a preservar, nada para comprar, vender nem separar. Mais tarde, ele percebeu que era o primeiro período de descanso que já tivera na vida, e que, durante esse período, algo acontecera com seu coração.

Em uma manhã, ele e alguns outros internos foram enviados para um pequeno hospital, administrado pelo departamento de polícia, onde um médico fora encarregado de verificar as idades dos menores. Uma análise forense resolveria a questão, e aqueles com mais de 18 anos iriam para Arthur Road.

Na sala de exames, Abdul foi pesado por um assistente do médico: 49 quilos. Foi medido: 1,55 metro. Ele ficou nu em uma mesa, e seu pelo púbico foi declarado normal, seu pelo facial foi categorizado como subadulto e uma velha cicatriz sobre a sobrancelha direita foi adicionada ao registro público. Então, o médico entrou na sala com os resultados da investigação forense. Abdul teria 17 anos se ele pagasse duas mil rúpias, e 20 anos se não pagasse.

Abdul sentou-se, zangado. Ele não tinha duas mil rúpias e o que era isso deste médico rico pedir dinheiro para um menino preso? O médico levantou as mãos, frustrado.

— Sim, sei que isto é uma droga, pedir dinheiro para moleques pobres como você, mas o governo não nos paga o suficiente para criar nossos filhos. Somos forçados a pedir propina, a ser *kamina*[29]. — O médico sorriu para Abdul. — Hoje em dia fazemos praticamente qualquer coisa por dinheiro.

Abdul sentiu pena deste médico simpático, especialmente quando o cara cedeu e declarou que a idade dele era 17 anos. Alguns dias mais tarde, Abdul percebeu que se preocupava com um policial de Mumbai.

Depois de entregar um bando de crianças para o lar, um policial, acima do peso, começou a contar aos guardas sobre seus problemas cardíacos.

— Você acha que quer ser um policial, mas isso não é bom, porque acaba com você — disse, enxugando o suor da testa. Então, ele contou sobre outro policial com problemas no pulmão, e de um que tinha câncer, e de outros que estavam sofrendo de estresse e sobre como nenhum deles ganhava o bastante para poder pagar um bom médico. Abdul nunca pensara antes que policiais fossem pessoas com coração e pulmão e que se preocupassem com dinheiro

[29] Indigno ou mau-caráter (N. E.).

ou com a própria saúde. O mundo parecia ser um lugar cheio de pessoas em situações tão penosas quanto as dele, e isso o deixou menos solitário.

Em uma tarde, os meninos de Dongri ficaram surpresos ao saber que tinham algo para fazer, possivelmente porque o pessoal dos direitos humanos aparecia o tempo todo e anotava as coisas. Sessenta novos internos foram colocados em uma sala de blocos de cimentos com uma lousa e um pôster advertindo sobre os malefícios do cigarro, e informados que esperassem pelo professor, um indivíduo convincentemente chamado de O Mestre.

Quando O Mestre apareceu, Abdul ficou um pouco desapontado. O cara não era tão imponente quanto seu título. Ele era um hindu de meia-idade, atarracado e com cabelo eriçado, olhos avermelhados úmidos que fizeram Abdul lembrar-se dos olhos da mãe, e calças que deixavam aparecer o cano das meias soquete. Mas, então, O Mestre começou a falar.

Ele começou com a história de um menino que não obedecia aos seus pais e acabou na prisão de Arthur Road. Ao contar as coisas terríveis que aconteceram com o menino na cadeia, as lágrimas despencaram pelo rosto d'O Mestre.

Ele mal conseguia falar os detalhes, era trágico demais. Então, falou de outros meninos; meninos que não respeitavam a lei, meninos que causavam dor nos outros, como aqueles que ele via naquela sala.

— Se vocês fossem meus meninos, não vou mentir pra vocês, eu os teria posto pra fora de casa há muito tempo — O Mestre falou. Então, ele se lamentou pelo futuro dos meninos, que ele parecia ser capaz de prever.

Alguns meninos na sala, alguns selecionados, iriam se reformar e viver admiravelmente, falou O Mestre. As recompensas viriam para eles. No entanto, a vida seria amarga para os outros meninos que continuassem no caminho do crime. Suas famílias, desgostosas, parariam de visitá-los na cadeia, e, quando fossem soltos, já velhos e alquebrados, eles morreriam na rua, mal-amados.

O Mestre chorou pelos pais que batiam nos seus filhos em vez de perderem tempo conversando com eles. Curiosamente, ele também chorou pelo seu divórcio, por como sua esposa fora uma vaca para sua mãe e por como perdera seu carro grande no acordo da separação. Ele se animou quando falou sobre sua nova e bonita namorada.

Não importava o motivo pelo qual o professor chorasse, se fosse pela perda de seu carro ou pelo destino dos internos de Dongri, os meninos também começaram a chorar. Abdul nunca chorara antes como chorava agora. Não era o mesmo tipo de lágrimas que ele havia derramado na delegacia de Sahar. Estas eram lágrimas de inspiração. Ele nunca encontrara um homem tão refinado e honesto quanto O Mestre.

Abdul estava relutante em dar um nome ao sentimento que estava experimentando, enquanto prestava atenção ao que o homem dizia, porque ele poderia ser mal-entendido. Mas o que ele sentia pelo professor era algo intenso. O homem lhe dera a chance de tornar-se um estudante.

Não um grande estudante. Ele não entendeu muito bem o mito hindu sobre o rei Shibi oferecendo sua própria carne para uma águia, o que não parecia muito diferente de uma história que seu pai costumava contar, quando ele não se comportava bem, sobre um rei diferente e seus filhos canalhas e um macaco. Porém, a história que seu pai contava sobre o rei o fazia sentir-se culpado. As palavras d'O Mestre iluminavam um caminho virtuoso. Seja generoso e nobre. Ofereça sua carne, concorde em ser devorado pelas águias do mundo e, em tempo, você receberá justiça. Era um modo doloroso de enfrentar a vida, mas Abdul fora atraído pelo final feliz.

Ele fez uma análise de si mesmo para verificar o quão virtuoso já fora: tinha resistido a cheirar o Eraz-ex, a se embebedar, a fazer visitas ao bordel ou outras diversões que achava que poderiam afetar sua prontidão e habilidade para o trabalho. Ele se recusava a encorajar outros meninos a roubar coisas, mesmo que isso significasse perder dinheiro para o tâmil que era o dono do galpão de jogos e que maximizava seus lucros emprestando alicates que cortavam cercas de arame. Abdul nunca brigou, algumas vezes mentiu e raramente foi desrespeitoso com o pai. Mas poderia ter sido melhor e mais honrado, ainda podia ser.

Ele, que se recusava, categoricamente, a comprar qualquer coisa que tivesse sido roubada, ainda que fosse lixo roubado, não admitiria ter feito algo que não fizera contra Fátima, mesmo que isso o livrasse de Dongri e mesmo que a renda de sua família diminuísse na sua ausência.

Para a família dele, a capacidade física de Abdul era a coisa mais importante. Ele era o burro de carga e o que ele pensava era irrelevante. Ele nem mesmo tinha certeza se era crítico a respeito de alguma coisa. Mas, quando O Mestre falou de *taufeez* e *izzat,* respeito e honra, Abdul achou que o olhar chamejante do homem circulara pelas cabeças e viera repousar nele. Não era tarde demais, aos 17 anos, ou qualquer que fosse sua idade agora, para resistir às influências corruptas deste mundo e de sua natureza. Um menino não estudado e desajeitado ainda poderia ser capaz de ter integridade: ele pretendia lembrar-se disso e de qualquer outra verdade que O Mestre falara.

PARTE 3

Um pouco de loucura

"Você não vai vender nada se falar sobre morte."

Manju Waghekar

9.
Efeito marquee

EM JULHO, QUANDO ASHA E SUA FAMÍLIA desceram do trem, depois de uma longa viagem de treze horas para o norte, na região de Vidarbha, em Maharashtra, seus parentes na pequena aldeia inspecionaram o rosto deles encontrando evidência de como a vida era boa nas favelas de Mumbai.

— Vocês todos estão bem mais claros agora do que quando eram pequenos — observou uma prima de Manju, Rahul e Ganesh. — Pele macia. *Chikna.* Antes vocês eram mais escuros e tímidos.

Para examinar Asha com atenção, as mulheres mais velhas tiveram que entortar o pescoço, já que seus corpos estavam curvados depois de décadas de trabalho no campo. A bisavó de Asha caminhava de quatro. Olhando para a anciã, Asha ficou ali parada, ereta. Ela se sentia como um gigante voltando para casa.

Em Annawadi, ela costumava derramar rios de lágrimas quando passavam filmes sobre a vida nas aldeias, nos canais de língua marathi. Mesmo os dramas mais bregas sobre enchentes e fome levavam-na para aquela época no passado, trabalhando a terra difícil de Vidarbha. Nas vezes em que ela contou a história para seus filhos, manteve o tom inverossímil: uma versão adolescente e insana da Mãe Índia arrastando o arado depois que os bois tinham morrido. As mulheres de sua aldeia lembravam-se da Asha daquela época com respeito. Ela tinha se destacado por sua habilidade de trabalhar como um burro de carga, até mesmo sem comer durante dias.

— Ela era muito magra, meio faminta, quando trabalhávamos nos pomares de laranja — um de seus parentes murmurou aos outros. — Você não diria isso hoje em dia. Ela está forte, e o modo como fala... você pensaria que ela nunca pisou na terra.

Asha estava feliz de ser motivo de tanta admiração e conversa e de estar longe dos problemas de Annawadi. Ela tinha voltado para casa para colocar sua linda filha no mercado e mostrar sua relativa prosperidade entre as pessoas de sua casta de agricultores, os kunbis. Seu marido, Mahadeo, bancaria o sério; ela faria o papel da esposa respeitosa; Manju seria ela mesma; e as ofertas de casamento surgiriam, ainda que o motivo aparente da visita não fosse esse.

O motivo era um casamento despojado: sem música, sem dança, sem *jalebis*[30]. O noivo, um dos sobrinhos de Mahadeo, ainda estava de luto por seu irmão mais velho que tinha morrido de aids, logo após infectar sua esposa. A doença corria solta em Vidarbha, mas era negada veementemente. Se ficassem sabendo que essa doença havia vitimado um dos parentes de Manju, seu valor como noiva poderia diminuir. Mas as pessoas da aldeia não estavam terrivelmente interessadas na morte do jovem nem na viúva, que ficaria escondida enquanto durassem as festividades, tampouco nas histórias de Asha sobre a cidade. Os olhos dos fazendeiros não se afastavam do céu.

Uma pausa nas chuvas, como era conhecida em Annawadi, tinha um nome diferente no campo: seca. Caíra pouca chuva em junho, e milhões de sementes de algodão plantadas no mês anterior morreram. Os agricultores tinham pagado um preço alto por suas sementes: eram geneticamente modificadas e chamadas de híbridas, criadas, em teoria, para o clima instável de Vidarbha. Agora, mais sementes teriam que ser semeadas e novos empréstimos seriam arranjados para pagar por elas.

Alguns kunbis diziam que julho era o mês em que os deuses dormiam. Os parentes de Asha esperavam que os deuses tivessem mudado a sua programação este ano e que também estivessem acordados à noite, preocupando-se.

[30] Doce indiano feito com frutas cítricas (N. E.).

Nas duas décadas depois que Asha e seu marido saíram de suas respectivas aldeias agrícolas, a trinta quilômetros de distância uma da outra, muita coisa tinha mudado para melhor. Algumas casas ficaram maiores e mais resistentes graças ao dinheiro daqueles que foram para a cidade e mandavam dinheiro para casa. Dinheiro público também tinha alterado a paisagem: espalhadas entre as fazendas dissecadas estavam novas escolas, faculdades e belos escritórios do governo com gramados tão bem cuidados quanto os do Hyatt, na estrada do aeroporto. O governo tinha construído mais redes de saneamento básico também, mas fracassara em compensar a natural falta de água de Vidarbha. Pouca chuva e desvios ilegais esgotavam as represas; os riachos secavam; rios mudavam de curso. Enquanto os peixes morriam e as plantações definhavam, os agiotas tornavam-se os chefes não oficiais da aldeia.

Envergonhados e endividados, alguns fazendeiros se mataram, uma velha história, uma das partes importantes de um filme maharashtra. Mas o filme ainda estava sendo rodado. No novo século, o governo contava uma média de mil suicídios de fazendeiros por ano em Vidarbha; os ativistas contavam muito mais. Qualquer que fosse o número, os suicídios tornaram a região um símbolo do desespero e da pobreza da Índia rural.

As pastas acumulando poeira nas salas de arquivos da burocracia de Vidarbha indicavam que os meios modernos de suicídio, beber pesticida, principalmente, superaram a autoimolação. Mais de mil páginas emboloradas continham a descrição das histórias contadas por seus angustiados parentes.

"Nos últimos dois anos, a colheita se perdera. Ele não pôde pagar o empréstimo. Então, aconteceu um incêndio no barracão. Todas as sementes se queimaram, de girassol, trigo, tudo destruído. Ele não pôde fazer o casamento do seu segundo filho, e as pessoas ficavam perguntando quando o casamento aconteceria."

"A família dele era tão grande e, depois de examinar alguns documentos bancários, ele ficou perturbado e bebeu inseticida. O empréstimo era enorme, e ele não via como pagar."

"Ele era meio lento, curto das ideias, e trabalhava no campo, então fez empréstimos para o casamento da filha e se sentiu encurralado."

"Ele disse: 'Pai, vou me matar se você não me comprar um celular', então ele foi e bebeu o veneno."

O primeiro-ministro Manmohan Singh tinha vindo de Délhi para expressar sua preocupação pelo sofrimento dos fazendeiros e para mostrar a determinação do governo central de aliviá-los. As famílias de alguns suicidas endividados iriam receber uma compensação do governo. Um programa de reestruturação de dívidas e um programa de isenção de juros foi disponibilizado para os fazendeiros que fizeram empréstimos nos bancos, em vez de usar agiotas. Um enorme esquema nacional para aumentar a renda rural também estava a caminho, garantindo aos moradores dos vilarejos que estivessem desempregados cem dias de trabalho subsidiado. Uma das esperanças do governo era evitar que os aldeões abandonassem suas fazendas e superlotassem, ainda mais, cidades como Mumbai; entretanto, os parentes de Asha nunca tinham ouvido falar nestes programas de auxílio.

Entre os indianos poderosos, a distribuição de oportunidades era basicamente um negócio interno, para poucos. Em algum momento, naquele verão, licenças públicas de telecomunicação valendo o equivalente a dezenas de bilhões de dólares estavam sendo vendidas debaixo dos panos para os licitantes corporativos; fundos públicos destinados a construir instalações esportivas de nível mundial para os jogos da Comunidade das Nações de 2010 estavam sendo desviados para interesses particulares; a oposição parlamentar para o futuro de um tratado nuclear entre a Índia e os Estados Unidos estava sendo facilitada por um baú cheio de dinheiro; e a riqueza dos cem indianos mais ricos mostrava ser igual a um quarto do PIB do país.

Em uma parte da zona rural, a leste de Vidarbha, onde Asha e seu marido tinham crescido, muitos cidadãos pararam de acreditar nas promessas do governo para melhorar suas vidas. Privados de suas terras e de seu meio de subsistência histórica por causa dos projetos de modernização do governo e da presença de grandes empresas, eles acabaram ajudando a reviver o movimento maoísta de quarenta anos atrás. Empregando minas terrestres, lançadores de foguetes, bombas de pregos e armas contra o capitalismo e o Estado da Índia, as guerrilhas estavam, agora, operando em praticamente um terço dos 627 distritos da Índia, incluindo uma faixa subdesenvolvida no centro-leste conhecida como Cinturão Vermelho. Neste verão, os maoístas foram especialmente produtivos no estado de Orissa. Afundaram um barco cheio de comandos militares, matando 38; explodiram uma van da polícia, matando mais 21.

Na maioria das aldeias rurais, contudo, as pessoas ainda não estavam falando sobre revolução. Elas estavam esperando para ver se as melhoras na infraestrutura e na tecnologia agrícola poderiam mudar seus prospectos. Neste ano, enquanto Anil, primo de 17 anos de Manju, trabalhava nos campos de algodão e soja, ele carregava em suas costas um destes avanços: um pesado botijão de metal de pesticida Dow.

Os campos onde ele trabalhava pertenciam a um rico político que pagava a seus funcionários mil rúpias ou 21 dólares por mês. Enquanto as plantações do político vingavam e o lucro aumentava com os novos aditivos químicos, o peso dos botijões e a inalação nociva tornava o trabalho algo nada fácil, dolorosamente difícil. Fazia pouco tempo que, ao final de um dia de trabalho, um dos colegas de Anil colocara o seu botijão no chão, subira em uma árvore nos limites da fazenda e se enforcara. A família dele não recebeu nenhuma com pensação do governo pela perda.

À noite, Anil tinha conversas imaginárias com o político para quem trabalhava, nas quais ele, gentilmente, argumentava que, quanto mais difícil fosse o trabalho, mais deveria ser recompensado com um pagamento ligeiramente maior. No entanto, um empregado que reclamava era facilmente substituído. Anil guardou seus pensamentos para si mesmo, incluindo os suicidas.

— Tente sua sorte em Annawadi — Asha tinha sugerido, e, então, Anil tinha se tornado um dos quase 500 mil indianos que chegavam anualmente em Mumbai. Toda madrugada, ele esperava, junto com outros, algum trabalho em

Marol Naka, um cruzamento perto do aeroporto onde os supervisores de construções chegavam em caminhões para escolher os trabalhadores do dia. Cerca de mil homens e mulheres desempregados iam ao cruzamento todas as manhãs; apenas uma centena deles era escolhida para o trabalho. Anil não sabia que a expectativa de vida em Mumbai era de dez anos a menos do que no resto da nação. Ele apenas sabia que, naquele cruzamento, tentando competir sem sucesso com todos aqueles outros migrantes, seu peito estava cheio de fuligem. Depois de um mês de rejeição, ele voltou para casa.

— As pessoas riram quando me viram de volta — ele contava agora a Manju. — Eu tinha dito a eles que estava indo ganhar dinheiro e ver a cidade, e não fiz nenhuma das duas coisas. A única coisa importante que vi foram os aviões.

Na noite anterior ao casamento a que foram convidados, Manju, na sua posição de mulher diferenciada da aldeia, carregou um pote de grãos entre as ruelas até o templo onde as preces seriam feitas pela noiva e noivo. Numa túnica pêssego de *chiffon* com lantejoulas que sua tia, na cidade, já não usava mais, ela liderou o desfile de familiares e vizinhos ao longo das ruas de terra cheias de burricos cavando o lixo. Passando por alguns casebres de pau a pique pintados de um tom de verde que não existia nos campos, ela subiu um caminho íngreme até o templo de Hanuman, o deus-macaco.

Mais cedo, ela passara um pó no rosto do noivo e acrescentara brilho em volta dos olhos dele com uma escova de dentes. Mas, mesmo no escuro, naquele templo sem eletricidade, ela podia sentir todos os olhares nela; e não no noivo com o rosto coberto de brilhos. Uma garota urbana, universitária, era uma explosão de fogos de artifício na aldeia.

Mas qual dos homens kunbi seria o escolhido por Asha para ser o marido da filha? Alguns deles achariam que Manju era estudada demais para ser uma esposa submissa; outros seriam considerados pobres demais para sustentar os interesses de sua mãe.

Manju não conseguira acompanhar os movimentos de Asha no deprimente casamento do dia, mas, logo depois, um jovem soldado apareceu na casa onde a família estava hospedada. Asha foi para fora conversar com ele, em particular. De tempos em tempos, Manju escutava a risada áspera de sua mãe.

Recentemente, em Annawadi, Manju tinha observado Asha negociar um casamento entre uma menina tímida da vizinhança e um garoto de outra favela. Manju ficara animada com a oportunidade de vislumbrar o tipo de negociação que um dia decidiria seu próprio futuro. Tudo parecia estar indo bem, até que a garota levantou o rosto. — Não é bonita! — A família do menino se opôs, culpando Asha por desperdiçarem seu tempo.

O pragmatismo cruel daquela tarde deixara Manju prevenida, então, quando Asha a chamou para trazer o chá, ela arrumou o cabelo, abaixou os olhos e tentou manter seu coração calmo. Pegando sua xícara, o soldado olhou para ela por um longo instante e disse: — Não fique muito no sol, você vai ficar escura demais.

Ele não era feio, apesar do bigode, e os olhos de Manju não estavam tão abaixados a ponto de ela não notar os olhos dele deslizando por seu corpo. Ela teve a sensação de estar sendo tocada. Às vezes, ela se sentia perturbada ao perceber como ansiava ser desejada; ela se sentia quase pronta para o casamento, para o sexo. Mas, caso Asha lhe arranjasse qualquer casamento que a obrigasse a passar a vida em Vidarbha, Manju já decidira: ia fugir.

Uma noite, antes de a família retornar a Annawadi, Anil contou a seus primos um sonho que tivera. Ele estava fugindo da fazenda, e Manju, Rahul e Ganesh estavam correndo ao seu lado.

— Nós estávamos escapando e nossas mães estavam furiosas. Elas estavam dizendo: "Se vocês forem, não vamos permitir que voltem". E nós respondíamos: "Não nos chamem de volta! Não queremos voltar! Estamos indo para um lugar melhor!". Estávamos rindo desenfreadamente enquanto corríamos.

De volta a Annawadi, Asha tentou tirar o drama sórdido de Fátima de sua cabeça e fechou sua porta para a desesperada Zehrunisa. Ela queria dedicar o resto da temporada da monção para se aprimorar. Por exemplo, ela precisava fazer um ou dois cursos na faculdade ou perderia seu emprego temporário como professora do jardim de infância na Escola Municipal Marol. O governo de Maharashtra estava tentando melhorar a qualidade de suas escolas, e alguns dos professores estavam sendo pressionados a demonstrar que estavam tentando aperfeiçoar-se. Felizmente, o professor de Asha na Yashwantrao Chavan Maharashtra Open University tinha assegurado à sua turma de professores que forneceria as respostas para os trabalhos e exames de final de ano.

Mas Asha queria ser política, e não uma professora mal paga de jardim de infância. Para conquistar esse objetivo, ela pensou que teria que mudar seu jeito de favelada, do mesmo jeito que tinha mudado seu jeito de aldeã. Era um segundo tipo de migração, a de classe.

— A chave — ela falou para Manju — é estudar as pessoas da primeira classe. Você observa como elas vivem, como elas caminham e o que elas fazem. E, então, você faz o mesmo.

Asha tinha criado sua filha para ela acreditar que era diferente das outras crianças em Annawadi, superior até mesmo aos seus próprios irmãos. Com 14 anos, Ganesh era gentil e indeciso, enquanto Rahul, apesar de toda sua segurança, não tinha ambição. Desistira de seu trabalho no hotel e estava bem feliz com seu novo trabalho temporário, limpando mesas em uma cantina para funcionários do aeroporto. Mais e mais, Asha via o marido refletido nos meninos. Depois de tê-los ensinado tudo o que ela achava que eles conseguiriam aprender — eles eram os mais rápidos cortadores de cebola de Annawadi —, ela deixou-os por conta própria. Apenas ela e Manju pareciam capazes de um planejamento inteligente que pudesse levá-los para a crescente classe média da Índia.

Asha lembrou-se de quando seus vizinhos ficaram sabendo que ela tinha arrumado um emprego no jardim de infância, já que sua escolaridade ia apenas até o 7º ano. Eles a chamavam de "Professora" com sarcasmo. Com o tempo, entretanto, o título permaneceu e a zombaria desapareceu. Do mesmo jeito, ela pensou, você pode posar como uma integrante da cidade alta, esperar as vaias e acabar se tornando uma delas. Era outra forma da decoreba que Manju fazia na escola.

— E não tenha medo de conversar diretamente com as pessoas da primeira classe. Algumas delas são bem agradáveis e vão conversar com você — Asha instruiu a filha. — Pergunte a eles como ter uma aparência melhor, ouça seus conselhos.

Recentemente, Asha pedira a um homem do Shiv Sena para fazer-lhe uma crítica rigorosa da sua imagem.

— Ele falou que não se deve usar sapatos com salto quando a mulher é alta, porque vai parecer que você é vagabunda — ela relatou a Manju. — Não use seus vestidos caseiros fora de casa. Em vez disso, use um sári. Ponha seu *mangal sutra*[31] em uma corrente comprida, não em uma curta. Não pareça preocupada, mesmo que você esteja; ninguém quer ver as linhas de expressão no seu rosto. E não ande com pessoas que pareçam piores que você.

O homem do Shiv Sena fora um pouco brusco ao dar aquela última dica. Ela tinha caminhado com ele para a casa do representante distrital uma noite, e ele disse: — Eu estou com boa aparência, e você está feia, sua feiura me estorva também.

Manju também trouxera informações adicionais da faculdade: brincos pendentes grandes, classe baixa; aros delicados, classe alta. Mulheres de classe alta também usavam jeans, ela contou para a mãe, que em seguida permitiu a compra de um par de jeans de boca larga. Um dia, olhando-se no espelho e vendo como ficara bonito o jeans com a túnica pêssego de lantejoulas, Manju disse em voz alta para si mesma: — Efeito marquee. Ela tinha aprendido esse termo na aula de informática, quando aprendera a mexer no Photoshop.

O efeito marquee diminuiu um pouco quando a irmã de Asha fez, nela e em sua mãe, um corte de cabelo com franjas. Com a umidade, os fios se levantaram em uma onda de cachos. Porém foi divertido passar a temporada da monção se modernizando. Ao perceber que sua mãe, de repente, tratava-a como igual, Manju introduziu um novo assunto dizendo que muitas pessoas da primeira classe casavam fora da própria casta, com pessoas que elas, e não os seus pais, escolheram.

— As pessoas ricas têm umas ideias diferentes — Manju falou.

Mas sua mãe não pretendia ser tão primeira classe assim.

Asha gostara do soldado de Vidarbha, que vinha de uma família relativamente rica, mas seu marido tinha se oposto ao noivado alegando que os

[31] Colar que simboliza o casamento hindu (N. E.).

homens do exército frequentemente eram bêbados como ele. Em Annawadi, Irmã Paulette visitara Asha duas vezes para fazer propaganda de outro noivo em potencial, um homem de meia-idade que morava em Maurício.

— Ele é meu irmão — a freira falou com os olhos piscando rapidamente. Asha suspeitou que a Irmã Paulette recebesse uma comissão. De certo modo, Asha também receberia.

A maioria dos annawadianos consideravam as filhas um risco, devido à excruciante carga financeira do dote. Mas há muito tempo ocorrera a Asha que uma garota como Manju, linda, capaz e disposta a se sacrificar, poderia fazer um casamento tão vantajoso que levantaria toda a família. O homem de Maurício era rico, supostamente, mas Asha não se sentia tranquila em mandar sua própria filha para a África, de onde ela tinha ouvido dizer que meninas bonitas eram vendidas como escravas. Ela decidiu não fazer nada por um tempo. Em vez disso, encorajou Manju a ampliar seu círculo social, o que aumentaria as chances de uma oferta melhor.

Asha acreditava que uma pessoa em busca de aperfeiçoamento deveria tentar o maior número de caminhos possíveis, já que era difícil prever qual daria certo. A primeira ideia de Manju fora vender seguros, como uma de suas colegas de classe fizera. A empresa Life Insurance Corporation of India estava oferecendo treinamento grátis para futuros agentes em um prédio de escritórios numa rua próxima ao Hotel Leela.

Asha ficou curiosa com os anúncios desses seguros na TV que ofereciam, a quem pudesse pagar, proteção para algumas das volatilidades da vida na Índia. O jovem marido, em um dos comerciais, tinha se preocupado em comprar um seguro-saúde para sua esposa antes de ela sofrer um acidente de trânsito. Agora, miraculosamente, ela estava se levantando da cadeira de rodas! O seguro de vida estava transformando funerais em celebrações! Vender tais apólices colocaria Manju em contato com pessoas ricas e, ao mesmo tempo, traria mais dinheiro para dentro de casa.

As crianças da escola no barraco de Manju vinham mais cedo para ajudá-la, enquanto ela aprendia os nomes em inglês das apólices: Future Confidence II, Wealth Confident, Invest Confident, Aspire Life. O vocabulário das crianças expandiu-se momentaneamente, incluindo termos como: *surrender value, rider premium* e *partial withdrawal*[32].

No treinamento, Manju aprendeu que não venderia nada que se referisse diretamente a tragédia ou morte. Você tinha que enfatizar o ângulo do lucro, contar a história de um homem que comprara quarenta apólices e deixara sua família mergulhada em notas de rúpias.

Manju praticou suas falas e refutações até ficar fluente e passou no exame final com notas altas. Então: nada. Quem ela conhecia que poderia comprar um seguro?

— Todos querem seu lucro — um dia falou para as crianças, balançando a cabeça. — Eles dizem, se eu fizer isso, quanto vou lucrar? Na faculdade, as meninas também falam assim, mesmo quando estão falando umas com as outras: "Por que conversar com aquela menina esquisita, Pallavi? Qual o lucro? Qual a vantagem?".

Zubbu, a filha de 11 anos do dono do bordel, compreendia a preocupação de Manju com a obsessão pelo dinheiro mais que as outras crianças. Seus pais estavam tentando vendê-la, e a garota achava que enlouqueceria. Manju só poderia rezar para que os pais de Zubbu não fossem bem-sucedidos nessa empreitada, assim como não foram nas outras.

Ao ensinar meninas como Zubbu, Manju tinha noção de sua própria sorte. Na próxima primavera, se passasse nos exames da banca estadual, ela teria seu diploma de bacharel. Com mais um ano de estudo, que seria financiado com a venda de um dos cômodos alugado do barraco deles, ela seria uma professora formada, com licenciatura. Ela não tinha esperança de conseguir um emprego permanente em uma escola do governo, já que tais empregos exigiam o pagamento de propinas enormes para os funcionários da educação. Era mais provável conseguir uma colocação em uma das pequenas escolas particulares, embora muitas delas pagassem tão pouco que seus colegas, no programa de bacharelado e licenciatura, começavam a achar que tinham investido em uma profissão idiota. Uma das garotas pretendia trabalhar em um call center depois

[32] Valor de resgate, prêmio, retirada parcial (N. E.).

da formatura; outra imaginou que faria mais dinheiro como chefe de cozinha. Na classe, só Manju ainda queria lecionar. Mas a escola no barraco de Annawadi, onde ela exercitava seus talentos, irritava cada vez mais sua mãe. Asha não via, no longo prazo, benefício nessa relação com crianças das classes baixas.

O governo central fundara as "escolas-ponte", como a de Manju, e mais centenas iguais a essa em Mumbai por meio de contratos com Organizações não governamentais. Embora os fundos públicos para educação aumentassem com a nova riqueza da Índia, eram fundos que serviam, principalmente, para fazer circular dinheiro através da elite política. Políticos e funcionários municipais ajudavam parentes e amigos a iniciar uma dessas organizações sem fins lucrativos e conseguir dinheiro do governo. Poucos se preocupavam, realmente, se as escolas funcionavam de verdade.

A escola de Manju ficou sob os auspícios de uma organização católica, a Reach Education Action Programme, ou REAP, que levava a sério suas obrigações com os alunos pobres muito mais que outras organizações sem fins lucrativos levavam. O padre que administrava a entidade resistia bravamente a pagar subornos, e suas escolas estavam sendo fechadas, gradualmente, por toda a Mumbai. A escola de Annawadi era uma das poucas sobreviventes, e um supervisor vinha quase todos os meses para assistir às aulas e examinar as fichas escolares. Ele percebeu que a escola onde Asha deveria lecionar era, na verdade, a escola de Manju, mas deixou isso passar porque os alunos estavam aprendendo.

Numa tarde, as crianças estavam aprendendo as palavras em inglês: *chariot, knee, mirror, fish* e *hand*[33].

— E o que vocês fazem com as suas mãos? — Manju quis saber.

— Comer!

— Lavar roupas!

— Pegar água!

— Dançar!

— Levantá-las para mostrar a alguém que vou bater nele...

[33] Carruagem, joelho, espelho, peixe e mão (N. E.).

As cabeças se viraram para a porta. Asha estava na entrada enraivecida.

— É urgente o que você está ensinando? — ela gritou para Manju. — O que é mais importante? Essas crianças ou deixar a casa em ordem para mim?

Crianças sujas estavam espalhadas pelo chão. Cadernos estavam jogados por todos os lados. Era uma cena que não combinava com a casa de uma quase Senhoria da Favela e aspirante à funcionária eleita. A roupa lavada da manhã ainda estava úmida.

— Ótimo — Asha falou para Manju pegando uma toalha. — Você põe as roupas num varal dentro de casa, quando o sol está brilhando lá fora. Você não pode fazer nada direito quando não estou por perto? — Manju virou de costas para que os seus alunos não vissem seu rosto.

Depois disso, Manju começou a dar aulas dia sim, dia não, ou a cada três dias. As crianças entenderam que não era escolha dela. Quando uma nova escola abriu no templo cor-de-rosa, perto do lago de esgoto, muitas delas se transferiram para lá, mas a escola foi fechada assim que o líder da ONG tirou muitas fotos de crianças estudando, para garantir os fundos do governo.

No novo tempo livre de Manju, ela procurou outra forma de aumentar suas redes sociais. Ela se inscreveu no Indian Civil Defense Corps, um grupo de cidadãos de classe média treinado para salvar pessoas em caso de enchentes ou ataques terroristas.

Como muita gente em Mumbai, ela estava a cada dia mais preocupada com o terrorismo. Em julho, houvera uma explosão de bombas em Bangalore e, depois, explosões em Ahmedabad, dezenove explosões no centro da cidade. Os terroristas não eram maoístas; estes eram um problema da Índia rural. O perigo nas cidades eram os militantes religiosos, alguns deles agindo em nome de Allah, como eles mesmos assinavam nas mensagens para os jornais.

Mumbai, a capital financeira, era um alvo óbvio; portanto, cães farejadores se juntavam às falanges de segurança dos hotéis cinco estrelas. No aeroporto, barricadas de sacos de areia proliferavam. Na Western Express Highway, placares eletrônicos orientavam os cidadãos para que ficassem alertas: "Estranhos em sua área? Chame a polícia". Para Manju, o grupo de defesa civil parecia um jeito mais efetivo de proteger sua cidade do que chamar a polícia por causa de estranhos.

Nos porões cavernosos de um prédio do governo, ela e outros quarenta maharashtras, mulheres de meia-idade e dois universitários idealistas, simulavam crises e praticavam técnicas para salvar vidas.

"Num ataque de bombas, fique calmo e verifique em primeiro lugar se você está em segurança. Então, acalme os outros e leve-os para um lugar seguro. Em caso de enchente, abóboras e garrafas plásticas de água podem ser usadas como boias. Amarre sua *dupatta* em alguém fraco demais para nadar e puxe-o atrás de você."

Do grupo todo, Manju era a mais magra e frágil demais para segurar muito peso, então sua tarefa costumeira nos treinamentos era ser o peso morto, o ferido a ser resgatado. Deitada no chão de linóleo, com o cabelo espalhado à sua volta, ela imitava todos os gestos de desespero que tinha visto nos filmes indianos, desde um grande suspiro até o olhar apavorado e o tremor desesperado. Então, ela era colocada nos ombros de alguém e levada para um lugar seguro. Aqui ela podia ser tocada e era mais maravilhoso ainda quando ela deixava seu corpo relaxar nos braços de Vijay, um aluno universitário sério, e de rosto quadrado, que liderava o batalhão. Ele apreciava o esforço sincero que Manju colocava no papel da vítima.

Uma noite, quando Manju saía do treinamento, em seu novo jeans e na túnica pêssego, Vijay a chamou. Enquanto atravessavam a rua juntos, em direção ao ponto de ônibus, ele segurou a mão dela. Sua primeira vez. As esperanças de Manju foram prensadas contra sua mente pragmática que insistia que os Vijay da cidade tinham melhores opções do que escolher uma garota que ainda não era de primeira classe.

Era difícil guardar segredos em uma favela. Como Asha bem sabia, segredos bem guardados eram um tipo de moeda. As pessoas podiam dizer o que quisessem sobre onde ela ia à noite, ou com quem estava, mas, até que alguém a pegasse em flagrante, ela continuaria a negar.

Hoje era noite do seu 40º aniversário, uma lua limitada pairava no céu baixo, sem chuvas. Manju distribuiu pedaços de bolo junto de um punhado de batatas chips, e Asha colocou os braços em volta dos filhos. Até mesmo seu marido, Mahadeo, estava animado quando lhe ofereceu um presente roubado, um bauzinho de plástico cheio de moedas douradas de chocolate.

— Essas moedas deveriam ser verdadeiras, já que estou fazendo 40 anos — Asha falou sorridente enquanto mordia seu pedaço de bolo.

Seu celular tocou novamente. Ele estava tocando sem parar pelos últimos quinze minutos, e ela estava empurrando-o cada vez mais para o fundo de uma dobra de seu sári azul-escuro. Um policial chamado Wagh estava impaciente para vê-la.

— Uma emergência? — Manju perguntou logo depois. — Ligando tantas vezes.

— É aquela mulher Reena, trabalho *shakha* — Asha mentiu. — São negócios da ala feminina do Shiv Sena. — Então, um minuto depois, ela falou hesitante. — Talvez eu realmente tenha que ir.

— O quê? Fale pra ela que você não pode ir, é sua festa de aniversário — Manju afirmou alegremente pouco antes de Asha atender ao telefone.

— Não posso — ela falou e fez uma longa pausa. — Não, não é possível. Amanhã? Você entende... — Uma longa pausa. — Escute, eu...

De repente ela estava em frente ao espelho espalhando pó sobre seu rosto, arrumando seu sári e penteando e afastando o cabelo grosso do rosto. Ela podia ver seu marido e Manju observarem-na pelo espelho.

— Meu colar deve parecer verdadeiro — ela balbuciou nervosa. — Um cara na estação de trem me disse para tirá-lo ou ele seria roubado. Você sabia que coentro custa só cinco rúpias no mercado de Ghatkopar? Fui à casa da minha amiga para o chá, mais cedo, e perdi o ônibus. É muito melhor coentro fresco, melhor do que aquele que conseguimos aqui...

— Mãe — Manju falou baixinho. — Não vá.

O celular tocou novamente.

Asha disse: — Sim, eu disse que estou indo. Eu estou me apressando. Mas onde?

O pó branco cobriu todo o celular, manchando seu pescoço. Ela estava suando. Os olhos de seu marido ficaram marejados de lágrimas.

— Mãe — Manju falou novamente segurando a mão dela. — Por favor. Mãe.

Mas Asha soltou-se das mãos da filha e caminhou apressada pelo *maidan*, passou pelo galpão de vídeo dos meninos de rua, passou pelo Hyatt, sem parar, até chegar a uma parada de ônibus, do lado de fora do imperioso Hotel Grand Maratha.

Este hotel cor-de-rosa era o mais caro do quarteirão. Estava com um tom rosa-dourado agora que centenas de luzes iluminavam as curvas de sua fachada de pedras de Jaipur. Asha também brilhava, parada do outro lado da cerca, com uma faixa de pó branco riscando um lado de seu rosto.

Ela suspeitava, sabiamente, que, em sua casa, as lágrimas de Manju estavam caindo sobre a fatia de bolo de chocolate. Durante anos, Asha teve esperanças de que sua filha não descobrisse sobre os seus homens. Agora, ela desejaria ter criado Manju com mais conhecimento do mundo para que a filha a entendesse melhor. Isso não tinha nada a ver com luxúria ou ser moderna, embora ela soubesse que muitas pessoas da primeira classe transassem livremente. Nem era para sentir-se amada e linda. Isso era sobre dinheiro e poder.

Sua mente se movia mais rapidamente do que a das outras pessoas.

Os políticos e policiais reconheceram essa habilidade, passando a depender dela. Mesmo assim, não fora o suficiente. Aos 20 anos, ela era uma refugiada pobre e sem instrução, vinda da seca, com um marido que não tinha vontade de trabalhar. Essa noite, aos 40, ela era uma professora de jardim de infância e a mulher mais influente de sua favela. Uma mulher que tinha proporcionado ensino universitário para sua filha e logo, ela esperava, iria arranjar-lhe um casamento brilhante. O desabrochar de Manju... Só isso bastaria para justificar suas negociatas. Até mesmo o pesadelo de morrer de aids. Asha devia fazer o exame de sangue logo. Ela sabia disso.

Devia estar observando a estrada do aeroporto para ver a chegada do policial, mas um casamento da sociedade estava acontecendo nos gramados do Grand Maratha. Este era um dia auspicioso no calendário hindu, aprovado pelos astrólogos para casamentos. Ela tinha se esquecido. Uma banda de *jazz* estava tocando uma música que ela não reconhecia. Os *paparazzi* estavam tirando fotos, bloqueando sua visão da noiva. Pequenos confetes vermelhos e rosas voaram pela cerca e caíram a seus pés, antes que rajadas de vento levassem-nos para longe. Uma van branca da polícia parou. Do lado dela. Asha afastou-se das luzes, da banda e da celebração quando a porta de trás da perua se abriu.

10.
Papagaios presos e libertos

EM UMA MADRUGADA NO FIM DE JULHO, Sunil encontrou um catador caído na lama no cruzamento da estradinha de terra de Annawadi com a grande via do aeroporto. Sunil conhecia ligeiramente o velho; ele trabalhava duro e dormia do lado de fora do mercado de peixes Marol, a uns 700 metros de distância. Agora, a perna do homem estava esmagada e ensanguentada, e ele estava pedindo ajuda aos transeuntes. Sunil imaginou que ele fora atropelado por um carro. Alguns motoristas não se preocupavam muito em evitar os catadores de lixo que se espalhavam na beira das estradas.

Sunil estava assustado demais para ir até a delegacia de polícia e pedir uma ambulância, especialmente depois do que disseram que acontecera com Abdul. Em vez disso, ele correu em direção ao campo de batalha, nas caçambas de lixo da área de carga, esperando que um adulto tivesse coragem de ir à delegacia. Milhares de pessoas passavam por ali todas as manhãs.

Duas horas mais tarde, quando Rahul saiu de Annawadi para ir à escola, o ferido estava suplicando por água.

— Este aí está mais bêbado que seu pai — um dos amigos de Rahul brincou com ele.

— Mais bêbado que o seu pai — Rahul retrucou sem pensar, enquanto viravam em direção à estrada do aeroporto. Rahul não tinha medo da polícia; ele tinha corrido em busca de ajuda quando um de seus vizinhos jogara lentilha fervente em Danush, o bebê doente. Entretanto, o homem na estrada era apenas um catador, e Rahul tinha que pegar um ônibus para ir à escola.

Quando Zehrunisa Husain passou por ali, uma hora depois, o catador estava gritando de dor. Ela achou que a perna dele estava com uma aparência horrível, mas ela estava levando comida e remédio para seu marido, que também estava com uma aparência horrível, do outro lado da cidade, na prisão de Arthur Road.

O senhor Kamble passou um pouco depois, com os olhos leitosos e cheios de dores, em seu caminho atrás de negócios e caridade, ainda procurando contribuições para sua válvula cardíaca. Ele já fora um morador de rua como o homem ferido. Porém, agora, o senhor Kamble não enxergava nada além do saco sem fundo de seu próprio sofrimento, pois ele sabia que milagres eram possíveis na nova Índia, mas que ele não receberia nenhum.

Quando Rahul e seu irmão retornaram da escola, no começo da tarde, o catador ferido estava deitado, quieto, gemendo fracamente. Às 14h30, um homem do Shiv Sena fez uma ligação para um amigo na delegacia de polícia de Sahar sobre um defunto que estava perturbando as crianças pequenas. Às 16 horas, os guardas chamaram outros catadores para carregar o corpo para dentro do carro da polícia, para que eles mesmos não pegassem as doenças que diziam que os catadores de lixo carregavam.

Indigente: a delegacia de Sahar decidiu sem nem mesmo procurar pela família do catador. Morreu de tuberculose, o patologista do necrotério do Hospital Cooper concluiu sem nem fazer uma autópsia. Thokale, o policial responsável pelo caso, queria andar rápido porque tinha um negócio a tratar com o Patil Medical College, em Bijapur. Seu departamento de anatomia solicitara 25 cadáveres de indigentes para dissecação e, com este último, o pedido estava completo.

Alguns dias mais tarde, um jovem catador trabalhando debaixo de chuva descobriu outro corpo no aeroporto: um homem deficiente, caído em uma estrada de acesso ao terminal internacional, com uma muleta feita à mão ao lado dele.

Sem identificação, sem autópsia. Um terceiro corpo apareceu no lado mais distante do lago de esgoto, em um buraco que as pessoas usavam como latrina. Todos aqueles que usavam o banheiro a céu aberto notaram que o cheiro estava pior do que o normal. O corpo decomposto era de um motorista de requixá, e a causa da morte fora determinada como "doença". No mato do aeroporto, do outro lado do Hyatt, um quarto corpo apareceu com a cabeça esmagada: um homem de Annawadi que carregava bagagem no aeroporto.

Os annawadianos suspeitaram de que a Perna Só deixara uma praga, e que, agora, o lugar todo estava arruinado, podre, *barbad.* Também havia boatos de que Annawadi e outras favelas do aeroporto seriam demolidas depois das eleições parlamentares do próximo ano.

Alguns annawadianos tinham certeza de que o representante distrital Subhash Sawant conseguiria atrasar a chegada das escavadeiras. Porém, em um dos cruzamentos das redondezas, um banner político balançava ao vento sugerindo que as negociações estavam sendo encaminhadas.

"Você finge que me bate. Eu finjo que choro. Vocês, que moram em terras do aeroporto, já estão acostumados com este drama de mentirinha. Agora, o outro partido diz que vai impedir que o aeroporto destrua suas casas. Então, por que eles estão se encontrando em segredo com o governo e os empreiteiros?"

Sunil estava apavorado com as mortes e os boatos, mas sua preocupação mais imediata era sua irmã mais nova, que crescera mais alguns centímetros, aumentando ainda mais a diferença entre eles. Durante a monção, não houve lixo suficiente no aeroporto para que Sunil continuasse a crescer. E ele ficou ainda mais desanimado quando viu, de relance, outro menino catador de Annawadi, magro como uma vareta, arrastando um saco tão cheio que o deixava curvado.

Era Sonu Gupta, o menino que piscava e morava sete barracos abaixo de Sunil; e era dois anos mais velho. Há alguns anos, quando os catadores do aeroporto eram menos competitivos, eles trabalharam juntos nas caçambas da área de carga, uma parceria que tinha terminado quando Sunil, acidentalmente, quebrou o nariz de Sonu. No entanto, ultimamente, Sonu estava dando sinais de que o perdoara. Sunil, às vezes, via-o perambulando antes do amanhecer pelas vielas da favela, com um olhar de "vamos trabalhar juntos?" expresso no rosto.

O rosto dele era algo espantoso: encarquilhado, com um dos olhos que piscava girando pra cima. Sonu também era meio surdo e nos dias mais quentes seu nariz sangrava; algum problema de saúde da família dele. Agora Sunil já estava bem maduro para imaginar o que os outros meninos diriam se ele renovasse tal amizade, tão abaixo do seu padrão. Ainda assim, ele ficou curioso para saber como o menino que piscava conseguia arrumar tanto lixo. Em qualquer estação do ano, principalmente durante a monção, um olho ruim era uma grande desvantagem para um catador.

Um dia, Sunil seguiu Sonu ao trabalho. Ele ficou surpreso ao descobrir que um garoto sem amigos em Annawadi tivesse relacionamentos tão lucrativos fora dali, principalmente com os guardas de segurança de uma das entradas do enorme complexo da Air India. Na escuridão de antes do amanhecer, Sonu esperou do lado de fora de uns portões da estrada da área de cargas, com uma vassoura gasta nas mãos. Dali a pouco, um dos guardas da Air India deixou-o entrar, e ele começou a varrer com uma fúria cômica. Limpou as passarelas, o quiosque de segurança, varreu as passarelas novamente, apagando os traços de suas pequenas pegadas, curvando-se tão baixo que inalava a espiral de pó levantada pelas suas vassouradas.

Era uma imagem tão abjeta que Sunil já estava preparado para desdenhá-lo, até que o guarda esvaziou duas enormes latas de lixo aos pés de Sonu. Foi então que Sunil viu a esperteza do moleque. No meio da indisciplinada e letal estrada de cargas, por trás das grades de seguranças, um pequeno adolescente tinha tudo à sua disposição; uma riqueza em copos plásticos, latas de Coca-Cola, sachês de ketchup e bandejas de papel-alumínio de uma cantina onde os funcionários da Air India comiam.

De certo modo, com sua aparência patética, Sonu conquistara os guardas do complexo, coisa que Sunil não conseguira com as mulheres ricas que iam ao orfanato. Sonu tinha se distinguido da massa maltrapilha. Logo, um pouco envergonhado, Sunil já estava caminhando para fora de Annawadi ao lado dele.

Sunil tinha que gritar para ser ouvido por Sonu e, na verdade, ele quase não se incomodava. Uma rotina monossilábica era suficiente para o dia deles varrendo o chão da Air India, tentando pegar as garrafas e o lixo dos gerentes dos bares de cerveja e barracas de comida e, então, dividindo-se para cobrir uma área maior de trabalho. Sunil era excelente em subir muros e correr dos guardas do aeroporto que o perseguiam quando ele ficava perto demais do terminal. Sonu não tinha interesse em ser atacado pelos guardas. Suas habilidades eram um planejamento consistente e sistemático. Ele pagara os guardas da Air India para lhe darem lixo da primeira vez, mas, então, eles pararam de pedir dinheiro.

O catador que Sonu tinha desbancado na Air India o espancara, e ainda xingava-o todas as vezes em que seus caminhos se cruzavam, porém Sonu, acostumado a ser alvo de zombarias pela vida toda, não se importava com a opinião das pessoas. Ao terminar sua ronda diária, ele parava ao lado da estrada do aeroporto para observar o tráfego, apertava as tiras de seu enorme saco com puxões fortes, e seu corpo todo irradiava orgulho.

— Você me ensinou a fazer isso corretamente — Sunil falou para Sonu certo dia. Sonu era uma pessoa boa e dividia seus lucros meio a meio: na maioria dos dias, eram 40 rúpias ou 1 dólar para cada um.

Quanto mais trabalhavam juntos, mais os meninos conversavam. De início, coisas banais: que os dedões dos pés eram quase tão úteis quanto os dedos da mão para avaliar a reciclagem dos objetos; que a família de Sonu tinha um rádio que dava choque quando ele aumentava o volume... E, então, sobre coisas mais importantes, já que Sonu gostava de dar pequenas palestras enquanto trabalhava. Beber a água do lago de esgoto dava icterícia, ele argumentou, contrariando a afirmação de Sunil de que o que dava icterícia era zombar de outras pessoas que tinham a doença. Sonu também avisou-o para não se envolver com os turistas que se hospedavam nos hotéis de luxo por causa do que acontecera com seu irmãozinho. E sugeriu que Sunil escovasse seus dentes mais do que uma vez a cada mil anos, já que seu hálito cheirava pior do que o dos porcos da favela, que comiam comida podre.

Certo dia, no rio Mithi, Sonu achou uma bituca de cigarro e pegou-a antes que Sunil catasse. Agachado, Sonu começou a esmagar a preciosa bituca com uma pedra. O tabaco se espalhou, o filtro desfiou, e ele acenou com a cabeça em direção aos restos pulverizados.

— Se eu vir você fumando de novo, Sunil, vou bater em você com uma pedra igual a essa.

Sonu contestava com igual paixão a fascinação de Sunil por Kalu, o ladrão de lixo, que imitava os filmes para a alegria dos meninos que não podiam pagar uma sessão de cinema:

— Você fica acordado até tarde da noite ouvindo este Kalu, e eu tenho que perder um tempão para acordar você na manhã seguinte — Sonu reclamou. Ele não entendia por que alguém perdia a hora para acordar e comentou: — Todas as manhãs meus olhos se abrem sozinhos. — Sunil não estava acostumado com alguém se preocupando com ele e gostou disso.

O pai de Sonu era um bêbado mais esfuziante que o pai de Sunil. De vez em quando, ele rasgava notas de rúpias que ganhara trabalhando na estrada dizendo: — Foda-se! De que adianta o dinheiro? — No entanto, Sonu tinha sorte com sua mãe. À noite, ela e seus quatro filhos retiravam os restos fibrosos dos prendedores de plástico cor-de-rosa, trabalho pago por peça para uma fábrica da vizinhança. Durante o dia, ela vendia sachês de ketchup e pequeninos potes de geleia com a validade vencida em uma calçada ao lado do Hotel Leela. As empresas de fornecimento das linhas aéreas doaram a geleia, assim como as embalagens plásticas com farelo de bolo, para as crianças carentes do orfanato da Irmã Paulette. Em vez de dá-los, a freira vendia os produtos fora de validade para as mulheres pobres e crianças, que por sua vez tentavam revendê-los. Sonu guardava mais rancor contra a Irmã Paulette do que Sunil.

Sonu estava matriculado no 7º ano da Escola Municipal Marol. Embora não pudesse frequentar as aulas por causa de seu trabalho, ele se inscrevia anualmente, estudava à noite, e voltava no fim do ano para fazer os exames. Sonu achava que Sunil deveria fazer o mesmo. Em uma manhã, ele inclinou a cabeça, como se fosse drenar a surdez de seu ouvido, e anunciou: — Vamos educar a nós mesmos e, em breve, estaremos ganhando tanto dinheiro quanto existe lixo por aí!

— Isso mesmo, chefe — Sunil respondeu com uma risada. — E eu vou ser o pobre, OK?

— Mas você não tem vontade de ser alguma coisa, Motu? — Sonu perguntou. Ele tinha se acostumado a chamar Sunil de Motu, gorducho, uma descrição que só cabia se Sunil fosse comparado a Sonu.

Na verdade, Sunil queria conquistar alguma coisa, mas ele não achava que a educação que a Escola Municipal fornecia aos meninos de Annawadi ajudava a criar melhores oportunidades. Aqueles que terminavam o 7º ou 8º ano acabavam simplesmente catando lixo, trabalhando na estrada ou embalando a loção Fair and Lovely em uma fábrica. Somente os meninos que iam para escolas particulares tinham uma chance de terminar o Ensino Médio e ir para a faculdade.

Quando Sunil e Sonu retornavam para Annawadi depois de juntar o lixo, eles paravam de conversar e andavam separados um do outro. Eles eram garotos magrelos ganhando um pouco de dinheiro, presas fáceis. Os meninos mais velhos saíam dando socos pela estrada molhada e, de repente, os dois estavam com a cara no chão, com o nariz enfiado em merda de búfalo. Um filho de Robert, o Homem Zebra, ofereceu-lhes proteção contra os meninos mais velhos por 30 ou 40 rúpias por semana. Quando eles não pagavam, ele mesmo os enchia de pancadas.

Sunil invejava aquelas crianças que pareciam ter sua própria rede de proteção. Era sabido por todos que uma gangue do Shiv Sena iria se vingar contra quem mexesse com os filhos de Asha, então, ninguém o fazia. As crianças Husain tinham outro tipo de proteção, uma família do tamanho de um time de críquete. Os meninos hindus diziam que os muçulmanos transavam constantemente, de modo a fazerem muitos bebês para superar o número de hindus. Sunil pensava que famílias grandes, de qualquer religião, eram uma coisa muito legal já que tudo o que ele tinha era Sunita, sua irmãzinha irritante que crescia cada dia mais.

Kalu, o ladrão de lixo, cuidava de Sunil quando estava por perto, embora Kalu também fosse bem mirradinho. No fim da tarde, ele, às vezes, se reunia com Sunil em uma pilha de entulhos, do lado mais distante do lago de esgoto, onde uma faixa de luz antes do anoitecer fazia a sombra dos meninos parecer gigantesca. Ali, bem longe das vistas do menino que piscava, Sunil podia apreciar seu cigarrinho diário em paz. Kalu também fumava, apesar da tuberculose que contraíra alguns anos antes.

Os dois meninos gostavam de observar Annawadi a uma certa distância, do outro lado da água. Do alto das pedras, eles podiam ver como todos os barracos pareciam tortos em contraste com as linhas retas dos hotéis Hyatt e Meridien, que se erguiam por detrás deles. Parecia que os barracos haviam caído do céu e foram amassados na aterrissagem.

As outras maravilhas do outro lado do lago eram uma fazendinha, que parecia algo secreto no meio da cidade, e uma árvore frutífera, em que alguns papagaios faziam ninho. Parte dos outros meninos de rua estava capturando os papagaios, um a um, para vender no mercado Marol, mas Sunil convenceu Kalu de que os pássaros deveriam permanecer onde estavam. Todas as manhãs, ao acordar, Sunil ficava atento para escutar os gritos dos pássaros e ter certeza de que eles não foram roubados durante a noite. Sunil achava que Kalu era o papagaio dos meninos de rua, embora, ultimamente, o garoto mais velho estivesse mantendo uma atitude mais contida. Até mesmo os filmes que ele costumava imitar estavam ficando mais sombrios.

A experiência de Kalu era explorar caçambas de reciclagem que ficavam dentro do complexo das empresas de fornecimento das linhas aéreas. Coletores de lixo particulares esvaziavam essas caçambas regularmente, mas Kalu sabia de cor a programação dos caminhões de lixo. Na noite anterior à coleta, ele pulava as cercas de arame farpado e fazia uma limpeza nos contêineres transbordantes. Ele conseguia pegar bandejas de alumínio descartadas de dentro da Chef Air, Taj Catering, Oberoi Flight Services e Skygourmet. As caçambas da Oberoi, ele disse, foram disputadas mais ferozmente.

Contudo, a rotina de Kalu já era conhecida pela polícia local, e ele era detido frequentemente, até que alguns guardas fizeram-lhe uma proposta diferente. Kalu poderia ficar com sua sucata de metal se passasse informações sobre os traficantes de droga locais.

Um traficante de cocaína de terno branco, chamado Ganesh Anna, mantinha um negócio a pleno vapor no aeroporto e duas vezes por semana mandava alguns de seus distribuidores, homens de Annawadi com 20 e poucos anos, para pegar o grosso da droga em outro bairro. Embora Ganesh Anna pagasse a polícia para deixá-lo em paz, os policiais não estavam satisfeitos com sua parte no esquema. Em troca de uma boa informação sobre o lugar e o horário da venda das drogas, eles não se incomodariam mais com os furtos de Kalu. Kalu guardou um pedaço de papel com os números dos celulares dos policiais em um dos bolsos de sua calça cargo com estampa de camuflagem vermelha e marrom, peça de roupa herdada de Mirchi.

Mas Kalu tinha tanto medo da polícia quanto de Ganesh Anna. Ele se sentia como uma isca de peixe e ficava se lembrando do filme *Prem Pratigyaa*, no qual um gângster de favela sentira-se tão encurralado que decidira se matar com bebida e, neste ponto, a gloriosa Madhuri Dixit correra em sua ajuda. Kalu, normalmente, examinava as meninas que ficavam nas filas das bicas públicas, e tanto ele quanto Sunil não achavam provável que alguma garota nova fosse surgir para ajudá-lo, no estilo Madhuri, e livrá-lo dessa confusão. Fugir de Mumbai era uma saída mais segura, e seu pai já tinha lhe sugerido uma escapada plausível.

Seu pai e seu irmão mais velho, encanadores itinerantes, tinham um barraco em uma favela da vizinhança que se pendurava perigosamente na ponta de uma colina; às vezes, Kalu reclamava de como havia se sentido mal-amado naquela casa, antes de vir viver na rua, do lado de fora de Annawadi.

— Tive que crescer rápido demais quando minha mãe morreu — ele contou a Sunil. — Meu pai e meu irmão não me compreendiam.

No entanto, ser mal compreendido era melhor do que ficar encurralado entre um traficante de drogas e a polícia. Seu pai e irmão estavam de partida para um projeto de construção na região montanhosa perto de Karjat, a duas horas de distância de Annawadi. Kalu aprendera a instalar canos quando criança e haveria trabalho para ele também.

Sunil esperava que o menino não tivesse que ir embora. Annawadi perderia muito de sua graça com a partida dele. Perderia suas imitações dramáticas e suas danças do *Om Shanti Om*, além da diversão extra que era o cabelo de Kalu, modificado de acordo com seus filmes favoritos. Recentemente, seu cabelo estava longo e liso, como o louco estudante universitário representado por Salman Khan naquele velho filme *Tere Naam*.

Mais ainda, ladrões como Kalu tinham o *status* que os catadores de lixo não tinham, e, com a partida de Kalu, Sunil ficaria ainda mais preso à sua identidade como catador, assim como Sonu, o menino que piscava, o tipo de pessoa que permitia que outros sofressem sem sua ajuda e morressem sozinhos na beira da estrada.

Alguns dias antes de ir embora, Kalu contou a Sunil: — Meu nome verdadeiro é Deepak Rai. Não conte pra ninguém. Saiba, também, que meu deus principal é Ganpati.

Ele acreditava que Ganpati, o deus-elefante, o removedor de obstáculos, deveria ser também o deus principal de Sunil. Para convencê-lo, Kalu levou-o a uma peregrinação de penitentes descalços por doze quilômetros até o templo de Siddhivinayak, no centro de Mumbai.

A que santos e deuses seguir era algo em que muitos dos meninos de rua pensavam seriamente. Alguns diziam que Sai Baba era mais rápido que o gordo Ganpati. Outros discutiam que Shiva poderia abrir seu terceiro olho e explodir ambos os deuses. A mãe de Sunil morrera antes de ensiná-lo sobre os deuses, e ele ficava muito inseguro em relação aos méritos de cada um para poder decidir sobre um favorito. Ainda assim, por tudo que ele tinha observado em Annawadi, ainda que um menino conhecesse os deuses, isso não significaria que os deuses olhariam por ele.

Em uma tarde, a mãe de Abdul chegou às instalações de detenção de Dongri ensopada pela chuva, com a pele sob seus olhos escura como pedras. Abdul estava emburrado quando saiu do barracão; ficou com a cabeça abaixada e chutou um pedaço de terra. Ela viera para levá-lo para casa. Um juiz tinha decidido que ele não era o tipo de pessoa que fugiria antes de seu julgamento perante o tribunal juvenil e o liberara com instruções rígidas: até o julgamento, ele deveria comparecer em Dongri todas as segundas, quartas e sextas-feiras para provar que não tinha fugido.

Abdul seguiu sua mãe por um longo corredor fedido, repleto de crianças, atravessou o pátio e saiu para a rua. A chuva tinha diminuído e caíam apenas algumas gotas, e surgia um sol fraco e baixo.

— Então, quando é meu julgamento? — ele perguntou a ela. — Quando é o julgamento do meu pai?

— Ninguém sabe, mas não se preocupe — Zehrunisa o acalmou. — Deixe tudo nas mãos de Deus e continue rezando. Agora temos um advogado que vai falar as coisas certas, e tudo isso vai acabar, porque o juiz vai ouvir a verdade.

— Ouvir a verdade — ele repetiu cético. Como se a verdade fosse uma moeda em um caminho, e mudou de assunto.

— Como está meu pai?

— Eles não dão remédio na prisão de Arthur Road, e não tem espaço para dormir direito. Ah, é terrível vê-lo lá, seu rosto ficou tão pequeno. Mas Kehkashan diz que não é muito ruim na prisão onde ela está. Ela reza muito por todos nós e diz que é vontade de Allah, esses problemas todos, vindos de todas as direções para cima de nós.

— Por que você não tirou o pai primeiro? — ele perguntou. — Não é certo eu ser libertado antes dele.

Suspirando, Zehrunisa contou a ele sobre todos os parentes e amigos que tinham se recusado a ajudar com a fiança, e de sua humilhação perante a família da suposta noiva dele.

— Porque, para essas pessoas, tudo o que aconteceu conosco não passou de uma diversão, algo para eles conversarem quando estão sem nada para fazer — Abdul falou sombriamente. — Agora sabemos, com certeza, que ninguém se importa conosco.

Um longo silêncio seguiu-se. Então, ele perguntou à sua mãe sobre seu negócio do lixo.

Com a supervisão de Mirchi, o negócio tinha degringolado. Todos os catadores passaram a vender para o tâmil do salão de jogos.

O som que saiu da garganta de Abdul pareceu um enorme soluço. Ele já devia ter imaginado. Seus pais criaram Mirchi para fazer algo melhor que lidar com lixo. Até mesmo Abdul desejara algo melhor para Mirchi.

— Tudo bem — ele disse depois de um instante, pressionando um dos dedos no lábio trêmulo. Não havia remédio. Ele teria que recomeçar tudo outra vez, trabalhar mais duro do que antes e tentar não guardar rancor por ter de perder três dias na semana indo e voltando de Dongri. Ele perderia um pouco de sua renda devido à sua decisão de andar por um caminho virtuoso, como fora recomendado pelo Mestre de Dongri, e ficar longe das celas da prisão pelo resto de sua vida. Nunca mais ele compraria bens roubados.

Sua mãe pareceu concordar com sua decisão. Pelo menos, ele esperava que ela o tivesse escutado. Ela parecia meio ausente de tão exausta que estava e, com certeza, não estava prestando muita atenção nas coisas ultimamente, especialmente quando ele perguntou se poderia ganhar um iPod.

Os catadores observaram que Abdul estava conversando mais desde que voltara de Dongri. Nas balanças, ele ficava perguntando se eles tinham encontrado os objetos de forma honesta. Entre as rodadas desse novo tipo de interrogatório durante as compras do material, ele fazia pequenos e estranhos comentários: — Posso dizer uma coisa? Isso é o que eu tenho pra falar... — e depois disso, ele falava interminavelmente sobre um professor em Dongri que tinha visto o *taufeez,* o refinamento, assim como realmente era.

Abdul afirmou que ele conversava com O Mestre o tempo todo, que o professor gostara tanto dele que tinha lhe dado o número de seu celular. Todos sabiam que o separador de lixo estava mentindo, mas meninos de rua não se importavam com fraudes; mentiras extravagantes eram ditas o tempo todo. Eles só acharam engraçado que ele mentisse sobre uma amizade com um professor. O outro único menino que contava esse tipo de mentira boba era Sunil, que gostava de fingir, para os meninos novos, que era um aluno do 5º ano, e o melhor da sua turma.

Abdul conseguiu um público novo para suas histórias sobre O Mestre quando seu meio-amigo, Kalu, voltou da construção em Karjat, onde estivera desde a metade de setembro. Kalu ganhara peso porque, fora da cidade, não havia Eraz-ex.

Zehrunisa ficou surpresa ao ver Kalu de volta tão cedo e chamou-o para ir até sua casa comer um prato de comida, já que havia mais que o de praxe, uma vez que os Husain estavam jejuando para o mês do Ramadan. Zehrunisa gostava de Kalu, achava que ele precisava do carinho de uma mãe. Kalu não contestava isso e já chamava Zehrunisa de *amma*, ou mãe, há um ano, um carinho que deixava Abdul um pouco nervoso.

— Seu pai ainda está nas montanhas? — ela perguntou.

— Sim, mas, *amma*, eu tive que vir embora. Eu não queria ficar fora daqui agora.

Mumbai estava no meio do festival alucinante em homenagem ao seu amado Ganpati. Dali a dois dias, ao som dos tambores e gritos, milhões de cidadãos por toda Mumbai trariam suas imagens do deus-elefante, cuidadosamente elaboradas, para jogá-las no mar. Era uma prática comemorativa que os ambientalistas pretendiam não ver, mas que marcava o ponto alto do ano de Kalu.

— Você deveria ter ficado lá — Zehrunisa o repreendeu. — Eu quase não o reconheço, você está tão saudável. Por que deixar seu pai desse jeito? Você vai voltar aos velhos hábitos se ficar por aqui.

— Não vou voltar a roubar — ele prometeu a ela. — Eu estou bem e melhorei agora, não dá pra ver?

— Sim, bem e melhorado agora — Zehrunisa concordou. — Mas, será que os ladrões conseguem realmente mudar? Se eles conseguem, eu nunca vi.

No dia seguinte, Kalu catou o lixo do aeroporto com Sunil. À noite, depois de vender o lixo para Abdul, eles ficaram conversando algum tempo do lado de fora do galpão de jogos. Os três meninos estavam conversando os assuntos de sempre, comida, filmes, garotas, o preço do lixo, quando um homem inválido, chamado Mahmoud, drogado e com os olhos vidrados, deu um soco no peito de Abdul por razões que só ele conhecia.

Outro maluco como a Perna Só. Claro que Abdul não brigaria com ele. Ele foi para casa dormir. Sunil fez a mesma coisa.

Kalu não tinha casa para ir. Ele decidiu ir até o aeroporto atravessando a via expressa, em direção às placas azuis brilhantes que indicavam o caminho para o terminal internacional. Desembarque abaixo. Embarque acima. Boa viagem.

Na manhã seguinte, Kalu estava caído ao lado dos portões em vermelho e branco da Air India: um corpo sem camisa com o cabelo comprido estilo Salmam Khan, encolhido atrás de um canteiro de flores.

11.
Uma boa noite de sono

UM POLICIAL PESADÃO DE BIGODE, chamado Nagare, entrou com sua motocicleta em Annawadi, o viciado que dera um soco em Abdul, na noite passada, estava se equilibrando no assento de trás. A moto brecou com força na frente de Zehrunisa, que estava regateando com um catador. Ela começou a tremer quando viu o rosto do policial. Este Nagare não estava com a cara que os policiais geralmente estavam quando vinham pedir dinheiro. Ele estava com uma expressão tensa, uma cara ruim, que ela não conseguiu decifrar; portanto, ele devia ser portador de más notícias para aumentar ainda mais os problemas de sua família.

Não, ela estava sendo tão paranoica quanto Abdul. Ele simplesmente queria saber o paradeiro dos familiares de Kalu, e Mahmoud, o viciado, tinha lhe dito que ela talvez soubesse. Zehrunisa sentiu uma onda de alívio até saber o porquê dessa pergunta.

— O menino está morto — ele disse, franzindo a testa, e foi embora. Ela mal teve tempo de se lamentar, porque logo em seguida ela escutou Abdul chorando.

Durante semanas, seu filho mais velho tentara esquecer o que havia sofrido na cela da prisão. Agora, num instante, aquilo que estava represado dentro dele subitamente se quebrara. Ele não conseguia respirar e começou a falar com a voz desesperada e entrecortada. Kalu, praticamente seu único amigo, estava morto. Agora ele seria preso por assassinato. A polícia lhe faria uma armadilha, do mesmo modo que Fátima fizera.

— Tenho certeza disso — ele ficou falando.

O viciado, Mahmoud, já devia ter contado para a polícia que Abdul estava na estrada com Kalu na noite passada. Essa seria a evidência pela qual Abdul seria condenado. Haveria mais surras da polícia e, depois disso, décadas na prisão de Arthur Road. Ele agachou-se e respirou fundo, então se levantou e correu para dentro do barraco, onde nem mesmo Kehkashan, agora em liberdade provisória, conseguiu consolá-lo. Ele sentiu a necessidade de se esconder outra vez, mas, agora, não em um monte de lixo.

— Kalu foi assassinado! Os olhos dele foram arrancados! Enfiaram uma foice no seu traseiro!

Outros meninos, menos traumatizados pela vida, correram para ver o corpo e traziam seus relatos para as vielas da favela. Sunil recusou-se a acreditar neles, ele precisava ver por si próprio. Saiu em disparada, esquivando-se dos carros na estrada do aeroporto.

Os outros meninos disseram que o corpo de Kalu estava no jardim, mas qual jardim? Dois anos de transformação estética no aeroporto, gerenciada pelo conglomerado GVK, deixaram o espaço transbordante de flores. Também havia jardins em frente ao Hotel Leela, não havia? Em seu desespero, Sunil não conseguia orientar-se no território em volta do aeroporto.

Quando, finalmente, chegou ao jardim correto, os executivos da Air India e da GVK estavam reunidos, e a polícia estava mantendo todo mundo distante. Outro menino contou para Sunil que os corvos pegaram os olhos de Kalu e levaram para os coqueiros.

Sunil ficou olhando de longe enquanto transportavam o corpo seminu de Kalu para a van da polícia. Ele observou a perua se afastar. Tudo o que restava era ficar olhando para a fita amarela, umas fitas idiotas, de plástico, circulando um canteiro de helicônias laranja com flores que pareciam os bicos abertos de filhotes de passarinho.

Sunil virou-se e foi para casa, para além das imensas colunas da via expressa elevada que estava sendo construída no meio da estrada do aeroporto, para além de placas que a GVK tinha colocado que diziam: "Nós nos importamos. Nós nos importamos", depois do muro comprido que anunciava os pisos de cerâmica que ficavam lindos para sempre. Ele sentiu-se pequeno, triste e inútil. “Quem fizera tal coisa com seu amigo?” Mas a nuvem de choque e pesar não obscureceu totalmente sua compreensão da hierarquia social em que viviam. Para os meninos de Annawadi, Kalu fora uma estrela. Para as autoridades da cidade alta, ele era um estorvo.

Oficialmente, os arredores da polícia de Sahar estavam entre os lugares mais seguros de Mumbai. Em dois anos, apenas dois assassinatos foram registrados em toda a região que incluía o aeroporto, hotéis, prédios de escritório e dezenas de construções e favelas. Ambos os assassinatos foram rapidamente solucionados.

— Em todos os assassinatos que investigamos, temos cem por cento de sucesso — era como o inspetor sênior Patil, que administrava a delegacia de Zahar, gostava de falar. Mas talvez houvesse um truque para essa taxa de sucesso: não investigar os assassinatos de pessoas sem importância.

Óbito devido a uma “doença irrecuperável” foi a rápida conclusão de Maruti Jadhav, o inspetor responsável pelo caso de Kalu. No necrotério do Hospital Cooper, a natureza da “doença irrecuperável” foi decidida. O menino de 15 anos, chamado Deepak Rai, conhecido como Kalu, morrera de tuberculose, a mesma causa da morte determinada para o catador ensanguentado que havia morrido, lentamente, na beira da estrada.

Meninos ativos, que subiam muros, não morriam de repente de tuberculose; uma coisa que os annawadianos sabiam tão bem quanto os patologistas era que as mortes por tuberculose eram torturantemente vagarosas. Mas a evidência do corpo de Kalu rapidamente virou cinzas no Crematório Parsiwada, na estrada do aeroporto. O falso atestado de óbito devidamente registrado num cartório foi queimado pela metade por um cigarro aceso. Portanto, as fotos do corpo do menino, tiradas de acordo com o regulamento da polícia, desapareceram dos arquivos da delegacia de Sahar.

Como Abdul e sua família já sabiam, a delegacia de polícia não era um lugar onde as vítimas eram respeitadas e a segurança pública levada em consideração. Era um bazar movimentado, como muitas outras instituições públicas de Mumbai; e investigar a morte de Kalu não era um negócio que geraria lucros. Contudo, a morte dele ofereceu uma chance para a polícia afastar os outros meninos de rua de Annawadi dos terrenos do aeroporto.

Depois da morte de Kalu, cinco dos meninos de rua foram presos e levados para a cela paralela da delegacia de polícia de Sahar. Eles foram espancados por causa de uma investigação e liberados sabendo do seguinte: se não se afastassem cada vez mais do elegante aeroporto, poderiam ser responsabilizados pelo assassinato de Kalu. Os meninos não sabiam que a polícia já tinha declarado a morte dele como sendo natural.

Um dos meninos liberados, chamado Karan, fugiu de Annawadi, escapou da cidade e nunca mais voltou. Outro, Sanjay Shetty, juntou desesperadamente certa quantidade de lixo e levou para os Husain a fim de arranjar dinheiro para sua fuga.

Zehrunisa levou um susto quando o viu.

— O que aconteceu com o seu rosto? — ela perguntou. — Por que você está chorando?

Sanjay, de 16 anos, distinguia-se dos outros meninos de rua por sua altura incomum, sua beleza e seu forte sotaque do sul da Índia.

— Cada palavra que você diz tem um som adorável — Zehrunisa uma vez brincou com ele. — Você é capaz de derreter uma pessoa com o jeito que fala.

Porém agora Sanjay mal conseguia balbuciar umas palavras.

— Acalme-se — Zehrunisa falou. — Diga o que aconteceu.

Entre soluços, ele contou a Zehrunisa que tinha visto Kalu ser atacado por uma gangue de homens, na escuridão, perto dos portões da Air India. Depois, ele falou como fora espancado na delegacia de polícia. Sanjay não sabia o que temia mais: que os agressores de Kalu descobrissem que ele era uma testemunha e viessem atrás dele ou que os policiais prendessem-no para mais uma rodada de violento interrogatório.

Ele não poderia mais dormir na estrada esburacada de Annawadi e estava indo para a casa de sua mãe, porque não conseguia pensar em outro lugar para ele. Depois que o barraco de sua família no aeroporto tinha queimado, sua mãe se mudara para uma distância de 7,5 quilômetros, ao sul de Dharavi, a maior favela da cidade.

Zehrunisa concordou que Dharavi era um lugar melhor para ele se esconder do que Annawadi. Ela colocou um pouco de dinheiro nas mãos do menino e ficou olhando enquanto ele corria.

Quando Sanjay chegou a Dharavi, sua irmã de 14 anos, Anandi, estava fazendo *chutney* de tomate para o jantar. Ela quase derrubou a tigela quando viu o terror no rosto dele. Os dois eram bem próximos e, recentemente, numa rara ocasião em que sobrara dinheiro, ele fizera uma tatuagem com a primeira letra do nome dela em seu braço. Anandi sempre o repreendia, pois um irmão que amasse sua irmã tanto quanto ele dizia deveria vir para casa com mais frequência. Mas o barraco deles era pequeno para três pessoas, e Sanjay gostava de ficar perto do aeroporto; ele dizia que parecia que assim teria uma chance de ir embora.

Sanjay segurou a mão de sua irmã e, quando se sentaram no chão, contou que vira o grupo de homens cercar Kalu.

— Eles mataram meu amigo — ficou repetindo. — Simplesmente o jogaram lá. — Como se fosse lixo.

Depois de recuperar-se, Sanjay começou a dar conselhos para Anandi: que ela não deveria causar preocupação para a mãe deles, que ainda estava no trabalho cuidando de uma mulher idosa em um bairro de classe média; que ela deveria levar seus estudos mais a sério.

Sua irmã olhou para ele, confusa.

— O que você está querendo dizer, Sanjay? Estudar? Assim como você, eu tenho que trabalhar e ganhar dinheiro. E é você que dá preocupação para a mãe, não eu.

— Você também deveria dormir melhor — ele falou sem escutá-la. — Não acho que você durma muito bem.

Anandi não sabia o que fazer com o tom paternal de seu irmão. Será que era o Eraz-ex? Levantou-se impaciente. Ela sentia muito que o tal Kalu fora assassinado, até já o encontrara uma vez e, naquele dia, ele elogiara sua comida, e ela tinha rido. Mas ela não podia simplesmente ficar ali, segurando a mão de

Sanjay, quando tinha que fazer o arroz e cozinhar os legumes. Quando Anandi voltou-se para o fogão, Sanjay esticou-se no chão e fechou os olhos, talvez para exemplificar sua ideia de um sono perfeito.

Quando sua mãe entrou em casa, uma hora depois, Sanjay estava de pé e inquieto, ouvindo um dueto de um álbum chamado *Phir Bewafaai*: *Deceived in Love*.

— Música de dor de cotovelo do Sanjay — sua mãe gostava de falar assim, revirando os olhos.

"Foi apenas um mal-entendido", o marido culpado estava cantando, enquanto sua esposa traída cantava de volta seu plano de vingança. A voz da mãe de Sanjay elevou-se acima da música:

— Vou vomitar! Ah, comi alguma coisa estragada no almoço!

Correndo para o banheiro, ela gritou: — Espere aí, Sanjay. Não vá embora.

— Não vou — ele prometeu.

Quando sua mãe retornou, Anandi estava histérica, e ele estava tendo convulsões no chão. Pensando que Sanjay estava tendo um ataque, a mãe puxou-o para cima e sentiu um cheiro forte no seu hálito. Sua irmã pegou uma garrafinha plástica branca no canto da sala. Ela vira Sanjay brincar com aquilo mais cedo e achou que estivesse cheia de água e sabão. Sanjay era louco por bolhas de sabão. Mas a embalagem de plástico vazia era de veneno de rato.

Sanjay rolou e ficou com a cara virada para a parede recusando a água com sal que sua mãe preparara para forçar o vômito. Ele viveu mais duas horas depois de chegar ao hospital público. Depois da meia-noite, ao voltar para sua casa, em Dharavi, envelhecida pela dor, sua mãe jogou na sarjeta as receitas que o médico tinha prescrito para Sanjay. Não houve tempo para ela ir à rua e comprar os remédios.

O inquérito da polícia sobre a morte do seu filho foi concluído tão rapidamente quanto o inquérito sobre a morte de Kalu. Nos registros públicos, Sanjay Shetty não era nem uma testemunha vulnerável de um assassinato nem a vítima de maus tratos da polícia. Ele era um viciado em heroína que decidira matar-se porque não conseguiria bancar sua próxima dose.

Em Délhi, os políticos e intelectuais reclamavam, confidencialmente, da irracionalidade das massas ignorantes da Índia, mas, quando o próprio governo fornecia respostas falsas para as preocupações mais prementes dos cidadãos, boatos e conspirações tomavam asas. Algumas vezes, as teorias da conspiração tornavam-se um consolo para a perda.

Tentando entender a morte dos amigos, Sunil e Abdul aproximaram-se mais. Não eram exatamente amigos, ao contrário, era um tipo de relacionamento sem nome e não inteiramente à vontade, no qual os dois meninos sentiam-se unidos pelos dois garotos que morreram. Sunil e Abdul sentavam-se para conversar, agora com mais frequência do que antes, mas, quando falavam, era com a formalidade curiosa das pessoas que sabiam que o que diziam não era importante, e que muito do que importava não podia ser dito.

Sunil tinha certeza de que os guardas da Air India tinham assassinado Kalu ao pegá-lo roubando em suas pilhas de recicláveis. Abdul suspeitava que o amigo fora morto pelos traficantes de drogas que ele tinha delatado.

— Foi uma morte de cão, de um jeito ou de outro — Abdul comentava com frequência, o que fazia Sunil lembrar-se do cachorro estrangulado no filme de Will Smith, a que ele e Kalu assistiram no Pinky Talkie Town.

Mirchi achava que os meninos deveriam mudar de assunto.

— Sim, ele roubava lixo, mas era o lixo deles. Então, era óbvio que ele iria morrer desse modo.

Os meninos de rua culpavam outros meninos de rua.

— Mahmoud, tenho quase certeza que foi ele.

— Karan provavelmente o matou e depois fugiu.

Uma desconfiança corrosiva e solta percorria as vielas da favela. Talvez o fantasma de Fátima estivesse envolvido, ou não.

O pai de Kalu voltou-se contra a mulher cuja barraca, na estrada do aeroporto, o filho costumava frequentar para comer seu arroz com frango e *chilli*. Ela ouvia coisas, e o pai de Kalu lhe pedira para contar o que realmente tinha acontecido.

— Kalu o quê? Kalu quem? — ela dissera, olhando para sua panela. Finalmente, com a recusa da polícia e do necrotério em informar-lhe a causa da morte de seu filho, ele passou a culpar principalmente a mulher do arroz com frango e *chilli.*

A mãe de Sanjay não sabia a quem culpar. Durante semanas, depois do suicídio do seu filho, ela perambulou cambaleante pelas ruas de Annawadi, perguntando a todo mundo que passava se eles sabiam por que seu filho tinha se matado.

— Como posso dormir sem saber? — ela perguntou à sua filha. — Tem um mundo de coisas na minha cabeça e eu não sei o que pensar.

Sunil e os meninos de rua ficaram angustiados quando viram a mãe de Sanjay chegar. Eles a conheciam desde antes de ela se mudar para Dharavi. O fato de ela parecer estar, agora, com 300 anos, demonstrava o quanto amava seu filho. Mas como explicar a morte de Sanjay sem mencionar a de Kalu, sem falar sobre a polícia de Sahar? Até mesmo o tâmil, que tinha o galpão de jogos e contatos íntimos com a polícia, tinha medo de falar o nome de Kalu. Então, a mãe de Sanjay só ficou sabendo o que a mãe de um outro menino que dormia na rua ousou sussurrar:

— Seu menino morreu com medo no coração.

O terreno do lado de fora dos portões em vermelho e branco da Air India era bom e argiloso. Gradualmente, com os cuidados da equipe de jardinagem do aeroporto, o espaço do tamanho do corpo de um menino começou a encher-se de flores. Em uma tarde, Sunil agachou-se ali e estudou a superfície de terra. Ele não conseguiu encontrar nenhum traço de dano.

PARTE 4

Para cima e para fora

"Não se confunda pensando nessas vidas tão terríveis."
Zehrunisa Husain

12.
Nove noites de dança

NO FINAL DE SETEMBRO DE 2008, Asha estava no controle de Annawadi. Não houve nenhum acontecimento grandioso, nem a coroação de Senhoria da Favela. Ao contrário, fora uma campanha de pequenos avanços em direção ao momento em que a fila de suplicantes se estendeu do lado de fora de seu barraco, os policiais começaram a retornar suas ligações rapidamente e o representante distrital Subhash Sawant, pronto para se dirigir aos moradores, ofereceu-lhe a cadeira plástica ao seu lado. Seu benfeitor tinha reconquistado a segurança agora que o caso do falso certificado de casta parecia estar esquecido pelos tribunais. Sentada ao lado dele, no palco ao lado do lago de esgoto, Asha parecia ser quase uma igual com sua corrente de ouro bem parecida com a dele. A dela fora financiada pelo grupo de autoajuda e pelos juros altos dos empréstimos que ofereciam para mulheres mais pobres.

Mais à vontade com sua nova autoridade, Asha parou de inventar desculpas elaboradas para sua família sobre os homens que ela encontrava tarde da noite. Quando seu marido ameaçou cometer suicídio, ela o consolou, mas não fez promessas de mudar. Ela se permitira engordar uns 4,5 quilos, o que suavizou um pouco as rugas debaixo dos olhos, o último traço de seus anos de trabalho no campo.

Seu maior vazio era consequência da falta de uma confidente com quem pudesse saborear esse triunfo momentâneo. Seus segredos tinham-na isolado das outras mulheres; e ela mesma tinha fechado algumas portas atrás de si.

— Que amigas eu tenho de verdade? — ela diria a Manju. Porém, naquele momento, até mesmo sua filha parecia distante. Nas poucas ocasiões em que Manju e ela conversaram, a filha trouxera à tona o assunto menos favorito de Asha, a Perna Só.

Enquanto as mortes de Kalu e Sanjay assustaram os meninos que moravam nas ruas, a morte de Fátima não saía da cabeça das mulheres de Annawadi. Dois meses após o espetáculo público de sua queimadura, a história ainda era objeto de inúmeras narrativas particulares. O arrependimento de Fátima por causa do que ela mesma provocara foi esquecido, e seu ato era contado como um protesto extravagante.

Saber contra o que, exatamente, ela estava protestando dava motivos para diferentes interpretações. Para os mais pobres, sua autoimolação fora uma resposta à sua miséria irritante. Para os inválidos, o ato refletia a falta de respeito demonstrada aos deficientes físicos. Para os que eram infelizes no casamento, que formavam uma legião, foi uma corajosa acusação às uniões opressivas. Quase ninguém falou da inveja, do balcão de cozinha de pedra, de uma parede malfeita ou do entulho que tinha caído no arroz.

Em uma noite, a esposa do dono do bordel derramou querosene sobre si mesma no *maidan*, gritando o nome de Fátima e ameaçando acender um fósforo. Em uma outra noite, uma mulher que apanhava do marido realmente acendeu o fósforo. Ela sobreviveu em condições tão desfavoráveis que Manju e sua amiga Meena, em seus encontros secretos no banheiro público, começaram a discutir outros meios menos idiotas de se cometer suicídio.

Só a amiga de 15 anos, Meena, soube que Manju pensara em tirar a própria vida naquela noite do aniversário de 40 anos de Asha. Apesar da vergonha e preocupação que Manju sentia por causa dos casos amorosos de sua mãe, a única coisa que Meena pôde fazer foi colocar as coisas em perspectiva para ela. Seus próprios pais e irmãos surravam-lhe, regularmente, com força, e os únicos passeios que ela fazia durante seu trabalho de dona de casa eram as visitas à bica d'água e ao banheiro público. Na opinião de Meena, qualquer mãe que tivesse financiado a educação universitária de sua filha, que raramente batia nela e que não tinha lhe arranjado um casamento aos 15 anos poderia ser perdoada pelas suas outras falhas.

Meena encorajava Manju a desabafar as coisas ruins que guardava dentro de si. Dizia que isso era moderno, um jeito saudável de lidar com problemas.

— Você sempre diz que as flores que eu ponho no meu cabelo nunca ficam murchas e escuras — ela falou a Manju certa noite quando as duas estavam no banheiro. — Minhas flores vivem mais tempo porque eu não guardo nada sombrio no meu coração. Eu deixo as coisas ruins saírem.

Manju estremeceu. Ela não queria que o comportamento de sua mãe fosse mais comentado do que já era.

— Acho que meu coração é escuro, então — ela replicou desviando o assunto. — As flores no meu cabelo morrem em poucas horas.

Manju achava mais sábio praticar a negação, coisa que ela tinha aprendido na aula de psicologia, e simplesmente parar de pensar na sua mãe.

— Se eu não bloquear isso, não serei capaz de estudar — ela justificava. Os exames que iriam determinar se ela se tornaria a primeira mulher de Annawadi a formar-se na faculdade aconteceriam em apenas alguns meses.

"Em sua teoria do inconsciente, Freud nos explica como a fantasia é um desejo insatisfeito que é realizado pela imaginação. Ele divide as fantasias em dois grupos principais: ambição e erotismo.

Homens jovens são, principalmente, ambiciosos. Mulheres jovens têm, principalmente, desejos eróticos. A pessoa comum sente vergonha de suas fantasias e as esconde."

Ao decorar as anotações de psicologia que sua professora fornecera, Manju percebeu que ela precisava bloquear um segundo assunto doloroso: Vijay, o herói de classe média do Corpo de Defesa Civil, que uma vez tinha segurado sua mão.

— Na minha próxima vida, você poderá ser minha esposa — ele dissera a ela recentemente. — Não dessa vez.

O final de setembro era a temporada de contemplação romântica para muitas jovens de Annawadi. A festa do flerte anual, o festival Navratri, estava prestes a acontecer.

Os feriados que os meninos mais esperavam eram o Holi e Haandi. No Holi, eles atacavam uns aos outros com bexigas cheias de água colorida; no Haandi, construíam pirâmides humanas e caíam de barriga na lama. As garotas da favela não tinham permissão para rolar na lama. Navratri, nove noites de dança, era o festival no qual elas podiam ser iguais, até mesmo melhor do que os meninos. Durante estas noites, ao final da temporada da monção, dizia-se que a deusa Durga lutava contra o demônio do universo e triunfava. A divindade feminina era celebrada, e até mesmo Meena recebia permissão de seus pais para dançar e brilhar.

Na primeira noite, antes do Navratri, Meena e Manju passaram horas se arrumando. Um sári azul-escuro para Manju, que agora lhe servia perfeitamente, já que ela tinha seios e quadris como sua mãe. Um elegante *salwar kameez* vermelho para Meena, que continuava esbelta apesar de todos os biscoitos que comia.

Meena achava difícil que alguém não se deslumbrasse com Manju: sua silhueta, sua beleza, sua habilidade de ficar com a postura correta, perfeitamente imóvel. O comportamento de Meena, no entanto, era irrequieto e agitado. Contudo, quando ela jogava a cabeça para trás e sorria com os dentes brilhantes, sua beleza era a mais ousada. Ela parecia uma daquelas meninas que fazia coisas deslumbrantes acontecerem. Mas coisas maravilhosas não aconteceram, certamente não no Navratri de 2007, quando as duas meninas tinham se esgueirado elegantemente para o *maidan*, na primeira noite de dança, só para ficarem ensopadas com o aguaceiro do final da temporada. O palco ao lado do lago de esgoto era o único local sem lama. Os porcos selvagens que acampavam ao lado fediam depois da longa monção.

O Navratri de 2008 só poderia ser melhor, já que Asha estava organizando tudo. Ela sabia o que essas nove noites representavam para as meninas. Estava entre seus planos trazer uma banda, um DJ com poderosos amplificadores, uma grande pandal[34] para abrigar um ídolo da deusa Durga, e luzinhas coloridas iluminando todo o *maidan*, sob as quais a dança aconteceria. Os líderes do Shiv Sena e do Partido do Congresso, rivais, contribuíram com dinheiro para essa extravagância. As eleições estavam se aproximando e com milhões de votos da favela a serem conquistados, a classe política da cidade estava com espírito generoso.

Os annawadianos estavam precisando de uma distração exuberante, já que a recessão que começara no Ocidente havia chegado à Índia. Repentinamente, os elos lucrativos dos mercados globais estavam empurrando os moradores da favela para trás. O preço de produtos recicláveis caiu. O trabalho temporário nas construções, que já tinha sido menor durante as monções, acabou de vez porque faltou financiamento estrangeiro. Enquanto isso, o preço da comida subia por causa da pouca chuva e das colheitas ruins em Vidarbha e outros centros agrícolas.

A resposta política para este momento difícil, DJ e luzinhas coloridas, era uma tradição respeitada em Mumbai. Nos dias de festival, antes das eleições, as favelas da cidade ficavam tão iluminadas quanto os bairros ricos com seus prédios *pucca*[35] e dez vezes mais ruidosas. Meena adorava as bandas, o som e as luzinhas cintilantes. Este seria seu último Navratri antes de começar uma vida que ela temia, como uma noiva adolescente em uma aldeia de Tamil Nadu.

Antigamente, Meena tinha se orgulhado de ser a primeira menina nascida em Annawadi. Mas, ao se preparar para ir embora de Mumbai, ela reconheceu que o trabalho doméstico na favela fora a única coisa que ela aprendera na cidade grande. E nada que uma menina limpasse em Annawadi permanecia limpo. Por que as pessoas viam isso como uma falha dela? Por que sua mãe gritava quando ela, assim como todos os outros, ficava por duas horas na fila para pegar água em uma torneira que apenas gotejava?

---

[34] Na Índia é um tipo de tenda colocada ao ar livre durante eventos (N. E.).

[35] Feitos em alvenaria (N. E.).

Tudo na televisão anunciava uma Índia nova e melhor para as mulheres. Sua novela tâmil favorita era sobre uma garota solteira e educada que trabalhava em um escritório. Em seus comerciais favoritos, uma estrela de cinema do sul da Índia, chamada Asin, recomendava, juntamente com o refrigerante de laranja Mirinda, mais diversão e um pouco de loucura.

Essa nova Índia, de mulheres mal-humoradas que desafiavam convenções, não era um lugar onde Meena pudesse chegar. Talvez Manju chegasse lá com seu diploma da faculdade. Meena não sabia ao certo, pois não conhecia nenhuma mulher que tivesse terminado a faculdade. Mas ao assistir a novelas e ao comercial da Mirinda, ela, às vezes, sentia que sua própria vida não passava de uma casca de existência. As coisas lhe eram impingidas, apanhar constantemente, um noivo para se casar, o que ela poderia de fato decidir?

Um rapaz, não o seu noivo, apaixonara-se por ela recentemente. Nas novelas, tal fato seria uma coisa explosiva. Em sua vida restrita, isso não passava de uma pequena, mas bem-vinda, distração. O rapaz era um amigo de seu irmão mais velho: um operário de uma favela da vizinhança que estava prestes a assumir um trabalho de faxina no Golfo Pérsico, o único modo que ele encontrara para ganhar bastante dinheiro e, um dia, sustentar uma esposa e família. Certa noite, enquanto visitava o irmão dela, ele entregou a Meena seu número de telefone. Na noite seguinte, em um telefone público, ela ligou para ele. Durante a sexta ou oitava ligação telefônica escondida da família, ele disse que ela era a esposa por quem ele estava procurando.

A paquera tinha ido longe demais. Meena, então, deu-lhe uma resposta que considerava respeitável:

— Tudo bem que você me ame. Fico feliz com isso. Mas eu vou me casar com outro e você deve pensar em mim apenas como amiga.

Manju ficou aliviada ao saber disso. Meena era uma garota transparente, que não conseguia esconder as coisas, e por duas vezes seus irmãos já a tinham encontrado ao telefone e batido nela por causa disso.

— De qualquer modo — Manju assinalou —, você disse, no mês passado, que gostava do menino da aldeia.

Meena não gostava do menino da aldeia que ligava sempre aos domingos. Ele lavava seu próprio prato depois do jantar, um espanto para Meena e Manju, pois ele poderia ter mandado sua irmã fazer isso por ele. Mas o rapaz não era o problema; o problema era um casamento arranjado aos 15 anos de idade.

O pai de Meena falou arrebatadamente do sentimento que ela supostamente sentiria quando ficasse noiva: — A primeira vez que seus corações se encontrarem, todo o resto fica esquecido.

O pai de Manju tinha um ponto de vista mais cínico: — Nenhum casamento é feliz depois que é realizado. Somente antes, pensando bem, é que ele é feliz.

De qualquer forma, Meena não estava eufórica com este prospecto. Ela não podia imaginar como o amor alteraria as coisas práticas do dia a dia. E se depois do casamento surgisse uma vida de adulta ainda mais confinada do que fora a sua infância?

Tanto para Meena como para Manju, casar na aldeia da família era como fazer uma viagem no tempo. Na aldeia de Asha, as pessoas da casta kunbi ainda consideravam os dalits, como Meena, contaminados: pessoas sujas, renegadas às periferias das cidades e apenas toleradas nas casas kunbi para pegar o lixo ou limpar o esgoto. Se um dalit tocasse uma xícara em uma dessas casas, ela teria que ser destruída. Esses aldeões ficariam horrorizados se vissem como Manju se aproximava de sua amiga ou se soubessem que as duas meninas compartilhavam um mesmo sári azul-celeste.

Manju tinha usado o sári na noite de Ano-Novo maharashtra, na primavera passada. Meena o usara drapeado em pregas menores para o Ano-Novo tâmil.

— Eu me sinto muito fofa e inchada usando isso do seu modo — ela confessou a Manju. Meena, com certeza, iria usá-lo para seu último Navratri em Mumbai.

— Tenho medo que minha mãe decida me casar com aquele soldado da aldeia — Manju falou uma noite no banheiro, quando elas davam suas costas firmemente para a favela. Desde que Asha tinha levado Manju para sua aldeia em Vidarbha, Rahul ficava zombando dela e de seu futuro rural: "Você vai ter que cobrir sua cabeça, limpar e cozinhar para sua sogra, e seu marido vai estar longe, no exército, e você vai se sentir tão sozinha...".

— E, então, o que você vai fazer se sua mãe acertar tal casamento? — Meena indagou.

— Fujo pra casa da minha tia, eu acho. Ela me protegeria. Como eu posso passar minha vida deste modo?

—Talvez fosse melhor fazer simplesmente o que Fátima fez — Meena comentou. — Escapar da situação quando você sabe que vai ser infeliz. Mas eu me mataria tomando veneno, não me queimando. Se você se queima, a última lembrança que as pessoas terão de você é da sua pele destruída e nojenta.

— Por que você ainda está pensando nisso? — Manju a repreendeu. — Você ficou doente por uma semana depois que viu o corpo de Fátima caído ali. E vai ficar doente de novo se não afastar esses pensamentos da sua cabeça, do jeito que eu faço.

Enquanto elas sussurravam, não podiam evitar olhar à sua volta, de vez em quando, para ter certeza de que não havia nenhum sinal da Perna Só. Embora suas pragas sobrevoassem Annawadi, provocando confusão em muitos barracos, diziam que seu fantasma verdadeiro ficava mesmo era dentro desses banheiros. Os moradores se lembravam dela entrando ali, "tink, tink, tink", cheia de batom. Muitos deles resolveram que era mais seguro fazer suas necessidades do lado de fora.

— Não se preocupe — Rahul contou para as meninas. — A Perna Só não levou suas muletas com ela quando morreu, portanto seu fantasma não é capaz de correr para pegar vocês.

Manju acreditava nisso mais ou menos e também sabia que as pessoas da primeira classe não acreditavam nessa conversa de fantasma.

Mas Meena não tinha vergonha de ser supersticiosa. Recentemente, sua mãe relatara ter visto uma cobra deslizar sobre o pano menstrual que Meena tinha descartado descuidadamente. A mãe dela ficara histérica, disse que isso anunciava que o útero de Meena iria secar.

Manju suspeitava que a mãe de Meena não tivesse realmente visto uma cobra e que estivesse simplesmente sendo mais criativa em seus esforços para manter Meena submissa antes do casamento. De qualquer forma, Meena ficou abalada.

— Vou secar e morrer. — Ela chorou uma noite. Mulheres casadas sem filhos eram motivos de desconfiança em Mumbai. Imagina ser estéril em uma aldeia?

Meena começou a ficar nervosa no banheiro; a praga da serpente e o fantasma de Fátima atingiam-na como riscos convergentes. Ainda assim, ela ficava um pouco: os minutos passados no fedor da noite, ao lado de Manju, eram o mais próximo que ela tinha chegado da liberdade.

No dia anterior ao início do Navratri, o *maidan* passou por uma furiosa transformação estética. Abdul e seus montes de lixo foram banidos, e as mulheres varreram e varreram. Um garoto adolescente subiu no mastro da bandeira para prender as tiras de luzinhas nas calhas onduladas. Nessa noite, Manju e Asha pegariam o ídolo de Durga de um bairro na vizinhança, e sua chegada completaria os preparativos da festa. Ao retornar da faculdade, no início da tarde, Manju correu pelo *maidan* imaginando como teria tempo para dar aula na sua escola, decorar o resumo de um livro para a aula de literatura inglesa e fazer o trabalho da casa se a chegada da deusa consumiria pelo menos uma hora.

— Estarei de volta antes do jantar! — gritou para Meena, que estava acenando para ela da porta do seu barraco. Manju não pretendia ficar ocupada com roupa suja para lavar na semana de privilégios da dança.

Quatro horas mais tarde, com as roupas no varal e a última rodada de Cabeça-ombros-joelhos-e-pés completa, Manju foi ao encontro de Meena. Sua amiga estava sentada na porta do barraco examinando o *maidan* limpo. Isso era estranho. Os pais de Meena não costumavam deixá-la sentar lá fora, diziam que isso era ruim para a reputação de uma garota.

Manju sentou ao seu lado. O fim da tarde era o momento em que muitas meninas e mulheres de Annawadi tiravam uma folga do trabalho doméstico, antes de começar os preparativos para o jantar. Quando eram mais jovens, Meena e Manju passavam seus momentos livres brincando de amarelinha na frente do barraco, mas adolescentes casadoiras não podiam ficar pulando no *maidan*. Meena parecia cansada e não estava tão agitada como de costume, mas era porque estava jejuando, como fazia em todos os Navratris, para agradar a deusa Durga.

De tempos em tempos, Meena se curvava e cuspia na terra.

— Você está ficando doente? — Manju perguntou logo depois.

Meena sacudiu a cabeça e cuspiu novamente.

— Então, o que você está fazendo? — Manju falou em voz baixa, repentinamente desconfiada. — Mascando tabaco? Com sua mãe aí dentro do barraco?

— Só estou cuspindo — Meena falou sacudindo os ombros.

Sentindo-se um pouco ofendida por Meena não querer conversar com ela, Manju se levantou para voltar ao trabalho.

— Espere — Meena falou, estendendo a mão. Em sua palma estava um tubo vazio de veneno de rato.

Meena olhou-a nos olhos, e Manju entrou correndo para dentro do barraco, onde a mãe de Meena estava moendo o arroz para fazer idlis[36]. As palavras de Manju saíram atropeladas: — Veneno de rato, Meena, tolice, vai morrer.

A mãe de Meena continuou a moer o arroz.

— Acalme-se. Ela está fingindo — tentou tranquilizar Manju. — Há algumas semanas, ela disse que tinha comido veneno e nada aconteceu.

A mãe de Meena estava farta da filha. A perspectiva de poder dançar tinha, aparentemente, feito a menina perder a razão: descobriram Meena falando ao telefone com um rapaz às 2 horas da manhã, e ela apanhara por causa disso. Na hora do almoço, ela se recusou a fazer uma omelete para seu irmão mais novo, porque estava de jejum e não queria ser tentada pela comida. Apanhou por causa disso também. Seu irmão já se preparava para a terceira surra do dia por ela estar sentada do lado de fora da casa inventando essa história de ter ingerido veneno.

Manju ficou momentaneamente mais tranquila com as palavras da mãe de Meena. Mas, se a amiga estivesse inventando uma história, ela não informaria Manju sobre isso? Manju voltou para fora, curvou-se sobre o rosto da amiga e cheirou-a.

---

[36] Doce à base de arroz (N. E.).

Manju lembrou-se dos dragões dos desenhos animados, soltando fogo e fumaça pelo nariz. Mais tarde, ela pensou ter visto sair fumaça da boca e do nariz de Meena, como se a garota tivesse se incendiado por dentro. Não, isso era impossível. Era só veneno de rato. Sua mente estava dando saltos. Se ela gritasse por socorro, a favela toda saberia que Meena tentara o suicídio, o que arruinaria sua reputação. Era melhor ficar quieta. Correu até um telefone público e ligou para Asha.

— Mamãe — ela sussurrou. — Meena comeu veneno de rato, e a mãe dela não acredita, e eu não sei o que fazer!

— Ah, droga! — falou Asha. — Você tem que forçá-la a engolir tabaco imediatamente. Isso vai fazer com que ela vomite tudo.

Mas o que as pessoas diriam se vissem Manju comprando tabaco? Manju foi atrás de algumas mulheres tâmil, na viela de Meena, na esperança de que elas tivessem uma ideia melhor.

— Ela se envenenou! — Manju sibilou. — Me ajudem! Não sei o que fazer!

Elas balançaram a cabeça.

— Tantas brigas naquela família ultimamente — alguém murmurou.

— Não! — Manju gritou, se esquecendo de falar baixo. — Não fiquem aí tão calmas! Vocês têm que fazer alguma coisa!

Meena tinha se aproximado e estava ao seu lado.

— Você realmente engoliu isso? — uma das mulheres indagou.

— Sim — Meena falou, e sua voz estava suave.

— Você tomou tudo isso? — Manju exigiu. Uma mulher daquela viela tinha ingerido, recentemente, meio tubo da mesma marca de veneno, Ratol, e sobrevivera.

— Tudo — Meena confirmou e curvou-se para frente engasgando, os cachos de seu cabelo caindo sobre o rosto. Quando as ânsias pararam, ela começou a falar depressa. Que o Ratol custara 40 rúpias no mercado Marol. Que ela roubara o troco de seus irmãos e de seu pai para comprá-lo. Falou algo sobre as surras repetidas. Algo sobre seu irmão e uma omelete, mas não apenas isso. Ela não estava agindo por raiva, como Fátima fizera. Ela pensara bastante sobre isso, tinha ingerido dois tubos de veneno de rato, num outro dia, mas acabara vomitando; portanto, dessa vez, ela resolvera misturar o veneno com leite. Ela esperava que o leite fosse manter o veneno em seu estômago tempo o bastante para matá-la.

Fora uma decisão sobre sua vida que ela tivera que tomar. Não era algo que ela pudesse compartilhar com sua melhor amiga.

Meena sentou-se novamente no chão, com um peso que não tinha nada a ver com os seus quilos. Uma mulher apareceu com uma vasilha de água e sal.

— Isso vai fazer ela vomitar — falou, empurrando a cabeça de Meena para trás. Ela engoliu. Todo mundo esperou. Ânsia seca. Nada.

— Água e sabão — outra mulher sugeriu, correndo para casa para pegar uma barra de sabão fedida de Madhumati. Meena apertou o nariz ao fazer a segunda mistura descer por sua garganta. Finalmente ela vomitou um jato de espuma verde brilhante.

— Já me sinto melhor — Meena anunciou. — Saiu tudo.

Seu rosto estava molhado de suor. Ela se levantou cambaleando, foi para casa, e sua mãe levou-a para dormir e esperar o efeito do veneno passar. Quando a porta se fechou atrás delas, as mulheres da favela soltaram um suspiro. A discrição feminina evitara uma cena, talvez tivesse salvado um casamento. Os futuros sogros de Meena talvez não soubessem que tinham escolhido uma noiva impetuosa.

O dono da loja ali perto, que vendia leite e açúcar, não percebeu nada. Mas os trabalhadores da construção civil, que retornavam para casa, pisaram naquela poça de vômito verde. Manju percebeu, pelo seu cansaço, que já era noite e que não poderia ficar toda desarrumada do lado de fora da casa de sua amiga. Ela precisava lavar o rosto e ir buscar a deusa Durga.

Enquanto ela e Asha saíam para buscar o ídolo, o irmão mais velho de Meena chegava em casa e soube que sua irmã tinha ingerido veneno de rato, então ele deu-lhe uma surra por causa disso. Meena soluçou e foi dormir. Um pouco antes da meia-noite, ela começou a chorar novamente e, afinal, seu pai percebeu que não era um choro de tristeza.

Na primeira noite do Navratri, enquanto os jovens de Annawadi, menos Manju, dançavam na clareira iluminada, Meena respondia à pergunta que um policial lhe fazia na beira de sua cama no Hospital Cooper. Alguém a tinha incitado a tentar o suicídio?

— Não culpo ninguém — falou Meena. — Decidi isso sozinha.

Na terceira noite do Navratri, Meena parou de falar, mas até então os médicos do Hospital Cooper já tinham extraído cinco mil rúpias de seus pais, dizendo que era para "injeções importadas".

No sexto dia do Navratri, Meena estava morta.

— Ela estava farta com o que o mundo tinha para lhe oferecer — as mulheres tâmiles concluíram. A família de Meena, depois de certa consideração, decidiu que a influência moderna de Manju fora a culpada.

As luzes do Navratri se apagaram. Rahul tentou fazer Manju rir novamente, e ela até sorriu um pouco quando ele falou que o irmão mais novo de Meena também tinha perdido uma coisa: aquele menino nunca mais vai querer comer uma omelete de novo.

Certa manhã, Manju viu o nome "Meena" marcado levemente em um pedaço de cimento rachado, do lado de fora do banheiro.

— Somente sob aquela luz — ela declarou, e mesmo assim quase não dava para ver. Outra Meena, menos importante, vivera em Annawadi, e o homem que amara aquela Meena tinha gravado seu nome no braço. Manju pensou que ele, provavelmente, escrevera "Meena" no cimento molhado também. Fazia sentido. Mas ela preferia acreditar que fora o próprio dedo de Meena que rabiscara aquelas letras; e que a primeira menina nascida em Annawadi tinha deixado sua marca no local.

13.
Algo brilhante

EM NOVEMBRO, O MERCADO DO LIXO estava em queda brusca, o tâmil que era dono do galpão de jogos tentou ajudar os catadores a entender por que seu lixo valia tão pouco agora. Os bancos nos Estados Unidos estavam perdendo dinheiro, depois os ricos também começaram a perder e, então, o mercado de sucatas nas áreas das favelas também começou a despencar. Foi assim que ele explicou a crise econômica global. Um quilo de garrafas de água vazias costumava valer 25 rúpias, agora valia dez; um quilo de jornal, que era avaliado em cinco rúpias, agora custava apenas duas. Foi assim que a crise global foi entendida.

Os jornais que Sunil coletava relatavam que muitos americanos estavam vivendo, agora, em carros ou barracas debaixo das pontes. O homem mais rico da Índia, Mukesh Ambani, também tinha perdido dinheiro, bilhões, embora isso não fosse o bastante para impedir a construção da sua famosa casa de 27 andares ao sul de Mumbai. Os andares mais baixos seriam reservados para os carros e para os 600 empregados necessários para sua família de cinco pessoas. O mais interessante, para os jovens moradores da favela, era que o helicóptero de Ambani pousaria no telhado.

— As coisas vão ficar melhor agora — Abdul falou para Sunil e os outros catadores, porque foi isso o que seu pai lhe dissera. Embora os mercados globais fossem voláteis, o comportamento dos turistas poderia ser previsto. Eles inundavam Mumbai no inverno. Indianos que moravam no exterior começavam a chegar em novembro para o feriado Diwali. Europeus e americanos vinham em dezembro. Os chineses e japoneses vinham logo depois, e os hotéis e aeroportos ficavam lotados até o fim de janeiro. Com o fluxo de viajantes, os annawadianos chegaram à conclusão de que as perdas da monção e da recessão seriam recuperadas.

Em uma noite, no fim de novembro, Sunil estava no galpão de jogos, depois de um infrutífero dia à procura do lixo, observando dois meninos em um dos consoles vermelhos do jogo Metal Slug 3. Na tela do *video game*, guerrilheiros estavam lutando contra policiais e lagostas mutantes nas ruas de uma cidade bombardeada. Do lado de fora do galpão de jogos, outros annawadianos começaram a falar alto. Sunil, afinal, percebeu que a comoção não era resultado de nenhuma besteira com o Eraz-ex. As pessoas estavam espremidas de encontro à janela do barraco, onde o dono do galpão de jogos morava, assistindo a uma notícia de última hora na televisão do homem. Terroristas muçulmanos do Paquistão chegaram, em barcos de borracha, em uma praia de Mumbai, e estavam soltos na cidade.

Os jihads ocuparam dois hotéis de luxo, o Taj e o Oberoi, matando funcionários e turistas. Também havia mortos em um lugar chamado Leopold Cafe, e relatos de mais de uma centena de outras baixas estavam vindo da maior estação de trem da cidade. Não demorou muito e a foto de um dos terroristas ocupou a tela da TV. Camiseta preta. Mochila. Tênis de corrida. Ele parecia um estudante universitário, com exceção da arma automática.

Os ataques estavam acontecendo a 25 quilômetros de Annawadi, na parte sudeste, a mais rica da cidade; para Sunil, uma mudança tranquilizadora. Ele ficou interessado quando as pessoas da televisão disseram que os terroristas poderiam ter bombas. As bombas, em seu segundo jogo favorito, Bomberman, eram pretas e redondas com longos pavios que chiavam. Uma música tocava quando elas explodiam.

Mas um táxi explodira perto da estrada do aeroporto, e os meninos mais velhos estavam dizendo que o próprio aeroporto seria um alvo óbvio. Manju especulou que, se os terroristas invadiram hotéis cinco estrelas ao sul de Mumbai, eles poderiam vir, também, para os hotéis cinco estrelas ao lado do aeroporto. Poderiam até passar por Annawadi para chegar a esses hotéis. Felizmente, sua unidade do Indian Civil Defense Corps não foi chamada para auxiliar nesta crise em particular. Ela foi para casa e fechou a porta.

Os pais de Abdul ficaram com medo de fazer a mesma coisa. E se os hindus de Annawadi dissessem que os muçulmanos da favela faziam parte da trama? Com a porta aberta, Karam Husain ligou a TV. Enquanto Abdul cobria sua cabeça com um lençol, um de seus irmãozinhos chegou mais perto da tela. A arquitetura na parte colonial da cidade era linda na opinião dos meninos menores: as torres vermelhas elevando-se por trás dos repórteres no Taj, a fachada ornamentada da estação de trem. Em Annawadi, qualquer casa se parecia um pouco com a família que a construíra. Mas, até mesmo quando estava sitiado, o sul de Mumbai parecia majestosamente coerente, como se uma única mente tivesse desenhado o lugar todo.

Bem cedo, na manhã seguinte, Sunil e Sonu, o menino que piscava, saíram para trabalhar, apenas para descobrir que catar lixo estava fora de questão. O perímetro do aeroporto estava fechado, e comandos militares com longas armas pretas se aglomeravam na estrada do aeroporto. Os meninos correram de volta para Annawadi e para a televisão do homem do galpão de jogos. O Hotel Taj estava queimando, terroristas e turistas ainda estavam lá dentro, e o locutor dizia que pessoas do mundo inteiro estavam acompanhando o drama. Do lado de fora do hotel, pessoas bem vestidas enxugavam as lágrimas enquanto contavam aos repórteres o que o Taj significava para elas.

Sunil compreendeu que as pessoas ricas estavam se lamentando pela destruição de um lugar em que elas relaxaram e sentiram-se seguras. Lá onde ele estava, no galpão de jogos de trinta metros quadrados, ninguém chorara pelo cerco ao sul de Mumbai nem pelas centenas de pessoas mortas e feridas. Em vez disso, os favelados preocupavam-se com si mesmos.

Quando o ataque terminou, sessenta horas depois de ter começado, muitos annawadianos previram precisamente a cadeia das consequências econômicas.

Uma cidade na qual os terroristas matavam turistas estrangeiros em hotéis não era o lugar onde outros turistas estrangeiros desejariam passar suas férias de inverno. Não haveria uma alta estação nesse inverno em Annawadi. O aeroporto estaria calmo, os hotéis, vazios. Quando a primeira hora de janeiro chegasse, haveria poucas pessoas celebrando no Intercontinental e gritando "Feliz Ano-Novo".

Pelo contrário, 2009 chegou à favela coberto por um manto de pobreza; a recessão global sobreposta por uma crise de medo. Mais annawadianos tiveram que reaprender a digerir ratos. Sonu encarregou Sunil de catar sapos na favela Naupada, já que os sapos de lá tinham um gosto melhor do que aqueles do lago de esgoto. O catador louco, que costumava conversar com os hotéis luxuosos, parou de acusar o Hyatt de tentar matá-lo. Em vez disso, ele suplicava voltado para sua fachada de vidro azul:

— Eu trabalho tanto, Hyatt, e ganho tão pouco. Você não pode cuidar de mim?

Numa tarde de janeiro, Sunil tomou banho em um poço abandonado de uma fábrica de misturar concreto. Afastou as algas e examinou seu reflexo com cuidado. Ele era um ladrão agora, e Sonu dizia que isso transparecia no seu rosto.

Sunil sabia o que seu amigo queria dizer. Ele tinha visto uma mudança acontecer no rosto dos outros meninos que passaram a roubar, uma mudança que os guardas de segurança reconheciam imediatamente. No entanto, ele decidiu que ainda estava com a mesma aparência: a mesma boca grande e infantil, o nariz largo, o tronco encovado. O mesmo cabelo grosso com as pontas para cima e para fora, mas sobre o qual ele não tinha nada a reclamar quando se lembrava dos cabelos de sua irmã Sunita. Os ratos morderam ambos os irmãos, enquanto dormiam, e as mordidas tinham virado feridas na cabeça da menina. Mas, recentemente, ela ficara careca porque seus furúnculos ficaram cheios de vermes.

Sonu queria que Sunil desistisse de sua nova linha de trabalho e, por causa disso, ele estapeara seu rosto quatro vezes nos últimos dias, bem forte. Sunil nem bateu de volta nem mudou de ideia. Sonu era provavelmente o menino mais virtuoso de Annawadi, mas ele tinha uma mãe e irmãos pequenos trabalhando também para suplementar a renda da casa. Sunil era incapaz de sustentar-se só com a coleta do lixo e teve que considerar novas possibilidades na área do aeroporto onde os receptadores de bens roubados ficaram felizes em ajudá-lo. Para a primeira missão solo de Sunil, um ladrão adolescente, que também tinha uma irmã careca, forneceu uma bicicleta para uma fuga em alta velocidade. Pela manhã, a brigada de incêndio do aeroporto estava sem as válvulas das torneiras de cobre. O homem do galpão de jogos emprestara suas ferramentas, e os suportes de metal desapareceram das dezenas de tampas de concreto. Enquanto os operários da construção preparavam o cavernoso estacionamento do aeroporto para sua inauguração, Sunil desmontou as partes, parafuso por parafuso.

Ele estava bem preparado para seu trabalho como novo microssabotador da nova economia. Sua habilidade de escalar paredes fora conquistada nos coqueiros da estrada do aeroporto, seu tamanho pequeno ajudava a desviar suspeitas, e ele não recusava os riscos calculados, como aqueles que correra ao saltar no parapeito cheio de lixo, acima do rio. O único problema era que suas mãos e pernas tremiam cada vez que ele pegava um pedaço de metal, um tique nervoso que os outros ladrões achavam divertido.

Um deles, Taufeeq, perguntava para ele o tempo todo:

— Devemos ir para o Taj esta noite?

O Taj, para os meninos de Annawadi, não era o hotel que os terroristas atacaram. O Taj deles era o Taj Catering Services, um prédio achatado no complexo do aeroporto, pertencente à empresa do hotel. Atrás dos altos muros de pedra encimados com fileiras de arame farpado, as refeições que seriam servidas nos voos eram preparadas. Recentemente, Sunil notara uma rede laranja e um andaime de ferro erguido por cima da parede: um indicativo de que alguma coisa estava sendo construída do lado de dentro e de que haveria metal no chão para ele pegar.

Em sua época, Kalu escalara o arame farpado para vasculhar as caçambas. Sunil estudou o Taj para achar um jeito mais fácil e descobriu um buraco pequeno, escondido pelos arbustos, na base de uma parede. Como o buraco ficava no fim de uma alameda de cascalhos, sem iluminação, a expedição do roubo era praticamente compulsória. No entanto, Sunil continuava a adiar a missão.

Seu companheiro ladrão, Taufeeq, reclamou que outros meninos descobririam o buraco se eles hesitassem um pouco mais. Porém, este Taj Catering fazia Sunil lembrar-se de Kalu e da morte, assim como os militares com boinas azuis que, ultimamente, agachavam-se por trás de barricadas iguais às da polícia de Sahar, que parecia ter ficado mais cruel nos meses que se seguiram aos ataques terroristas. Recentemente, um segurança da Indian Oil descobrira Sunil esgueirando-se por ali, à procura de metais, e o entregara a um policial embriagado chamado Sawant. Na delegacia, o policial deu um pontapé em suas costas e espancou-o tão cruelmente que outro policial se desculpou com Sunil e trouxe um cobertor para cobri-lo.

Devido aos riscos, Sunil queria passar mais algumas noites observando os guardas do Taj, através do buraco, avaliando as chances de ser pego ou não. Enquanto isso, ele conseguia dinheiro para comida trabalhando no estacionamento de quatro andares que já estava quase pronto no terminal internacional.

Agora ele sabia o melhor caminho para entrar: depois de fileiras de barricadas vermelhas e amarelas brilhantes; depois das escavadeiras e de um gerador, cobertos à noite; depois de uma guarita onde guardas com lanternas ficavam abrindo o porta-malas dos carros; depois de uma incrível montanha de cascalho; depois de uma amendoeira cujas folhas estavam avermelhadas, e isso significava que as castanhas passaram de amargas para doces e depois de dois obstáculos de segurança.

Em uma meia-noite de janeiro, quando visitava a garagem escura, ele não conseguiu distinguir quais animais estavam correndo sob seus pés. Ratos ou ratões, possivelmente, mas ele nunca os tinha encontrado no estacionamento antes. Guardas de segurança, sim, estes ele encontrava com frequência, mas hoje não conseguia descobrir onde eles estavam. Ele moveu-se com cuidado até uma escadaria, perto de uma parede externa feita de ripas de metal horizontais. As ripas da parede deixavam entrar um pouco da luz azul e branca que iluminava o terminal internacional no lado em que os viajantes ainda estavam abraçando e despedindo-se de suas famílias. Estar perto da iluminação aumentava o risco de ser visto pelos seguranças, mas facilitava a vigilância.

Ele estava procurando por aquilo que os annawadianos chamavam de prata alemã, alumínio, níquel ou cromo. Ultimamente, esse termo era falado com respeito. O preço para a prata alemã tinha caído recentemente de cem rúpias por quilo para 60, mas o preço de todo tipo de lixo tinha caído muito mais.

Subiu pela escadaria, cuidadoso, parando em cada patamar para espiar através de um buraquinho no chão. Ele supunha que um cano de água, eventualmente, seria colocado por esses buracos; mas, por enquanto, eles permitiam que ele verificasse se os guardas estavam subindo a escada atrás dele. Os seguranças nepaleses lhe davam mais medo, porque eram parecidos com os chineses e com Bruce Lee.

No terceiro nível, em um canto, havia duas longas tiras de alumínio. Ele correu para pegá-las, surpreso que algum outro ladrão não as tivesse descoberto ainda. Pensou que elas deviam ser parte de uma moldura de janela, embora o estacionamento não tivesse janelas. A utilidade das coisas que ele roubava no aeroporto não importava muito para seu trabalho, mas ele ficava imaginando.

Sunil carregou as tiras de metal até o teto, onde a única prata alemã que ele já encontrara estava guardada em um armário vermelho com uma placa escrita em letras garrafais "Caixa da Mangueira de Incêndio", mas esse suporte frágil de extintor de incêndio valia muito pouco.

O telhado também era o lugar em que ele poderia encontrar os seguranças, que costumavam ir até lá para fumar; apesar disso, ele tentava subir até o telhado em todas as suas incursões. No alto dos quatro andares, o telhado mais alto em que já estivera, o que o deixava entusiasmado era a vista do espaço aberto, uma raridade na cidade.

O telhado tinha dois tipos de áreas, na verdade. Uma delas permitia que ele ficasse parado, exatamente no meio do lugar, e girasse de braços abertos que, mesmo que fossem bem compridos, não tocavam em nada. Esse tipo de espaço não existiria mais quando o estacionamento fosse aberto e se enchesse de carros, dali a um mês. O que restaria era uma parte que só lhe permitiria debruçar sobre o corrimão.

Ele gostava de ver as caudas vermelhas dos aviões da Air India decolando. Gostava da gorda torre municipal de água. Gostava do prédio do enorme terminal novo. Ele não se importava com as chaminés do crematório de Parsiwada, onde o corpo de Kalu fora cremado. Era um lugar fantástico para ver a placa brilhante do Hyatt e para tentar localizar onde, dentre os pontos escuros de lá de baixo, ficava Annawadi. E, melhor ainda, dali ele podia observar as pessoas ricas entrando e saindo do terminal.

Outros meninos que visitaram o telhado gostavam de observar as pessoas se movendo lá embaixo, porque elas ficavam bem pequenas. Para Sunil, ver as pessoas de cima o fazia sentir-se próximo a elas. Ele se sentia livre para observá-las de um jeito que não poderia fazer estando lá no chão. Lá, se ele ficasse olhando, as pessoas perceberiam.

A cada mês que passava, ele se sentia menos seguro sobre qual seria seu lugar no meio do tráfego humano na cidade lá embaixo. Uma vez ele acreditara que era inteligente e que poderia ser alguma coisa, não alguém importante, como as pessoas que frequentavam o aeroporto, mas alguma coisa no meio. Estar ali no telhado, mesmo que fosse para roubar coisas, era um modo de não ser aquilo que ele tinha se tornado em Annawadi.

Chega de ficar pensando, tinha que ir para casa com sua prata alemã. Ele carregou as tiras de alumínio pela escada abaixo e, antes de sair do prédio, abriu o zíper da sua calça e colocou o metal entre as suas roupas de baixo. O contato da prata alemã com a pele não era muito bom, mas quando ele tentava carregá-la por fora das cuecas, ela escorregava.

Ele mancou, com a perna dura, e passou pelas guaritas de segurança e pela delegacia de polícia de Sahar. Em breve estaria de volta a Annawadi, encolhendo-se para dormir na traseira de um caminhão.

Na tarde seguinte, Sunil usou as ferramentas do dono do galpão de jogos para roubar as travas de pneus que a segurança do estacionamento do aeroporto grampeava nos requixás.

Quando ele voltou para o galpão de jogos, depois de escurecer, todo mundo estava falando sobre uma mulher que tinha acabado de tentar enforcar-se e falhara. Seu marido endividado tinha vendido o barraco deles, e ela não queria morar na rua.

“Muitas mulheres de Annawadi queriam morrer”, pensava Sunil. Ele ficou bastante triste com o que acontecera com Meena, que sempre fora legal com ele.

— E tudo por causa de um ovo — as pessoas comentavam.

Abdul declarou que o que Meena fizera fora uma ousadia. As pessoas também chamaram Kalu de ousado. Agora, o tâmil do galpão de jogos dizia que ele, Sunil, era o menino mais ousado de Annawadi: — O ladrão número 1!

Sunil percebeu nas entrelinhas o motivo das palavras do cara. O tâmil estava tentando aumentar sua confiança para que ele realizasse o roubo no Taj e lhe vendesse os objetos, mas Sunil não se sentia tão confiante nesta noite.

Na rua do lado de fora do galpão passou seu pai, andando depressa, enquanto Abdul conversava, animadamente, com um menino que não estava prestando a mínima atenção. Abdul falava girando seu pescoço para frente e para trás, igualzinho a um búfalo d'água que estava parado atrás dele. Sunil deu uma risada ao passar por ele. Era o tipo de comportamento imbecil que Kalu teria imitado. Muito provavelmente, Abdul e o búfalo estavam tentando afastar os mesmos mosquitos que pairavam sobre suas cabeças.

— Você já pensou quando olha alguém, quando ouve alguém, se essa pessoa realmente tem uma vida? — Abdul perguntava ao menino que não estava prestando atenção. Ele parecia estar em um transe, como acontecia de tempos em tempos desde que ficara preso em Dongri.

— Como aquela mulher que acabou de se enforcar, ou o marido dela, que provavelmente bateu nela antes de ela fazer isso? Imagino que tipo de vida é esta — Abdul continuou. — Sinto a tensão só de olhar. Mas é uma vida. Mesmo a pessoa que vive como um cão ainda tem uma vida. Uma vez minha mãe estava me batendo, e isso me ocorreu. Eu disse: "Se o que está acontecendo comigo, agora, acontecesse pelo resto da minha vida, seria bem ruim, mas, ainda assim, também seria uma vida". E minha mãe ficou tão chocada quando eu disse isso. Ela falou: "Não se confunda pensando nestas vidas tão terríveis".

Sunil achava que ele também tinha uma vida. Certamente uma vida ruim, do tipo que poderia terminar como a de Kalu e, então, ser esquecida, porque não fazia nenhuma diferença para as pessoas que viviam na cidade alta. Mas alguma coisa ele tinha começado a perceber no telhado, ao debruçar-se ali, pensando no que aconteceria caso ele se curvasse demais, era que a vida de um menino só valia para si mesmo.

Em fevereiro, o impaciente Taufeeq derrotou Sunil e assumiu o controle da operação para roubar o Taj Catering Services. Sunil ficou aliviado de ser rebaixado para um dos meros quatro soldados. Os meninos atravessaram o buraco na parede de pedras, uma vez por semana durante três semanas, conseguindo 22 pedaços pequenos de ferro. Em uma noite, quando os guardas vieram correndo, os meninos jogaram pedras neles. Sunil agora tinha o bastante para comer, além de dez rúpias extras para comprar um brinco de prata, no formato de caveira, que ele vira do lado de fora da estação de trem de Andheri. Ele sempre quisera ter alguma coisa brilhante.

Havia mais prata alemã no estacionamento e nos armazéns industriais perto do rio. Uma escada içada de um quiosque de segurança valia mil rúpias que seriam divididas em cinco. Semanas se passaram sem que Sunil sentisse fome e ainda pudesse realizar o desejo de algo muito maior do que um brinco prateado.

A princípio, ele não acreditou, pensou que fosse um truque de luz e sombra que passava pelas frestas da parede do seu barraco. Mas, ao encostar-se lado a lado com Sunita, ele confirmou: estava mais alto. Como ladrão, Sunil Sharma tinha, finalmente, começado a crescer.

14.
O julgamento

Embora o pai de Abdul acreditasse, secretamente, que os únicos indianos que eram levados a julgamento eram aqueles pobres demais para dar dinheiro à polícia, ele criara seus filhos para respeitar os tribunais indianos. Entre todas as instituições públicas no país, Karam sentia que esses tribunais pareciam ser os mais dispostos a defender os direitos dos muçulmanos e de outras minorias. Em fevereiro, com seu próprio julgamento se aproximando, ele começou a acompanhar julgamentos por toda a Índia, nos jornais urdus, do mesmo modo que outras pessoas acompanhavam novelas. Embora muitas vezes ele discordasse de alguma resolução num certo tribunal, e entendesse que alguns juízes eram corruptos, sua fé relativa no judiciário permanecia.

— Na delegacia de polícia, eles falam para a gente ficar quieto — Karam falou para Abdul, que se lembrava bem e não precisava ser alertado. — Entretanto, nos tribunais, nós podemos ser ouvidos. — Karam ficou ainda mais esperançoso quando descobriu que seu caso tinha sido designado para os tribunais de causas rápidas.

Em um tribunal normal, às vezes, se passavam cinco, oito ou onze anos entre a declaração da acusação e o começo do julgamento. Para pessoas sem trabalho permanente, a grande maioria na Índia, toda presença no tribunal envolvia perda do dia de trabalho. Longos julgamentos eram economicamente desastrosos. Mas, por decreto do governo central, o enorme acúmulo de casos, agora, estava sendo direcionado para 1.400 tribunais de causas rápidas por todo o país. Em Mumbai, vereditos estavam voando dos tribunais rápidos com tanta velocidade que o número de julgamentos pendentes na cidade toda tinha diminuído um terço em três anos. Muitos casos notórios, incluindo os do crime organizado, foram diretamente para a corte rápida, já que o público estava compreensivelmente ansioso para vê-los resolvidos. Mas, além dos casos famosos que traziam os caminhões de televisão para a frente dos tribunais de causa rápida, havia outros milhares de pequenos e insignificantes julgamentos como os dos Husain.

Uma juíza chamada P. M. Chauhan fora designada para julgar se Karam e Kehkashan tinham levado sua vizinha para a autoimolação. Abdul teria um julgamento separado na corte juvenil, em uma data posterior, e não entraria no tribunal da juíza Chauhan. Portanto, para ele, parecia que o julgamento estava acontecendo a oceanos de distância, e ele não se importava com o que sua irmã dizia sobre a viagem de sessenta minutos de ônibus para um bairro ao sul de Mumbai chamado Sewri. O assunto era um dos inúmeros de sua vida que ele considerava fora de seu interesse. Ele só confiava em Kehkashan, uma narradora mais confiável que seu pai, porque ela o mantinha informado para que se preocupasse ou não.

O tribunal de Sewri fora anteriormente uma empresa farmacêutica.

— Isso nem parece um tribunal — Kehkashan falou ao pai, preocupada, no dia em que o julgamento começou. Não tinha corrimãos de madeira; nada imponente. Os corredores estavam tomados por acampamentos, famílias de outros acusados comendo, rezando, dormindo, apoiando-se em uma parede de azulejos engordurados onde placas ameaçavam, com multas de 1.200 rúpias, quem cuspisse no chão. O lugar todo parecia não ter catadores de lixo. No tribunal, garrafas de plástico vazias e latas amontoavam-se na base da plataforma alta de onde a juíza Chauhan presidia.

— Esta juíza mulher é muito severa — um policial falou. — Ela não deixa o acusado sair livre.

Kehkashan viu imediatamente que a juíza era uma pessoa impaciente. Franzindo os lábios vermelho-escuros, a juíza gritou para seu pai que tinha comparecido no primeiro dia do julgamento sem um advogado.

— É um caso *bhaari*, um caso grave! Não me atrase, comece isso rápido, ande logo!

A impaciência era estrutural. Como a maioria dos juízes das causas rápidas, Chauhan conduzia mais de 35 julgamentos simultaneamente. Cada caso não era ouvido do começo ao fim, do jeito que Kehkashan tinha visto nas séries de TV. Ao contrário, eram desmembrados em dezenas de audiências breves que aconteciam em intervalos semanais ou quinzenais. Em um dia comum, o juiz ouvia partes de nove julgamentos, de modo que o banco dos acusados onde ela e seu pai estavam sentados, sob supervisão da polícia, estava lotado. Havia homens em julgamento por assassinato, por roubo à mão armada e por roubo de eletricidade; muitos deles estavam algemados. Karam era o homem mais velho no banco, Kehkashan, a única mulher. Seus assentos ficavam encostados na parede no fundo do tribunal, atrás de um grande auditório de cadeiras plásticas brancas para testemunhas e observadores, e duas plataformas com mesas de metal onde uma multidão de funcionários, promotores e advogados de defesa folheavam os arquivos. Para Kehkashan, a bancada das testemunhas e a juíza de batom pareciam estar a uma longa distância.

Na audiência seguinte, o advogado dos Husain apresentou-se e um médico legista do Hospital Cooper testemunhou, falsamente, dizendo que Fátima fora queimada em 95% do seu corpo. E a audiência terminou.

— E agora? Qual o próximo? — perguntou a juíza, pegando um novo arquivo e passando para o próximo caso.

Na semana seguinte, o policial de Sahar testemunhou sobre a conclusão da investigação da delegacia: que os Husain bateram em Fátima e estimularam o suicídio.

— E agora? Qual o próximo? — perguntou a juíza.

O que veio a seguir era a parte do julgamento que os Husain mais temiam. Começando em um dia de março, e continuando por breves sessões e incontáveis semanas, viriam os testemunhos dos vizinhos que a polícia tinha entrevistado em Annawadi e que a promotoria escolhera para argumentar seu caso.

Estranhamente, a maioria destas testemunhas não estava presente na hora da briga que precedeu a queimadura. Entre elas, estavam o marido de Fátima e duas de suas melhores amigas.

No banco da acusação, Kehkashan estava feliz por estar usando a burca que encobria seu suor exagerado. Ela contraíra icterícia na prisão e a febre persistente subira muito, o que aumentou ainda mais sua ansiedade. Ela considerava o comportamento de sua família, naquele dia fatídico, algo terrível e vergonhoso, e desejava não ter dito, durante a briga com Fátima, que torceria a outra perna da mulher; desejava que seu pai não tivesse ameaçado bater em Fátima. De qualquer forma, aquelas palavras maldosas dificilmente os enviaria para a prisão. Eles iriam para a prisão se existissem supostas testemunhas que corroborassem o depoimento revisado de Fátima à polícia, em que ela afirmava ter sido esganada e surrada.

Poornima Paikrao, a funcionária executiva do governo de Maharashtra, tinha ajudado a elaborar o depoimento no hospital e, depois disso, falou para Zehrunisa que os relatos das outras testemunhas seriam bem prejudiciais, a menos que os Husain lhe pagassem uma propina. Ela fizera uma segunda tentativa de extorsão naquela manhã, bem do lado de fora do tribunal.

As testemunhas de Annawadi poderiam lembrar-se de detalhes novos e terríveis da noite em questão, a funcionária executiva tinha afirmado a Karam. Ela mesma poderia testemunhar sobre a declaração feita no leito de morte de Fátima, de tal maneira que um veredito de culpado estaria garantido. A funcionária não queria fazer isso. Ela queria ajudá-los.

— Mas o que mais posso fazer? — ela perguntou, levantando as mãos como sempre. — Pense de novo no que poderá acontecer. Você e seus filhos irão para a prisão. Então, o que você sugere?

— Não vou pagar — Karam falou atabalhoadamente. — Meu filho e minha filha já ficaram em uma prisão, as coisas terríveis que você ameaça já aconteceram. Mas vamos pagar o advogado, não você, para acertar as coisas. O advogado vai fazer a juíza enxergar a verdade. E se esta juíza não vir isso — ele concluiu num rasgo de bravura —, vou levar o caso para a Suprema Corte!

Enquanto aguardavam o primeiro de seus vizinhos em um tribunal desleixado, tanto o pai quanto a filha esperavam que sua crença no judiciário indiano tivesse uma base na realidade.

A primeira a subir na bancada de madeira das testemunhas foi uma das confidentes mais íntimas de Fátima, uma garota miserável chamada Priya. Priya era, provavelmente, a menina mais triste de Annawadi, e Kehkashan a conhecia há muito tempo. Naquela manhã, as duas jovens dividiram um requixá desde a favela até a estação de trem, sentadas uma de encontro à outra, com corpos suados encostados, cada uma delas em sua própria bolha infeliz. Evitando os olhos de Kehkashan, Priya envolveu-se com os próprios braços, repetindo:

— Não irei. Não vou.

Priya tinha evitado contato com as pessoas desde a queimadura da amiga.

— Fátima era a única pessoa que sabia do meu sofrimento — ela falou uma vez. Uma garota mais forte poderia ter sido capaz de esquecer os gritos de socorro de sua amiga, seu esperneio. Mas, na bancada, assim como em Annawadi, Priya demonstrava a marca de seu desespero, como se uma cicatriz marcasse seu rosto.

E esse não era o tipo de dano que transformava uma garota tímida em uma contadora de histórias. Trêmula, Priya contou ao promotor que não estava no *maidan* quando a briga começou, e que tinha visto Fátima apenas depois de ela ter se queimado. Fátima provocou muitas brigas na favela, Priya falou ao advogado de defesa antes de ser dispensada.

Sucedendo-a, à frente da juíza, estava um homem bonito e articulado chamado Dinesh que trabalhava como carregador de bagagem no aeroporto. Kehkashan nunca tinha falado com ele, mas tinha ouvido rumores de que seu testemunho seria prejudicial a eles. Ela sentiu-se pior do que nunca quando o viu subir na bancada com o rosto cerrado e pálido. Como ele estava falando em marathi, alguns minutos se passaram antes que Kehkashan pudesse perceber que a raiva dele não era direcionada à sua família, mas sim à polícia de Sahar.

Logo depois da queimadura, um policial registrara o relato de uma testemunha que descrevera a briga e que tinha o nome de Dinesh. O testemunho era falso, Dinesh contou à juíza. Ele estava em casa, em outra viela da favela, não tinha visto a briga e não sabia por que fora chamado como testemunha-chave da acusação. Ele não se importava nem um pouco com os Husain nem queria saber se eles iriam para a prisão. O que importava para ele era ter deixado de receber o pagamento de um dia de trabalho por causa de uma declaração errônea da polícia.

O promotor, surpreso, rapidamente encerrou seu depoimento e terminou, assim, a audiência. Kehkashan e seu pai voltaram para casa sentindo-se atordoados.

Apesar das insinuações da funcionária executiva, as primeiras testemunhas não mentiram para prejudicá-los. Olhando para trás, Kehkashan lembrou-se da impressão de otimismo daquela tarde, antes que as falhas do famoso tribunal de causas rápidas começassem a aparecer.

Em abril, o caso contra os Husain se estendia em pequenas audiências, e a juíza P. M. Chauhan ficou irritada. Sua estenógrafa, proficiente apenas na língua marathi, era incapaz de traduzir o híndi, usado pelas testemunhas da favela de Annawadi para o inglês exigido na transcrição oficial. Impaciente com os atrasos na tradução, a juíza começou a dizer à estenógrafa o que escrever. Então, as nuances das respostas de uma testemunha da favela para as perguntas do promotor transformaram-se em monossílabos; melhor assim para fazer o caso ir adiante. Ao final de uma audiência particularmente tediosa, a juíza levantou-se para o almoço e suspirou para o promotor e o advogado de defesa:

— Ah, brigas por causa de coisas insignificantes, idiotas e pessoais, estas mulheres. Tanta coisa e chegaram a tal nível que isso virou um caso de justiça.

Ficou claro que o resultado do julgamento importava apenas para as pessoas de Annawadi.

Para Kehkashan e seu pai, dez anos de prisão estavam em jogo. Mas, à medida que as semanas avançavam, era difícil entender se o que estava sendo dito na frente do tribunal era a favor ou contra eles. As janelas foram abertas por causa do calor de abril, então, em vez de escutarem o testemunho do qual dependia a liberdade deles, eles escutavam a cacofonia de uma rua industrial. Buzinas de carro. Buzinas de trem. Motores engasgando. O som dos caminhões dando ré. O barulho do lado de fora parecia ser absorvido pelo ventilador do teto, que batia forte e girava para fora suas lâminas de metal. Audiência terminada. Próxima audiência. Agora, alguma coisa parece estar errada com o ventilador, e seu zumbido tinha virado um ruído enorme.

O que o policial estava contando para o juiz? O que o juiz estava dizendo para o promotor? O promotor tinha um penteado alaranjado, endurecido com spray de cabelo e, quando balançava a cabeça com força, um chumaço de cabelo se soltava e virava para cima. Alguns acenos de cabeça a mais, e o cabelo estava espetado como um dedo apontando para os céus. Audiência terminada. Voltem em uma semana. Kehkashan parou de curvar-se para frente e começou a afundar-se na cadeira. Ela se sentia preparada para tudo no dia em que o marido de Fátima subiu no banco de testemunhas.

Alguns meses atrás, o marido de Fátima, Abdul Shaikh, levara suas filhas à casa dos Husain para o Eid, feriado sagrado do ano muçulmano. O jovem Abdul tinha degolado uma cabra no *maidan*, e o velho Abdul tinha trabalhado lado a lado com ele, estripando os músculos para preparar a carne para a festa. Do mesmo modo como sempre faziam no Eid. Uma bela cabra este ano, um bom ano que virá.

No entanto, o tribunal era uma questão de honra para o marido de Fátima, assim como para os Husain.

O velho separador de lixo tinha conseguido escutar mais do que os Husain, porque sua cadeira ficava bem no meio do tribunal. À medida que o julgamento progredia, ele percebeu que o relato feito no leito de morte de Fátima, sobre levar uma surra e ser estrangulada, estava enfraquecendo. As testemunhas continuavam a dizer que a briga fora só de palavras esquentadas. Abdul Shaikh ficou perturbado com esta contradição entre o primeiro e o último depoimento oficial de sua esposa.

Ele e Fátima não foram felizes depois do primeiro ano do casamento. Eles brigavam regularmente por causa dos amantes dela, por causa da violência ao bater nas crianças e por causa da força com a qual ele batia nela quando estava bêbado. Ele não sabia como fazer esta história ficar mais bonita. Mas, no dia a dia, desde a morte da esposa, vivendo ao lado dos Husain, ouvindo Zehrunisa cantar para suas filhas, ouvindo Mirchi fazer todo mundo rir, percebeu que o suicídio de Fátima roubara dele uma oportunidade, remota, talvez, de encontrar paz com sua mulher e oferecer um lar feliz para suas amadas filhas.

Ele queria culpar alguém mais, além de sua esposa, por essa perda de um futuro feliz. Ele queria que a juíza condenasse os Husain. O problema era que ele não tinha certeza sobre o que os vizinhos tinham feito ou não para Fátima e disse isso em seu depoimento original à polícia. Ele estava no trabalho e chegara em casa a tempo de ver sua esposa grotescamente ferida. Suas filhas, presentes durante a briga, lhe contaram que ninguém tinha batido em ninguém. Mas o que aconteceria com essas meninas? Ele não queria que elas crescessem sabendo que a mãe delas tinha se queimado, mentido e morrido.

Suas filhas estavam de volta a Annawadi agora. Ele as tinha retirado dos cuidados da Irmã Paulette depois de descobrir manchas escuras em seus braços e pernas. Elas ficaram encantadas ao voltar.

— A gente sempre tinha que falar "obrigada, Jesus" para a foto de um homem branco — sua filha mais nova falou.

— Era muito chato!

Desde que voltaram para casa, elas não perguntaram nenhuma vez pela mãe, mas Noori, que tinha visto o fogo pela janela, mudou. Ela ficava parada no meio da rua como se quisesse que os carros a atropelassem e tinha desenvolvido um hábito nervoso de mastigar seu lenço de cabeça.

Hoje, no entanto, ela estava animada por pegar o trem que atravessava a cidade até o tribunal, e ficou especialmente entusiasmada com as câmeras de TV que estavam montadas do lado de fora.

— Algum grande julgamento deve estar acontecendo hoje — Abdul Shaikh contou para as filhas, que correram para a frente das câmeras para sorrir e acenar. Outros annawadianos diziam que a filha caçula, Heena, tinha o sorriso da mãe. Abdul Shaikh concordou, embora não se lembrasse muito dos sorrisos de Fátima para poder ter certeza.

— Vamos aparecer na TV agora? — Noori perguntou quando os três atravessaram o portão de segurança de metal. Virando-se para responder, o pai delas bateu a cabeça com força no portão. Uma hora mais tarde, ele ainda estava se sentindo meio atordoado quando sentou-se no banco das testemunhas.

Em sua mão direita, ele segurava um saco plástico enrugado que continha o atestado de óbito da esposa, duas fotos dela bem vestida, com um conjunto rosa e um azul, e o documento do governo atestando sua invalidez, o que lhe garantira as muletas de metal sem custo algum. Esses lembretes de sua presença tinham cheiro de mofo e continham palavras que ele não conseguia ler, mas ele queria segurá-los em suas mãos enquanto testemunhava e esperava colocar os Husain na prisão.

A juíza olhou para ele com bondade, enquanto fazia o juramento, mas, quando o promotor pigarreou, os joelhos de Abdul Shaikh se dobraram. Ele teve que se agarrar à bancada para ficar de pé: nunca estivera em um lugar assim, tendo que falar com essas pessoas intimidantes. Com a pergunta mais básica do promotor, um homem que ele sabia estar ao seu lado, ele ficou desorientado.

— Com quem você mora? — o promotor perguntou.

Ele disse “minha esposa” como se ela não estivesse morta. Na pergunta seguinte, ele insistiu que tinha 35 anos. Acertou o nome de suas filhas, mas não conseguiu lembrar-se de seu endereço nem soube para onde olhar quando respondeu às perguntas. Deveria olhar para a juíza, que o olhava calmamente de seu assento acima da bancada, ou para o promotor, que ficava do lado oposto, em seu nível? Quando ele olhava para o advogado de defesa, ficava ainda mais confuso, pois o homem ficava sorrindo para a juíza sem razão aparente.

Ele decidiu olhar apenas para a juíza. Para ela, fez seu relato sobre ter encontrado Fátima em casa e tê-la levado para o hospital.

— Sua esposa estava em condições de falar com você naquela noite?

Essa foi a primeira pergunta importante a que Abdul Shaikh teve que responder. Ele teve que pensar, e o fez.

— Sim, ela conseguiu falar — respondeu firmemente. Ele pareceu aliviado quando as palavras saíram direito.

— O que sua esposa lhe falou a caminho do Hospital Cooper?

— Ela me falou que eles a xingaram de prostituta e que pegariam sua outra perna — ele começou. Foi isso o que ele tinha contado para a polícia em seu depoimento original, nove meses atrás, mas isso não parecia terrível demais neste tribunal, apenas palavras costumeiras usadas em Annawadi. Depois de uma longa pausa, ele continuou: — Ela me disse que eles bateram nela. — Outra longa pausa, pensando, então falou: — Ela me disse que eles a seguraram pelo pescoço e bateram nela com uma grande pedra.

Pronto. As palavras de uma mulher moribunda que, ele esperava, fariam virar o caso a seu favor.

O promotor parecia encantado, e os policiais de Sahar, que estavam presentes, ficaram felizes também. Quando o advogado dos Husain, com cabelo ajeitado e terno de listras, começou o interrogatório, a calma de Abdul Shaikh continuava a aumentar. Não, sua mulher não ficara deprimida depois que sua filha Medina se afogara em um balde. Não, sua esposa não tinha jogado querosene em si mesma duas vezes anteriormente. Quando ele saiu cambaleante do banco de testemunhas e sentou-se em uma cadeira plástica branca, acreditava ter se vingado da perda de seus filhos.

— Agora o quê? O que vem a seguir? — falou a juíza Chauhan, chamando a última testemunha de Annawadi.

Cynthia Ali, melhor amiga de Fátima, tinha raiva dos Husain desde que o negócio de lixo de seu marido fracassara. Bem tarde, na noite da queimadura, quando Abdul estava escondido em seu depósito, ela fora para o meio do *maidan* tentando convencer seus vizinhos a irem até a delegacia de polícia e exigir a prisão de toda a família Husain.

Embora ela não tivesse visto a briga entre Fátima e os Husain, no dia seguinte ela deu um depoimento dizendo o contrário para os policiais. Então, por meio da mulher do dono do bordel, ela informou aos Husain que seu testemunho iria mandá-los para a cadeia, a menos que eles pagassem 20 mil rúpias antes que ela fosse depor. Os Husain, tendo se recusado a pagar, estavam se preparando há meses para sua vingança.

— Eu achei que estava ficando louca — Zehrunisa dissera para Abdul no dia anterior, enquanto esperavam pelos catadores nas balanças. Ela tinha um jeito febril no olhar, que ele não tinha visto desde que ela ficara na janela da delegacia de polícia de Sahar. — Depois de mentir no tribunal, que honra ela vai ter? — Zehrunisa indagou. — Se você perde sua honra, como pode mostrar seu rosto em Annawadi?

Abdul achou a pergunta da mãe absurda.

Cynthia tinha lavado o cabelo para sua apresentação no tribunal e colocara seu melhor sári, púrpura com uma borda azul e dourada. Não havia nada a fazer com seus dentes. Nos últimos dias, ela imaginara seu depoimento como uma ocasião decisiva, pensando que sua atuação pudesse comparar-se às cenas de julgamento nos filmes híndis.

Tinha sido doloroso observar o rendimento dos Husain aumentar enquanto sua família soçobrava. Ela achava que Zehrunisa tivera sorte por ter alguém tão capaz de separar lixo como Abdul, e que saíra de seu próprio corpo. No entanto, Zehrunisa se portava como se fosse a esperta da família. Mais ainda, Zehrunisa fazia fofocas sobre como Cynthia, uma cristã, tinha trabalhado em um bar de danças exóticas, um capítulo da vida de Cynthia encerrado há muito tempo. Ultimamente, ela se rotulava como assistente social e estava tentando entrar no negócio antipobreza, exatamente como Asha. Havia muito dinheiro do governo e de países estrangeiros circulando.

Quando a juíza Chauhan chamou-a, ela se levantou ereta, falando seu nome com confiança e sua nova profissão: assistente social. E, quando o promotor começou a fazer perguntas, sua cabeça empertigou-se.

Esse promotor não era nada parecido com os promotores dos filmes. Ele não estava olhando intensamente para ela, apesar de seu sári espetacular. Ele parecia tão enfadado pelo julgamento quanto a juíza.

Cynthia franziu as sobrancelhas. Ela achava que o promotor a estava apressando. A juíza não queria saber os detalhes da briga que ela fingira ter visto? Sua história sobre como ela ajudara a arrombar a porta do barraco, para salvar sua amiga das chamas? Ela mal tinha começado quando o promotor parou de fazer perguntas, e o advogado de defesa dos Husain levantou-se para o interrogatório.

Este cara parecia realmente um advogado de cinema. Estranhamente alerta perante uma testemunha dúbia — a última testemunha de um julgamento tedioso —, ele deu um passo à frente.

“Sim”, ela admitiu quando ele perguntou; o negócio de sua família tinha fracassado, enquanto o dos Husain tinha prosperado.

“Sim”, ela falou; Cynthia morava em um barraco a certa distância dos Husain, em outra viela.

“Sim”, sua casa era longe de onde a briga acontecera. “Sim”, ela estava em casa picando legumes para o jantar.

— Então, como você pode ter visto o que aconteceu? — o advogado quis saber.

— Mas eu vi tudo — ela insistiu com o rosto carrancudo. — Ela era minha vizinha!

— Acho que não — o advogado replicou. — Você disse anteriormente que vira a briga, mas isso não é verdade. Você mentiu.

A juíza repetiu, para sua inepta estenógrafa, uma combinação resumida da pergunta e resposta: “Eu menti e vi a briga”. Os olhos de Cynthia se arregalaram.

O filho de Cynthia tinha estudado inglês em uma escola católica, e ela aprendera um pouco enquanto o ajudava a estudar. O que ela entendeu foi que a juíza dissera à estenógrafa para escrever que ela tinha admitido ser uma mentirosa. Ela queria uma correção. Ela queria tempo para pensar, arrumar as ideias.

— Espere — ela gritou tão alto que Kehkashan e seu pai ouviram-na por cima do ruído da rua. Mas este era um tribunal de causas rápidas, um caso insignificante no tribunal de causas rápidas. Ninguém esperaria.

Seu trabalho como testemunha não era mais necessário. A juíza já estava chamando outro caso. Uma policial ficou gesticulando em direção à porta. Mas como ela poderia sair do banco de testemunhas tendo sido mal interpretada? Como poderia arrancar do computador da estenógrafa essa falsa afirmação sobre seu falso testemunho? Ela tremeu de raiva. Mas de quem? Da juíza? Dos advogados? Do sistema de justiça? Ela decidiu culpar os Husain, curvados em um banco lá atrás.

— Vou mostrar para vocês! — ela gritou enquanto saía do tribunal, sacudindo o punho como vira no cinema. Mas sua performance estava terminada, e ninguém estava filmando. Testemunhas mal interpretadas, acusados confusos, todos pegaram o mesmo trem de volta para suas vidas comuns e cheias de brigas em Annawadi, onde pensariam muito sobre o que achavam que tinha acontecido, mas sem ter certeza de nada. Os argumentos finais aconteceriam em duas semanas.

15.
Gelo

Em uma tarde, Abdul, Mirchi e seus pais estavam em pé, com as mãos nas costas, contemplando a mistura heterogênea do lixo armazenado em seu depósito. Tentaram adiar a viagem até as fábricas de reciclagem, porque os preços estavam baixos demais, mas agora não tinham mais escolha: eles venderam o depósito para pagar o advogado. Embora Abdul estivesse trabalhando como um louco, nos dias em que não tinha que comparecer em Dongri, estava fazendo pouco dinheiro. A polícia de Sahar tinha, efetivamente, tirado os Husain do negócio.

Enquanto o julgamento prosseguia, toda a família tentara seguir os passos virtuosos do professor de Abdul em Dongri: não comprar nada que pudesse ter sido roubado. Embora essa decisão reduzisse a renda da família em quinze por cento, isso não diminuía a atenção da polícia. Os policiais vinham exigir dinheiro praticamente todos os dias agora.

— Nos lambendo como cachorros, sugando o que sobrou do nosso sangue — Zehrunisa se lamentou uma tarde. Incapazes de acusar a família de receptar bens roubados, os policiais ameaçavam prender Abdul por separar seu lixo no *maidan*.

— Uma usurpação do espaço público! Um crime contra a qualidade de vida dos annawadianos!

Os policiais insinuaram que uma nova acusação poderia ser usada para mostrar à juíza que a família tinha um histórico de criminalidade. Então,

Zehrunisa pagou suborno após suborno, enquanto seu marido procurava um depósito em outro distrito policial, onde os policiais não soubessem do caso.

Karam tentou ser otimista sobre o que eles poderiam ganhar ao vender os últimos de seus recicláveis: — Deve ter cinco quilos de prata alemã aqui — ele avaliou. — Talvez dois quilos de cobre.

— Besteira — respondeu Zehrunisa. — É muito menos que isso. Tal pai, tal filho; Mirchi é igualzinho a você. Não quer trabalhar, só quer comer. Ambos querem tudo de graça.

Mirchi estremeceu. Ao crescer, ele fora o primeiro a ser chamado de preguiçoso. Ele gostava de mostrar aos seus amigos uma foto desbotada dele e de Abdul quando ainda eram pequenos: — Vejam como Abdul está andando, enquanto eu estou sentado. Já era assim desde aquele tempo!

No entanto, a catástrofe da família o tinha mudado. Ele se tornara um separador de lixo rápido, competente e que aceitava todo tipo de emprego que encontrava.

Já tinha trabalhado na construção civil com seu melhor amigo, Rahul, terminando duas piscinas em um elegante hotel, na estrada do aeroporto. Então, conseguiu o emprego temporário de seus sonhos: servir em festas no Hotel Intercontinental. Um prestador de serviço gostara de sua aparência e lhe entregara uma gravata-borboleta e um casaco de uniforme. O tecido do casaco era tão preto e brilhante quanto a asa de um corvo; sua mãe tinha ficado em silêncio ao tocar o tecido. Ao término da semana de trabalho, no entanto, o gerente da empresa pediu de volta o belo casaco e pagou-lhe apenas um quinto do que fora prometido. Quando Mirchi atravessou a cidade até o escritório do homem para receber o restante, os seguranças puseram-no para fora.

Seu emprego temporário seguinte foi no Skygourmet, que preparava as refeições servidas nos aviões. Ao chegar no trabalho, Mirchi ficava parado debaixo de um exaustor que sugava a sujeira da cidade de seu corpo. Então, carregava a comida para os contêineres dentro de um freezer cavernoso. Era um trabalho miserável carregar os pesados contêineres quando ele estava com tanto frio que não conseguia mexer seus braços e pernas. Gelo se formava dentro de seu nariz, que escorria, e quando sua pele tocava no metal, ela ficava grudada; mas ele ganhava 200 rúpias por dia. Até que a gerência mandou o pessoal temporário embora.

Muitos negócios dependentes do aeroporto estavam demitindo seu pessoal enquanto os efeitos dos ataques terroristas e da recessão persistiam. O partido político de Asha, o Shiv Sena, protestara contra esses cortes, algumas vezes violentamente. Depois das demissões no Intercontinental, uma gangue do Shiv Sena invadiu seu elegante saguão exigindo mais trabalho para os maharashtras, um tumulto do qual Rahul beneficiou-se. Ele conseguiu garantir seu trabalho por mais seis meses, limpando os dutos do ar-condicionado. Mirchi ficou feliz por Rahul e um pouco ressentido de que os amigos de seus pais não tivessem contatos tão influentes assim.

— Existe um cara que conta carros em um estacionamento, e ele me falou que sou talentoso — Mirchi contou numa noite, quando chegou em casa, ofegante, na esperança de que este novo contato pudesse levá-lo a um trabalho estável. Mas havia milhões de outros jovens brilhantes, simpáticos e sem treinamento específico nessa cidade.

Enquanto os Husain esperavam os argumentos finais de seu caso, o resto de Mumbai começou a acompanhar outro julgamento rápido. O único atirador sobrevivente ao ataque terrorista, um paquistanês de 21 anos chamado Ajmal Kasab, teria sua audiência em um tribunal exclusivo e de alta segurança, na prisão de Arthur Road.

O pai de Abdul explicou que o que Kasab fizera estava errado, que o Alcorão não dizia para os muçulmanos matarem civis inocentes, alguns dos quais também eram muçulmanos. Mas, segundo Abdul, Kasab tinha sorte.

— Provavelmente, eles vão lhe bater muito na cadeia — Abdul disse um dia. — Mas pelo menos ele sabe, no fundo do seu coração, que fez aquilo do que está sendo acusado. — O que seria bem menos estressante do que ser espancado quando se é inocente.

A raiva do povo contra Kasab não pareceu ter sido transferida para os outros muçulmanos de Mumbai, e Abdul ficou aliviado ao descobrir isso quando ia de trem para Dongri, nas obrigatórias três vezes por semana. Nos vagões pegajosos e lotados do trem, ele não era parecido com ninguém. Os hindus estavam simplesmente indo para onde deveriam ir, assim como ele. E, como Abdul, eles estavam tossindo, comendo seu almoço, olhando para fora das janelas e vendo os painéis enormes de propaganda, os outdoors, onde os heróis de Bollywood vendiam cimento e Coca-Cola. Eles ficavam curvados protegendo documentos importantes em valiosas sacolas plásticas como a dele, que estampavam: "Faça uma pausa, coma um Kit Kat". Estava tudo como sempre, o que era um sopro de esperança.

Nos meses que se seguiram aos ataques terroristas, os ricos de Mumbai também estavam esperançosos. Muitos começaram a engajar-se na política pela primeira vez, com a intenção de realizar uma reforma no governo. Os indianos ricos, como de costume, tentavam se virar dentro de um governo disfuncional. Contratavam segurança privada, filtravam a água fornecida pela cidade e escolas particulares eram pagas. Tais escolhas evoluíram ao longo dos anos para um princípio: o melhor governo é aquele que não atrapalha.

Os ataques no Taj e no Oberoi, nos quais executivos e socialites morreram, serviram para uma mudança brusca de rumo. Os poderosos agora viam que sua segurança não podia ser comprada. Eles eram dependentes do mesmo sistema de segurança pública que servia tão mal aos pobres.

Dez jovens tinham aterrorizado uma das maiores cidades do mundo por três dias, um fato que tinha algo a ver com a organização de uma trama com muitas frentes, mas que também, talvez, tivesse a ver com as agências governamentais que operavam como se fossem parte do mercado privado, e não como guardiões públicos. As unidades de resposta a crises da polícia de Mumbai não tinham armamento. Policiais na estação de trem não sabiam como usar suas armas e tinham se escondido enquanto dois terroristas matavam mais de 50 viajantes. Outros policiais, chamados para resgatar habitantes de uma maternidade sitiada, ficaram quietos no quartel da polícia a quatro quarteirões de distância. As ambulâncias deixaram de socorrer os feridos. Comandos militares levaram oito horas para chegar ao coração da capital financeira, uma jornada que envolveu um jato estacionado inconvenientemente, uma parada para reabastecimento e uma longa viagem de ônibus saindo do aeroporto de Mumbai. Quando os comandos chegaram ao sul de Mumbai, as mortes estavam longe de acabar.

As eleições parlamentares seriam realizadas no fim de abril, e as pessoas de classe média e alta, especialmente os jovens, estavam se registrando em número recorde para votar. Candidatos educados e ricos estavam se apresentando com plataformas de mudanças radicais: responsabilidade, transparência, rede governamental na internet. Enquanto a Índia independente fora fundada por homens bem-nascidos e bem-educados, agora, no século 21, poucos indivíduos deste tipo se candidataram para as eleições, ou votariam neles, já que os poderosos tinham meios extrademocráticos para assegurarem seus interesses sociais e econômicos. Por toda a Índia, os pobres eram os únicos que levavam o voto a sério. Era o único poder real que tinham.

Um outro negociante de lixo tinha montado uma loja em Annawadi, ocupando o espaço criado pela derrocada do negócio dos Husain. Abdul agora passava seus dias em um pequeno depósito alugado, num galpão na ponta das favelas de Saki Naka. Seus esforços para negociar davam quase em nada. Os catadores de Saki Naka já tinham com quem negociar. Mas, ao ficar sentado sem fazer nada na porta de entrada de seu novo galpão, olhando um *maidan* diferente, Abdul descobriu que se sentia leve. As tragédias de Annawadi não tinham lugar aqui. Ninguém sabia de Fátima nem do julgamento de sua família, nem da morte de Kalu, nem que Sanjay e Meena tinham engolido veneno de rato. Durante as tardes, um homem girava uma pequena roda-gigante com uma manivela manual, e as crianças divertiam-se por uma rúpia.

A polícia recebia propinas dos outros negócios, mas o deixava em paz, provavelmente porque qualquer idiota podia ver que ele não estava ganhando dinheiro. Ele tinha quase tanto tempo sobrando para pensar como em Dongri e, talvez, por causa do sol escaldante de abril, ele pensou em água e gelo.

Água e gelo eram feitos da mesma coisa. Ele pensou que a maioria das pessoas era feita da mesma coisa também. Ele mesmo, muito provavelmente, era pouco diferente por dentro das pessoas cínicas e corruptas à sua volta, dos policiais, da funcionária executiva e do médico-legista que alterara a causa da morte de Kalu. Se ele tivesse que separar toda a humanidade por sua essência material, provavelmente acabaria fazendo uma única pilha gigante. Mas havia uma coisa interessante. O gelo era diferente — e, no seu ponto de vista, melhor que o material com o qual ele fora feito.

Ele queria ser melhor que aquilo com que fora feito. Na água suja de Mumbai, ele queria ser o gelo. Ele queria ter ideais. Por razões de seu próprio interesse, um dos ideais que ele mais queria ter era acreditar na possibilidade da justiça.

Não era fácil acreditar, principalmente agora. O advogado de Kehkashan e Karam estava confiante na exoneração da culpa deles, principalmente depois da atuação ridícula de Cynthia como testemunha de acusação. Mas, um pouco antes dos argumentos finais, a juíza Chauhan fora transferida para um tribunal do outro lado do estado. Um novo juiz seria nomeado e, usando as transcrições malfeitas do tribunal, tentaria dar continuidade ao que a primeira juíza fizera.

Os Husain ficaram devastados, o que não passou despercebido pela policial executiva com os óculos de aro dourado. Ela veio pela terceira vez tentar extorquir pagamento deles, desta vez acompanhada pelo marido de Fátima.

O novo juiz era bem severo e provavelmente declararia os Husain culpados, assim dissera a policial executiva. Felizmente, o marido de Fátima estava disposto a retirar a queixa. Ele cancelaria seu testemunho e o testemunho de sua falecida esposa e, assim, o julgamento seria cancelado. O preço para dar um fim ao julgamento seria de dois lakhs, mais de quatro mil dólares.

A policial parecia estar confiando na ignorância dos favelados: os Husain não saberiam que o caso contra eles era criminal, conduzido pelo estado de Maharashtra, e que o marido de Fátima não tinha o poder de retirar qualquer queixa, não importasse a quantia que os Husain pagassem.

Antes de dispensar a mulher, o pai de Abdul checou os fatos com seu advogado. Ele queria ter certeza de que o que ele aprendera sobre processos legais, ao ler os jornais urdus, estava correto. Estava. Finalmente, um pequeno triunfo da informação sobre a corrupção.

Cada país tem seus mitos e um em que os indianos bem-sucedidos gostam de acreditar é uma alegoria sobre instabilidade e adaptação; a ideia de que o rápido crescimento de seu país era o resultado, em parte, da imprevisibilidade caótica da vida diária. Nos Estados Unidos e na Europa, diziam, as pessoas sabiam o que ia acontecer quando abriam uma torneira de água ou acendiam o interruptor de luz. Na Índia, uma terra com poucas certezas, dizia-se que a incerteza crônica tinha ajudado a produzir uma nação de pessoas perspicazes, que resolviam problemas de forma criativa.

Entre os pobres não havia dúvidas de que a instabilidade favorecesse o talento, mas, com o passar do tempo, a falta de um elo entre o esforço e resultado poderia tornar-se debilitante.

— Tentamos tantas coisas — uma garota de Annawadi declarou —, mas o mundo não se move a nosso favor.

Três dias por semana, atravessando o portão de segurança de tamanho infantil em Dongri, Abdul vasculhava o pátio à procura do Mestre. Ele queria contar-lhe sobre a funcionária do governo que tentara ludibriar seus pais e sobre como o julgamento estava indo bem até que a juíza fora transferida, e como seu negócio em Annawadi tinha sido desfeito pela polícia. Abdul tinha contado tantas mentiras sobre O Mestre, em Annawadi, que ele começou a acreditar que o homem realmente se importava com a vida dele.

No entanto, Abdul não encontrou O Mestre. Depois de assinar seu nome em um registro, ele voltou para a rua imaginando como poderia atrasar sua ida para o galpão em Saki Naka, onde estava fracassando no propósito de conseguir a subsistência de sua família.

Um dia, ao tentar recobrar suas energias, ele caminhara por uma hora do centro de detenção juvenil até Haji Ali, o local de reunião dos muçulmanos, que tinha vários andares.

— Não vou demorar muito — ele prometera a sua mãe. — Só o suficiente para abrandar meu coração.

A mesquita e a tumba de Haji Ali ficavam numa ilhota no mar Arábico, ligada ao continente por um promontório rochoso. O vento salgado sacudia as burcas na frente de Abdul e as transformava em balões pretos flutuando lentamente pelo promontório em direção à abóboda cintilante da mesquita. Por todos os lados, mercadores com mesas dobráveis estavam vendendo bijuterias baratas e pistolas plásticas de água. Acima dele, o céu estava cheio de gaivotas batendo as asas. Era lindo, como se ele estivesse caminhando dentro de um calendário urdu. Então, ele percebeu algo que nenhum calendário mostrava.

A rua estreita que ia para Haji Ali estava cercada por "Pernas Sós". Sem pernas também. Arrastando-se à sua frente por centenas de metros estavam mendigos aleijados, prostrados, lamentando-se e rasgando suas roupas. Parecia uma multiplicação insana de Fátimas.

Ele partiu de Haji Ali apressado. A confusão que estava sentindo não se dissiparia caso visse algo sublime. Ela só poderia ser dissipada quando um tribunal decidisse que ele não tinha atacado, estrangulado e conduzido a um suicídio violento uma mulher inválida.

Abdul conseguia controlar muitos de seus desejos, mas não este. Queria ser identificado como algo melhor que a água suja onde morava. Queria um veredito de gelo.

16.
Preto e branco

Asha tinha concebido uma centena de rotas de escape para longe de Annawadi, mas, nos primeiros meses de 2009, esses caminhos pareciam levar a um beco sem saída, e ela sentia-se encurralada e triste. Possivelmente fora um choque elétrico o culpado pela ruptura de seu circuito mental normal e otimista. Possivelmente, o senhor Kamble deixara uma praga quando, finalmente, morrera por causa da válvula cardíaca. Pouco depois de sua cremação, sua linda viúva, cheia de dívidas com um agiota, roubou um dos amantes mais lucrativos de Asha.

Não era a primeira vez que Asha fora abandonada por um homem sem que esperasse por isso. No entanto, antigamente, ela conseguia esconder sua decepção em algum pequeno compartimento dentro de si e logo partia em busca de algo novo. As perguntas que sempre a distraíam eram: o que experimentar, quem seduzir e o que fazer a seguir. Mas, agora, tais perguntas eram somente ilustrações mostrando que suas respostas anteriores foram erradas. Os potes de ouro descascaram, revelando, por baixo, potes de barro.

A atenção servil de Asha junto ao representante Subhash Sawant fora o maior pote de barro de todos. Logo após seu espetacular Navratri, um juiz expulsara seu benfeitor político do cargo, porque ele fingira ser de casta baixa. Mas sua lista de decepções era bem longa. O mercadinho pelo qual ela recebera um empréstimo do governo, e sobre o qual ela tivera esperança de que seu marido pudesse administrar; o tedioso, e ainda não remunerado, trabalho como Senhoria da Favela; ver Manju como agente de seguros para a elite de

Mumbai; ver Manju como uma noiva lucrativa; a alta quantia que ela deveria receber por conseguir os apartamentos para que os policiais de Sahar negociassem escondidos... E outros esquemas que duraram meses antes de fracassar.

As eleições parlamentares estavam se aproximando, e ela deveria estar distribuindo panfletos nas favelas. O pessoal do Shiv Sena já tinha ligado cinco vezes para lembrar-lhe. O novo representante nomeado, do Partido do Congresso, também tinha ligado. Para conquistar o carinho dos moradores da favela, ele mandara colocar um elegante calçamento de pedras no *maidan*, além de um monumento em mármore preto para o Partido do Congresso. Agora, ele precisava de uma Asha. Seu poder em Annawadi transcendera os partidos políticos.

Mas Asha estava relutante em declarar a união com outro político ao fazer a panfletagem. Ela queria ficar dentro de casa e chorar. Voltando para casa do jardim de infância, ela enrolou-se num cobertor e murmurou um poema maharash que tinha copiado de um cartaz do Mankhurd.

Aquilo que você não quer estará sempre com você
Aquilo que você quer nunca estará com você
Você terá que ir aonde não quer ir
E quando achar que tem muito mais por viver, então você vai morrer.

Manju ficou perturbada ao ver sua mãe toda encolhida na cama, embora soubesse que não deveria perguntar o porquê. Em vez disso, ela falou: — Esse não é o seu jeito, mamãe, ficar parada assim.

No dia seguinte, quando lhe entregou outra xícara de chá fumegante, ela comentou: — Também estou muito cansada dos meus exames.

No dia seguinte, ela disse: — Vou copiar este poema e vou fazer isso bem direitinho. — Asha tinha borrado de lágrimas sua cópia do poema.

Naquela noite, quando Asha tirou a cabeça de dentro do cobertor, ela encontrou sua "ode para baixas expectativas" impressa sem manchas, plastificada e presa num prego na parede.

Embora Manju atribuísse a tristeza de sua mãe a uma dor de cotovelo secreta, o coração de Asha aos 40 anos era teimoso e experiente. Seu cérebro é que era problemático. Quando ela não estava pensando nos motivos de seus fracassos do passado, ficava cismando com pequenas coisas: um policial que não retornava suas ligações telefônicas; Reena, sua colega do Shiv Sena, que tivera um puja especial e esquecera-se de convidá-la. A Asha de sempre teria ficado feliz por não ter que visitar Reena, que era mal-humorada e tinha a cara parecida com a de uma vaca. Mas, em seu estado de espírito atual, pequenas afrontas adicionadas a grandes decepções tornariam-se uma provação. Alguma coisa brilhante nela fora eclipsada.

Asha sempre valorizara sua competitividade, uma qualidade que ela não conseguiu passar para seus filhos. Talvez, como eles não a tivessem, ela a valorizasse ainda mais. Mas, com o tempo, a compulsão para ganhar tornara-se ilusória e, em vez de admitir que estava fazendo um progresso pequeno, ela inventara novas definições de sucesso. Sentia-se avançar, apenas um pouco, cada vez que outras pessoas fracassavam. Ela fora além dos Husain, por um lado, e além do senhor Kamble por outro. Mas os fatos de seu dia a dia raramente mudavam. Ainda estava vivendo com um marido bêbado, em um barraco apertado, perto de um lago de esgoto. Sua vaidade, uma qualidade que ela tinha realmente passado para todos os seus três filhos, estava sendo minada. Fracassara em conseguir chegar à cidade grande, e, na favela, muitos de seus vizinhos começaram a odiá-la. Os annawadianos sabiam bem o momento em que seu respeito cauteloso por Asha tornara-se uma enorme antipatia. Isso aconteceu durante sua tentativa de capitalizar-se sobre o que eles mais temiam: a possível destruição das favelas em 2010 ou 2011.

Como era época de eleição, e os moradores da favela eram eleitores, alguns políticos estavam falando sobre lutar contra a demolição. E os planos já estavam a caminho. Uma pequena parte do espaço livre do terreno seria usada para a expansão do aeroporto, e o resto seria alugado para o mercado aberto. No lugar de 30 e poucas favelas, existiriam mais hotéis, shopping centers, prédios de escritório e, talvez, um parque temático.

A desocupação do aeroporto dificilmente seguiria o projeto governamental de investimento e desenvolvimento da favela. Em seu lugar, empreiteiros particulares receberiam o direito de construir naquelas terras caso concordassem em erguer apartamentos para aqueles moradores que provassem ter vivido em seus barracos desde 1995 ou 2000, dependendo da favela. A corrupção do projeto era endêmica; sindicatos do crime organizado tornaram-se grandes personagens. Porém, o programa tinha limitações evidentes também. Embora nos dois anos anteriores 122 mil barracos foram demolidos, dois terços das famílias afetadas não viveram em seus barracos por tempo suficiente para serem incluídas no programa de realocação. Então, elas estavam amontoadas em outras favelas ou construíram novas favelas nas periferias da cidade.

O grande fracasso dos esforços para a remoção das favelas de Mumbai tornara a remoção das favelas do aeroporto ainda mais importante. O trabalho seria grande, mas possível, e a repercussão seria enorme. Isso mostraria para o mundo que os líderes indianos estavam conquistando seu objetivo de ter "uma Mumbai livre de favelas".

Asha ficava incomodada porque os agentes do governo viam as favelas simplesmente como monumentos ao atraso.

— Se eles precisam tanto de espaço para o aeroporto — ela disse um dia —, por que não passam as escavadeiras sobre os hotéis?

Mas os hotéis de luxo não eram problema; e, afinal, as piscinas e os gramados deveriam ser preservados. Então, o que ela deveria fazer como líder de uma das monstruosidades que diziam estar atrasando a sorte da nação? Unir seus vizinhos em uma oposição infrutífera? Isso parecia mais realista do que ir atrás de suas ambições pessoais e ganhar algum dinheiro.

Ela tinha identificado uma abertura na especulação de terras que estava acontecendo recentemente em Annawadi. Os apartamentos prometidos para os moradores da favela, realocados pela demolição, seriam bem pequenos, com cerca de 80 metros, mas teriam água corrente, o que os tornava um bem valioso em uma cidade carente de habitações formais e de baixo custo. Por isso, as pessoas da cidade alta estavam comprando barracos nas favelas e falsificando documentos legais para provar que eram antigas moradoras de Annawadi.

A maioria dos especuladores pretendia usar os apartamentos de realocação como imóveis de aluguel ou investimento.

— O apartamento que vou conseguir vale dez vezes mais o que eu paguei por este lugar — falou o empresário que comprou o barraco que servia de depósito para Abdul. Um político de pouca importância chamado Papa Panchal tinha conseguido um enorme bloco de barracos perto do esgoto, em nome de um grande construtor, dando dinheiro a bandidos para que convencessem os ocupantes a vendê-los.

Asha recebera sua própria comissão quando ela arrumou, para um fornecedor de meia-idade do hotel, a aquisição do barraco de uma jovem analfabeta, mãe de três filhos, chamada Geeta. Os documentos falsos que afirmavam que o empresário era um morador veterano da favela estavam perfeitos. Geeta duvidou de que aquilo estivesse acontecendo e começou a gritar em altos brados pela favela.

Muita gritaria para cima e para baixo nas vielas da favela! Asha a tinha traído! Seus filhos ficariam na rua! Geeta recusou-se a sair do barraco e tentou registrar uma queixa na polícia. É claro que Asha resolveu esse assunto com a polícia. O problema surgiu quando o empresário mandou uma gangue de bêbados apressarem a saída de Geeta, em uma tarde de domingo, quando todos os annawadianos estavam em casa para assistir.

Asha mandou seu filho, Rahul, espiar enquanto os homens arrastavam a frágil e agitada Geeta pelas ruas da favela pelos cabelos, jogando seus pertences no lago de esgoto, chamando-a de prostituta e jogando querosene sobre seu último saco de arroz. Aos soluços, os filhos pequenos de Geeta tinham se agachado para recolher os grãos estragados de arroz um a um.

Péssima exibição. Prejudicial para a figura de uma Senhoria da Favela, especialmente aquela que ficara dentro de casa, com o rosto firme, enquanto a violência acontecia em suas vielas. Desde aquele domingo, os sussurros de seus vizinhos acompanhavam Asha como correntes.

— Ela se tornou um animal com tanta ambição — disse uma mulher nepalesa, colocando a mão na boca.

— Ela sempre foi astuta, mas agora nós sabemos que ela não poupa ninguém se for para ganhar dinheiro — falou uma mulher tâmil.

— Ela provavelmente ganhou 10 mil rúpias no final — falou Zehrunisa. E foi isso o que deixou Asha mais chateada. Dez mil rúpias teria sido maravilhoso, pelo menos teria compensado a perda de sua reputação. Em vez disso, o empresário não lhe pagara a comissão prometida.

Foi uma experiência tão desanimadora que, quando outra pessoa corrupta e poderosa aproximou-se dela prometendo que, daquela vez, seus esforços seriam recompensados com uma parte dos lucros, ela ficou cética.

"E quando achar que tem muito mais por viver, então você vai morrer." Ela continuou com essa postura pessimista até o dia em que viu que viveria mais, o dia em que o banco liberou o depósito de um cheque.

A ideia que garantiu o futuro de sua família não fora realmente dela. Foi de um administrador chamado Bhimrao Gaikwad, do Departamento de Educação de Maharashtra. Sua responsabilidade seria implementar em Mumbai um programa ambicioso do governo central, apoiado por um órgão de ajuda estrangeira, chamado Sarva Shiksha Abhiyan. Seu objetivo era tornar a educação elementar universal ao trazer para a escola, pela primeira vez, dezenas de milhões de crianças que trabalhavam, além de meninas e crianças deficientes.

Nas entrevistas para os jornais, Gaikwad comentou sobre sua busca por crianças não escolarizadas e sobre sua esperança em dar a elas o tipo de educação que as tiraria da pobreza. Sua ambição menos clara era a de desviar dinheiro público para si mesmo. Trabalhando com agentes de desenvolvimento de comunidade em toda a cidade, ele encontrou testas de ferro para receber os fundos do governo em nome da educação das crianças. Então, ele e seus comparsas dividiriam os despojos.

Asha gostava de pensar que a atenção de Gaikwad fora atraída pela sua inteligência ou até mesmo por sua aparência. Mas o interesse dele estava baseado em algo mais mundano: ela tinha uma organização sem fins lucrativos. Em 2003, outro homem, com outro esquema, tinha montado uma ONG para ela, prometendo um contrato de obras sanitárias da cidade que nunca saíra do papel.

— Está tudo adequadamente registrado? — Gaikwad queria saber.

— Sim, tudo certinho.

E, baseado nisso, ela foi escolhida por ele para fraudar o governo central em seu esforço mais significativo de melhorar a vida das crianças.

Os agentes do governo prepararam documentos atestando que, por vários anos, sua organização sem fins lucrativos tinha mantido 24 jardins de infância para crianças pobres. O governo pagaria 4,7 lakhs, ou mais de 10 mil dólares, para esse trabalho fictício. Mais dinheiro entraria, mais tarde, por seu suposto gerenciamento de nove escolas-ponte para crianças retiradas do mercado de trabalho. Desse lucro, Asha deveria distribuir cheques para uma enorme lista de nomes que Gaikwad fornecia — supostos professores e assistentes das escolas. O que lhe importava quem eram essas pessoas? Seu trabalho era separar 20 mil rúpias para cada um deles, em dinheiro vivo, e entregar para Bhimrao Gaikwad, além de 5 mil rúpias para o agente de desenvolvimento comunitário que ajudara a fazer o contrato.

No primeiro ano, Asha não ficou com muito dinheiro depois de todos os pagamentos feitos. Mas Gaikwad assegurou a ela que viria muito mais nos anos seguintes.

Um problema pequeno aconteceu quando a primeira parcela do dinheiro do governo, 429 mil rúpias, apareceu na conta de uma ONG moribunda. Os cheques a serem distribuídos exigiam assinatura da secretária, mas a vizinha que Asha nomeara há muito tempo como secretária ficou histérica.

— Vou ficar rica? — a mulher perguntava com lágrimas nos olhos. — E se formos pegas? — E resistiu a assinar os cheques. Então, Asha demitiu-a e nomeou uma secretária mais complacente. Os cheques foram feitos, e os agentes do governo receberam seu dinheiro.

Triunfante, Asha sentiu confirmar uma suspeita: a de que ela, realmente, tinha desenvolvido um empreendimento marginal lucrativo. Ser bem-sucedida no grande e fraudulento mercado da cidade alta exigia menos esforço e inteligência do que sobreviver no dia a dia das favelas. Era crucial ter a sorte e a habilidade de sustentar duas convicções: a de que o que você estava fazendo não era errado, no grande esquema das coisas, e a que você, provavelmente, não seria pego.

— Claro que isso é corrupção — Asha falou para a atenciosa e nova secretária da ONG. — Mas é minha corrupção? Como alguém pode dizer que estou fazendo algo errado quando as pessoas importantes é que fazem os documentos? Quando elas dizem que isso é certo?

A nova secretária acenou com a cabeça ao ouvir a análise de Asha, mas, desde que ela também assinara os cheques, ficou de lábios fechados. Como poderia argumentar? Asha era sua mãe.

— Agora você não tem que ter um emprego de verdade quando terminar seus estudos. — Asha falou para Manju sobre o império de escolas que elas fingiam administrar. — Você vai me substituir. De qualquer modo, vou colocar seu nome como pessoa responsável, já que essas escolas, supostamente, têm que ser administradas por alguém com formação.

Embora Manju ficasse perturbada com este legado, ela não estava disposta a recusar o computador de segunda mão que logo entrou por sua porta. Meena rebelou-se contra suas obrigações filiais, ela não. Asha também providenciara uma conexão discada de internet, que Rahul usava para entrar no Facebook, embora seu interesse na rede social diminuíra bastante quando sua moto Honda vermelha chegou.

Manju adorou seu computador, assim como as crianças que ela ensinava na escola do barraco. Elas vinham regularmente para contemplar essa maravilha. As crianças ainda a chamavam de "Professora" e olhavam para ela ansiosas, sem acreditar que as aulas terminaram. Mas as escolas que Asha e Manju estavam fingindo administrar tornavam a renda de uma escola real desnecessária.

Recentemente, Manju decorara o resumo da trama de *Dr. Fausto*, que falava de uma revelação derradeira: aquele momento em que uma pessoa, que queria ser um alguém supremo, descobria que o pagamento por uma vida boa, adquirida de um jeito ruim, estava vencido. Embora esse inferno cristão fosse uma coisa que ela não conseguisse imaginar, ela sentia que a punição estava a caminho.

Em uma noite quieta, pouco antes de sua formatura na faculdade, ela levantou os olhos de seu teclado, alarmada. Havia dois, não, cinco *hijras* em sua porta! E não eram nada parecidos com os lindos e ágeis jovens que uma vez deixaram-na fascinada no templo perto do lago de esgoto. Esses homens femininos tinham mãos peludas e traços de bigodes e a prática de vir à porta da família que alcançara boa sorte para jogar uma praga para revertê-la.

Ela ficou apavorada, e os *hijras* se sentiram constrangidos por fazê-la tremer daquele jeito. Eles vieram por outra razão. Sendo Asha a pessoa mais poderosa que conheciam, eles esperavam que ela os ajudasse a registrá-los para votar na próxima eleição, dali a uma semana. Como a maioria dos annawadianos, eles queriam fazer parte do momento emocionante quando a política era forçada a sair de seus quartéis secretos e era exposta ao ar livre.

As eleições parlamentares seriam o maior exercício de democracia na história do mundo: praticamente meio bilhão de pessoas estaria nas filas para votar em seus representantes em Délhi que, por sua vez, escolheriam o primeiro-ministro. A parlamentar que representaria os annawadianos não tinha dúvidas quanto à sua vitória. Seria a representante do Partido do Congresso, Priya Dutt, uma mulher simples e boa que personificava a fraqueza histórica do eleitorado indiano: pessoas do cinema e seu legado. Seus pais foram superestrelas de Bollywood, e o pai dela já ocupara um assento no parlamento, antes dela.

Na semana anterior, um caminhão do Partido do Congresso tinha encostado do lado de fora de Annawadi, e operários descarregaram oito pilhas de placas de concreto para cobrir o esgoto. Uma multidão reuniu-se na rua, animada com o presente pré-eleitoral. Graças ao partido de Priya Dutt, as vielas da favela não teriam mais esgoto a céu aberto. Alguns dias depois, os operários do Partido do Congresso retornaram no caminhão. Em vez de instalarem as coberturas do esgoto, eles pegaram-nas de volta. Eles precisavam dessas coberturas em uma das maiores favelas do distrito, onde este acessório poderia influenciar um maior número de eleitores. Os annawadianos mais velhos deram risada ao observar o caminhão ir embora. O barulho dos gritos chacoalhou a favela.

Os *hijras*, que eram migrantes de Tamil Nadu, viam poucas diferenças entre os partidos políticos, mas, ainda assim, queriam votar. O problema deles era os agentes das eleições distritais que, algumas vezes, deixavam de processar os formulários de registro preenchidos por migrantes e outras vilipendiadas minorias.

Enquanto Asha e seu marido tinham títulos de eleitores e números de identidade que permitiam a cada um deles dois votos, em dois distritos diferentes, muitos que não eram maharashtras, em Annawadi, ainda tinham que conseguir permissão para um voto. Zehrunisa e Karam Husain eram cidadãos privados de seus direitos, já que tinham passado sete anos, sem sucesso, tentando registrar-se para votar.

Para os annawadianos escolhidos, a participação política não era valorizada porque era um instrumento potente de igualdade social; depositar o voto era crucial. Moradores da favela, criminalizados pelo lugar onde viviam, pelo trabalho que faziam, por viverem ali, eram neste único momento iguais a qualquer outro cidadão da Índia. Eles eram uma parte legítima do Estado, desde que conseguissem entrar nas listas para votar.

O *hijra* mais alto curvou-se perante Asha, e depois se agachou a seus pés.

— Professora — falou —, há um ano nós fomos nos registrar no cartório eleitoral, mas até agora não recebemos nosso cartão de votação. Fizemos tudo o que era necessário, e nada. A eleição está tão próxima... Você pode pegar nossas inscrições e entregá-las para as pessoas certas e fazer com que eles permitam que a gente vote?

Asha pegou um espelhinho de mão.

O *hijra* tossiu.

— Você pode ajudar? Professora?

Manju franziu as sobrancelhas. Sua mãe estava agindo como se os *hijras* nem estivessem ali. Asha pegou um tubo de creme hidratante e passou em seu rosto vagarosamente. Ela jogou um pouco de talco nas mãos e o massageou no rosto. Ela estava se aprontando para ir a algum lugar.

— O quê? Colocando maquiagem! — falou bravo e em voz alta um dos *hijras* para o outro. Mas Asha parecia estar com a mente em outro lugar, porque ela não ouviu.

Asha tinha desistido de ser a Senhoria da Favela. Ela não queria mais saber de política. Chega de lidar com *hijras* privados de direitos e todos os outros habitantes de Annawadi: "Não quero mais saber de todos esses probleminhas que me fazem ficar correndo de um lado para o outro". Não importava se os Husain fossem para a prisão ou se uma viela toda da favela morresse de tuberculose ou se o fantasma de Fátima se cansasse de assustar as pessoas e se ocupasse em limpar os banheiros públicos que realmente precisavam de uma limpeza.

Tudo isso não lhe importava mais. Asha talvez tivesse que morar nessa favela por enquanto, mas agora ela era um membro da cidade alta: diretora de uma organização de caridade confiável, uma organização filantrópica com um número registrado na prefeitura, e talvez, em pouco tempo, com doadores estrangeiros. Ela era uma mulher respeitável na terra do faz de conta e, no momento, estava atrasada para um encontro.

— No posto de gasolina — o homem dissera ao telefone. — Use o vestido cor-de-rosa, aquele que eu gosto.

Então, sorrindo por trás da cortina, Asha enrolou em seu corpo um sári de seda com uma linda estampa em preto e branco. O que ela gostava. Aquela pessoa em quem ela havia se transformado.

— Você está bonita — disse Manju depois de examiná-la. — É melhor do que aquele cor-de-rosa.

— Ah, ah, que bonito — concordou um dos *hijras* mal-humorado, enquanto a nova Asha esgueirava-se no escuro.

17.
Uma escola, um hospital, um campo de críquete

Ao meio-dia, os resultados da eleição chegaram. As elites que desejavam uma reforma não apareceram para votar, apesar de tudo. A maioria dos parlamentares anteriores foi reeleita, o primeiro-ministro foi colocado de volta ao seu posto; e as melhorias radicais que o governo prometera antes das eleições foram rapidamente engavetadas. Algumas semanas mais tarde, as escavadeiras da autoridade aeroportuária começaram a circular pela periferia de Annawadi.

O muro "Lindo para sempre" veio abaixo e, em dois dias, o lago de esgoto, que trouxera a dengue e a malária para a favela, foi coberto, e sua longa extensão foi nivelada e preparada para alguma nova construção. Os favelados se consolavam uns aos outros:

— Ainda não é a gente, são só as beiradas.

A demolição das favelas do aeroporto aconteceria em fases separadas ao longo dos anos, portanto ainda havia bastante tempo para os moradores se reunirem e para garantir que os homens de negócios e os políticos que compraram barracos não fossem os únicos beneficiados com a prometida realocação.

Enquanto isso, o nivelamento da terra nas fronteiras de Annawadi ocupava as crianças da favela. Elas ficavam brincando onde o lago de esgoto costumava ficar, encantadas, enquanto as escavadeiras amarelas reviravam o chão. As máquinas estavam desencavando os restos de uma cidade antiga: um sapato de camurça que já fora branco, parafusos enferrujados e outros pedaços de plástico e metal. Objetos vendáveis, todos eles.

Em um domingo à tarde, os pequenos Husain brincavam com as filhas de Fátima, junto com outras crianças que procuravam sucata na beirada da construção. Então, enquanto as crianças ficavam com os olhos nas pás, elas discutiam o que seria construído neste novo pedaço de terreno.

— Uma escola — alguém disse.

— Não, um hospital, foi o que eu escutei as pessoas falarem.

— Um daqueles hospitais onde nascem os bebês.

— Não, sua boba. O que eles estão fazendo é para o aeroporto. Um ponto de táxi. E os aviões também ficarão aqui.

— Este espaço é pequeno demais para aviões. Eles estão fazendo um lugar para a gente jogar críquete.

A filha mais nova de Fátima empertigou-se. Havia alguma coisa brilhante na borda de um talho feito na terra. Ela saiu correndo em direção à escavadeira, jogando-se debaixo de uma pá em movimento.

— Não faça isso — gritou uma mulher que passava perto. A menininha fez: agachou-se, arrastou-se e pulou para trás bem a tempo de evitar ser atingida. E depois que a escavadeira passou, ela se agachou de novo para cavar. Era alguma coisa inteira e de verdade: uma panela pesada de metal! Ela levantou-a e levou-a de volta para Annawadi, com os olhos brilhantes e os pés descalços levantando nuvens de poeira enquanto corria.

A velha panela valia pelo menos 15 rúpias e, ao vê-la, duas mulheres no *maidan* começaram a rir. Com o progresso e a modernização, pelo menos uma annawadiana teria algum lucro. A filha de Fátima levantou seu tesouro bem alto para que todos os seus invejosos coleguinhas vissem.

Algumas semanas mais tarde, as crianças encontraram uma diversão ainda mais excitante: jornalistas com câmeras de canos longos. De repente, Annawadi virou manchete de jornal.

O motivo era divertido, mas ilegal, uma tradição do mês de junho: uma corrida de cavalo e carroça no domingo à tarde, na reluzente rodovia Western Express. Pequenas apostas foram feitas, e as pessoas se alinharam na rodovia para assistir.

O Senhorio da Favela deposto, Robert, o Homem-Zebra, tinha dois de seus cavalos atrelados em uma carroça malcuidada, mas pintada recentemente de vermelho e azul. Quase no fim da corrida, quando a bela carroça chegou ao cume de uma passagem do trecho mais elevado, uma de suas rodas soltou-se. A carroça derrapou, os arreios se romperam e os cavalos amedrontados caíram da ponte. Um fotógrafo do jornal estava por perto para capturar sua terrível queda na estrada, lá embaixo. E, então, teve início uma campanha para encontrar e penalizar o proprietário negligente. Robert fugiu do local deixando apenas um endereço falso para trás.

A indignação do público cresceu, e as manchetes nos jornais multiplicaram-se. "Na pista do cavalo morto: uma investigação exclusiva"; "Minutos depois da morte do cavalo, os tiras sabiam tudo sobre o fato"; "Até agora não foi aberto o processo!"; "Exclusivo! Onde moravam os dois cavalos antes de sua morte dolorosa".

Um dia, Sunil, Mirchi e outras crianças observaram quando os ativistas de um grupo chamado Plant & Animals Welfare Society, ou PAWS, trouxeram a mídia e representantes da Sociedade Protetora dos Animais para uma busca no galpão de Robert. Vários cavalos foram considerados malnutridos. Foram encontrados cortes na pele das zebras pintadas. A Sociedade Protetora dos Animais levou os animais mais necessitados para uma fazenda terapêutica para cavalos. "Cavalos resgatados!" foi a manchete do dia seguinte.

Os ativistas persistentes voltaram sua atenção para a acusação contra Robert. Os policiais da delegacia de Sahar, que durante muito tempo usufruíram de um relacionamento mutuamente lucrativo com o antigo Senhorio, recusaram-se a registrar uma denúncia de crueldade contra animais ("Culpado fica livre!"). Então, os grupos de defesa dos animais levaram as provas fotografadas para o chefe da polícia de Mumbai. Finalmente, o antigo Senhorio da Favela e sua esposa foram acusados sob o Ato de Prevenção Contra Crueldade com os Animais por deixarem de fornecer comida, água e abrigo adequado para suas crias de quatro patas.

As forças da justiça tinham, finalmente, chegado a Annawadi. O fato de que os beneficiados fossem os cavalos foi motivo de chacota entre Sunil e os meninos de rua.

Eles não estavam pensando nas mortes sem investigação de Kalu e Sanjay. Os meninos de Annawadi aceitavam, sem restrições, as verdades básicas: que em uma cidade cada vez mais moderna e próspera, a vida deles era um embaraço que deveria ficar restrito a espaços pequenos, e que sua morte não deveria ter importância alguma. Os meninos estavam simplesmente intrigados com a agitação, já que consideravam os cavalos do Robert as criaturas mais sortudas e amadas da favela.

Os ativistas foram poucos em quantidade, mas, trabalhando juntos, eles conseguiram demonstrar sua raiva quanto ao tratamento dado aos cavalos. Em Annawadi, todo mundo tinha algo a reclamar: a falta de água, brutal nos últimos três meses; a anulação das inscrições dos eleitores no escritório eleitoral; a inutilidade das escolas do governo; o pouco caso dos prestadores de serviço, que fugiam com o dinheiro dos trabalhadores. Abdul era um dos muitos moradores que tinham raiva da polícia. Fantasias mirabolantes sobre explodir a delegacia de Sahar tornaram-se seu sonho secreto durante as noites. Porém, os favelados raramente ficavam com raiva juntos, nem mesmo das autoridades aeroportuárias.

Ao contrário, indivíduos sem força culpavam outros indivíduos sem força por aquilo que não tinham. Às vezes, eles tentavam destruir uns aos outros. Algumas vezes, como Fátima fizera, destruíam a si mesmos no processo. Quando tinham sorte, como Asha, eles melhoravam seus barracos roubando a chance de outras pessoas pobres.

O que estava acontecendo em Mumbai estava acontecendo em outros lugares também. Em uma era de capitalismo de mercado global, as esperanças e queixas eram universalmente concebidas, o que levava a uma situação difícil comum a todos. Os pobres não se uniam, competiam ferozmente entre si por lucros tão escassos quanto breves. E esta luta na cidade baixa era apenas uma marola no contexto da sociedade como um todo. Os portões dos ricos, ocasionalmente estremecidos, permaneciam inexpugnáveis. Os políticos continuavam a discursar para a classe média. Os pobres continuavam a derrubar uns aos outros, e as cidades desiguais e grandes do mundo batalhavam em uma paz relativa.

Quando as chuvas começaram, em junho, o novo juiz que presidia o julgamento de Kehkashan e seu pai começou a convocar as testemunhas. Este juiz, C. K. Dhiran, tinha as mãos ossudas e olhos sonolentos por trás dos óculos e corria com seus casos ainda mais depressa que a primeira juíza. Aproximando-se do tribunal, no último andar do prédio, Kehkashan virou a cabeça em direção a uma janelinha, onde, sobre uma larga expansão de tetos de telhados molhados, ela pôde visualizar o mar Arábico.

Qual a vantagem de tentar entender outro juiz? Ela ainda se sentia enfraquecida pela icterícia e pela tensão e, enquanto as semanas se passavam, parecia inútil esforçar-se para entender o que estava sendo dito ali, ou tentar prever se ela e seu pai seriam enviados para a prisão. Sua mãe estava preocupada o bastante por todos eles, com seus sonhos horríveis e seu novo costume de correr pelo *maidan* enquanto dormia. Kehkashan simplesmente ficou sentada no banco, ao lado dos outros acusados, murmurando orações até estar livre para juntar-se ao resto da família e criar novos meios para ganhar dinheiro. Como Mirchi costumava dizer, eles agora estavam trabalhando "pra comer".

Desistiram da ideia de recomeçar seu negócio de lixo em Saki Naka. O aluguel do galpão fora maior que a renda mensal de Abdul. Então, agora, Abdul passava os dias dirigindo o barulhento calhambeque de três rodas, de favela em favela, procurando trabalho, transportando o lixo das outras pessoas para os recicladores. Mirchi aceitou todos os trabalhos temporários que encontrou, além de, discretamente, negociar lixo em Annawadi quando a polícia não estava por perto. Seu irmão mais novo, Atahar, saiu da escola, pagou por documentos falsos que diziam que ele tinha idade para trabalhar e foi quebrar pedras na estrada. Atahar disse que não se importava em largar a escola para ajudar sua família, mas Kehkashan se importava, e muito.

No último dia de julho, o promotor e o advogado de defesa apresentaram seus argumentos finais. O juiz olhou para Kehkashan como se fosse a primeira vez que a visse e fez uma piada sobre sua burca:

— Temos certeza de que esta é a acusada? Poderia ser outra pessoa. Quem pode reconhecê-la, vestida deste modo?

Quando o juiz terminou de dar risadas e os advogados terminaram de dizer o que estavam falando para ele, em inglês, o juiz falou para Kehkashan e seu pai voltarem em noventa minutos. Ele daria um veredito.

Enquanto saía da sala do tribunal, o juiz estava dizendo:

— Agora sou o único esperando para o pagamento se confirmar e então eu me aposento. Maharashtra é um estado com mentalidade bem tacanha; só aqui eles exigem que os juízes apresentem seus recibos e notas. Em Andhra Pradesh e Gujarat, o juiz recebe o dinheiro do combustível juntamente com o salário, sem ter que apresentar notas...

Do lado de fora do tribunal, um caminhão de lixo da prefeitura atropelou um cachorro. Ele deu um ganido e morreu, e Kehkashan e o pai decidiram que a cantina do tribunal era um lugar melhor para eles esperarem pelo veredito. Kehkashan sentou-se no chão e ficou olhando seus sapatos, que eram novos e de plástico e estavam machucando. Quando voltou para o tribunal, estava mancando e descalça.

— O que você faz?

No banco de testemunhas, Kehkashan respondeu à primeira e última pergunta que o juiz dirigiu a ela.

— Dona de casa — ela respondeu. Ela não contaria a ele que largara seu marido ou sobre as fotos da outra mulher no celular dele.

— E qual é o seu negócio? — o juiz perguntou a Karam, que tinha cruzado as mãos para impedir que elas tremessem.

— Senhor, trabalho com plásticos — replicou Karam. Ele achou que isso soava melhor que dizer "garrafas de água vazias e sacos de poliuretano".

— Bem, por causa de vocês — o juiz declarou —, a vida de uma mulher acabou.

— Não, *sa'ab*! — Karam exclamou. — Ela fez aquilo com ela mesma.

O juiz não falou nada por alguns momentos e, então, olhou para o promotor com o penteado alaranjado.

— Então, o que fazer com eles? Devo sentenciá-los a dois ou três anos?

Kehkashan enrijeceu. Então, o juiz sorriu e levantou suas mãos.

— Vão, podem ir embora — ele falou para os advogados. — *Jao, chhod do* — ele declarou os Husain não culpados. O julgamento terminou.

A conclusão do juiz foi sucinta.

— Não existia nada registrado que mostre que o acusado tivesse, de alguma maneira, instigado a falecida a cometer suicídio. Deste modo, a promotoria falhara miseravelmente em estabelecer a culpa, sem sombra de dúvidas.

Poderiam ir embora agora. O juiz tinha outros casos para julgar e queria esvaziar o banco de testemunhas, onde Kehkashan e seu pai pareciam estar grudados.

— Vocês podem ir — disse o advogado de defesa uma segunda vez, com mais ênfase agora, e Kehkashan e seu pai voaram dali.

Agora só faltava o julgamento de Abdul na corte de menores, o julgamento de sua honra. Em setembro de 2009, o funcionário da corte juvenil declarou: — Provavelmente vai começar no mês que vem.

Em outubro, ele falou: — Talvez daqui a três meses.

Um policial de Sahar, com quem Abdul frequentemente se encontrava em Dongri, foi menos assertivo:

— Admita que você fez tudo aquilo com a Perna Só! Existe uma saída para tudo! Se você não admitir isso, seu caso vai se estender para sempre e, se você admitir a culpa, eles liberam você agora.

Quando 2009 se aproximava, Zehrunisa tomou medidas especiais para apressar o julgamento de Abdul e sua reivindicação. Ela visitou um místico sufi, em Reay Road, que era especializado em melhorar o futuro, aliviar tensões, remover pragas e acalmar fantasmas — a última especialidade era importante para Zehrunisa, que achava que o fantasma de Fátima poderia estar atrás de Abdul. O místico amarrou uma tira vermelha no pulso de Zehrunisa e mandou que ela amarrasse outra tira vermelha em uma árvore, em um pátio onde outros sufis estavam girando e cantando ao som dos tambores. Os espíritos seriam mais amigáveis agora, o místico prometera, e pegara o dinheiro.

Ainda assim, Zehrunisa achou que não faria mal ir até a mesquita e fazer um *mannat*[37], em nome de Abdul, por sete sextas-feiras.

Ao longo de 2010, como os esforços de Zehrunisa não apresentavam nenhum resultado, a funcionária executiva do governo de Maharashtra reapareceu para sugerir que dinheiro apressaria um julgamento mais que as preces. Zehrunisa respondeu à sugestão com algumas das melhores pragas que ela já inventara.

No fim de 2010, ela e Abdul concluíram que um estado suspenso, entre a culpa e a inocência, seria sua condição permanente.

Abdul ainda procurava O Mestre quando ia a Dongri. Ele queria contar ao professor que tentara ser honrado em seus últimos anos de adolescente, mas não poderia mais ser capaz de manter isso agora que tinha praticamente certeza de já ser um homem. Um homem que usasse a razão não faria grandes distinções entre o bom e ruim, a verdade e a mentira, a justiça e qualquer outra coisa.

— Por algum tempo, eu tentei evitar que o gelo dentro de mim derretesse — foi assim que ele se expressou. — Mas agora estou simplesmente me transformando em água suja, como todos os outros. Eu digo a Allah que eu O amo imensamente, imensamente. Mas também digo a Ele que não posso ser melhor, porque ele sabe como o mundo é.

Com os três meninos Husain trabalhando, a família estava, lentamente, ganhando dinheiro novamente, e, quando Annawadi fosse demolida, eles acreditavam que conseguiriam um daqueles apartamentos de realocação: um apartamento de 80 metros quadrados para uma família de 11 pessoas, longe do aeroporto e de seu lixo, mas consideravelmente melhor que a rua. Abdul ficava sombrio apenas quando se lembrava do início de 2008, quando seu negócio estava a pleno vapor e o primeiro pagamento do pequeno terreno fora da cidade estava pago. Agora, o terreno de Vasai fora vendido para outra família, e o depósito feito pelos Husain não tinha sido compensado.

O pai de Abdul tinha desenvolvido um hábito irritante de falar sobre o futuro como se fosse um ônibus:

[37] Um ritual em que se manifestam desejos e agradecimentos aos deuses (N. E.).

— Está passando rápido e você pensa que vai perdê-lo, mas então você diz "espere, talvez eu não vá perdê-lo, só tenho que correr mais rápido do que eu já corria antes". Só que agora estamos todos cansados e humilhados; portanto, quão rápido podemos realmente correr? Você tenta pegá-lo, mesmo quando você sabe que não vai alcançá-lo, quando talvez fosse melhor deixá-lo ir embora...

Abdul não queria fazer parte dessa loucura. Felizmente, ele tinha trabalho de carreto para fazer. De manhã bem cedo, ele começava, humildemente, conversando com os supervisores nas grandes favelas industriais.

— Alguma coisa para levar para os recicladores?

Ele estava aprendendo todas as estradas secundárias e atalhos espinhosos da cidade, já que veículos de três rodas, como o seu, estavam proibidos de circular por algumas das grandes vias de Mumbai.

Havia dias em que ele gastava mais com gasolina procurando trabalho do que ganhava em comissão, mas havia bons dias também, quando ele descia sacolejando pelas ruas, com seu calhambeque superlotado de sucata. Não havia lugar a que ele não iria para ganhar dinheiro; quanto mais longe de Annawadi, melhor. Ele chegou a ir até a fronteira do estado em Vapi, em Gujarat. E foi para Kalyan, para Thane. Porém, na maioria das vezes, ele ficava em Mumbai.

Fazendo seu circuito tarde da noite, algumas vezes imaginava não voltar para sua família na favela, que ele considerava agora como "um outro tipo de prisão". Abdul pensava seguir em frente e desaparecer em algum lugar desconhecido e distante, e talvez melhor. Mas, às vezes, a cidade o fazia recobrar os sentidos. Os ônibus e utilitários avançando sobre ele e, então, guinando para o lado. As crianças andando despreocupadamente pelas sarjetas da rua e atravessando no meio do tráfego, como a filha de Fátima estava sempre fazendo, como se não soubessem o valor de sua vida...

— Um erro na direção e estou acabado — Abdul costumava reclamar para sua mãe depois de sua volta inevitável para Annawadi. — Tem tanta tensão lá fora, a mente não pode se distrair. Tenho que estar alerta a cada segundo.

Na verdade, ele se sentia poderoso andando pelo tráfego da meia-noite, seus olhos cansados se espremendo para enxergar. Se não havia como dominar essa vasta e pulsante cidade, ele poderia, ao menos, dominar alguns metros da estrada pegajosa.

Bem cedo, certa manhã, Abdul estava acocorado no alto de um saco de lixo preto, perto do galpão de vídeo, pensando numa outra viagem inútil para Dongri e na rotina da noite seguinte, "algo para transportar?", quando Sunil sentou-se no saco de lixo ao lado dele. Eles não se viam há um tempo, já que Abdul estava sempre fora, dirigindo. Sunil aproximou-se dele, do jeito que os amigos, às vezes, costumam fazer.

— Empresta duas rúpias para eu comer alguma coisa?

Abdul afastou-se: — Hugh! Não vem falar tão perto de mim assim sem antes escovar sua boca! O cheiro está horrível. E seu rosto também. Vai lavar a cara! Dá medo só de olhar pra você.

— OK, OK, eu vou — Sunil falou, dando risada. — Acabei de acordar.

— É cedo para um ladrão.

— Não faço mais isso.

Os preços do lixo subiram novamente, as surras da polícia se intensificaram e os seguranças do aeroporto tiraram suas roupas e rasparam sua cabeça, então Sunil decidira voltar a catar lixo. De fato, essa decisão de catar lixo era o motivo de ele estar sentado com Abdul, no meio da rua. O tâmil, dono do galpão de jogos, estava furioso com o fim da receptação dos bens roubados de Sunil e não permitia que ele se sentasse lá de novo.

O menino que piscava, Sonu, tinha praticamente esquecido Sunil porque se tornara um ladrão, não porque acordava mais tarde. Sunil queria juntar-se a Sonu novamente, portanto, tentava acordar mais cedo. Ele também desenvolveu uma fórmula para não se odiar quando fazia um trabalho que o tornava repugnante para sua sociedade. O Eraz-ex ajudava, Sunil descobrira, mas não por muito tempo.

— Eu sempre ficava pensando em como fazer minha vida ficar melhor, mais agradável, e nada melhorou — Sunil comentou. — Agora vou fazer diferente. Não vou pensar em fazer algo melhor, vou apenas parar de pensar, então quem sabe? Talvez, assim, alguma coisa boa aconteça.

Abdul deu uma pancada nele.

— Vou ficar louco se ficar ouvindo você — ele reclamou.

Sentia-se velho, sentado ao lado de alguém que ainda tinha ideias. Quando a favela fosse demolida, eles provavelmente não se veriam mais. Sunil queria recomeçar sua vida em algum lugar fora da cidade, onde houvesse árvores e flores, mas Abdul achava mais provável que Sunil acabasse dormindo nas ruas da cidade. Estes últimos dias de Annawadi talvez fossem os melhores dias que Sunil teria.

Uma enorme folha brilhante voou pela rua e pousou aos pés de Abdul. A sujeira do ar quase não a escurecera. Ele alcançou-a, pegou uma lâmina de barbear enferrujada em seu bolso, cortou a folha em pedacinhos pequenos, colocou-os na palma de sua mão, e, então, assoprou-os na direção do amigo. Confetes verdes cobriram as sobrancelhas de Sunil, seus cílios e o topo de sua cabeça careca.

— Então, o que fazer agora? — perguntou Sunil, depois de um minuto.

— O que fazer agora? Vá lavar sua boca e trabalhar! Você já está atrasado. O que vai sobrar no chão a esta hora?

— Tudo bem, adeus — Sunil falou, dando um salto, sacudindo os pedacinhos da folha e começando a correr.

Adbul ficou olhando-o ir embora. Um menino decente e estranho; ele lhe desejou boa sorte, e, meia hora mais tarde, Sunil encontrou-os em um parapeito estreito acima do rio Mithi.

Logo os motoristas de táxi que jogavam seu lixo no parapeito seriam desviados para outro lugar, enquanto o novo aeroporto cumpriria seu papel de talismã: o talismã de tornar-se uma elegante porta de entrada para uma das cidades mais importantes do mundo no século 21. Mas, por enquanto, onze latas, sete garrafas vazias de água e um maço de papel-alumínio estavam esquecidos na longa faixa de concreto, esperando a primeira criança com coragem para resgatá-los.

Nota da autora

HÁ DEZ ANOS, EU ME APAIXONEI POR UM indiano e ganhei de presente um país. Ele insistiu para eu não me deixar levar pelas aparências.

Quando conheci meu marido, eu já estava, há alguns anos, fazendo reportagens dentro de comunidades pobres dos Estados Unidos, imaginando o que seria preciso fazer para eliminar a miséria de um dos países mais ricos do mundo. Quando cheguei à Índia, uma nação cada vez mais rica e poderosa, e que ainda abrigava um terço da pobreza e um quarto da fome no planeta, dúvidas equivalentes persistiram.

Rapidamente fiquei impaciente com as fotos comoventes tiradas da imundície indiana: crianças esqueléticas com moscas nos olhos e outros emblemas da miséria que não conseguíamos evitar ver quando entrávamos por cinco minutos em uma favela. Para mim e, devo dizer, para os pais da maioria das crianças depauperadas de qualquer país, a pergunta mais importante leva tempo até ser discernida. Qual a infraestrutura para as oportunidades nesta sociedade? Quem consegue desenvolver suas capacidades passando pelo mercado e através da economia e da política social do governo? Quem teve suas chances desperdiçadas? De que modo aquela criança esquelética poderia crescer para ser menos pobre? E uma série de outras perguntas sobre uma profunda e justaposta desigualdade, uma característica de tantas cidades modernas. (Os acadêmicos que mapeiam níveis de disparidade entre os cidadãos ricos e empobrecidos consideram Nova York e Washington, D. C. quase tão desiguais quanto Nairóbi e Santiago.) Algumas pessoas consideram tais justaposições de riqueza e pobreza um problema moral. O que mais me fascina é por que não são problemas de ordem mais prática. Afinal de contas, existem muito mais pobres do que ricos nas Mumbais deste mundo. Por que lugares como a estrada para o aeroporto, com suas favelas lado a lado com hotéis de luxo, não se parecem com o *video game* rebelde chamado Metal Slug 3? Por que mais de nossas sociedades desiguais implodem?

Queria ler um livro que começasse a responder a algumas das minhas perguntas, pois eu sentia que não conseguiria escrevê-lo. Primeiramente por não ser indiana, por não saber a língua, por não ter vivido a vida toda mergulhada naquele contexto. Também duvidava da minha habilidade em lidar com as monções e as condições da favela, depois de anos lutando contra minha saúde ruim. Tomei minha decisão de tentar essa empreitada durante uma noite absurdamente longa que passei sozinha em Washington, D. C. Tropeçando em um dicionário completo, enorme, me vi no chão com um pulmão perfurado e três costelas quebradas em uma poça de Dr. Pepper diet, incapaz de alcançar o telefone. Nas horas que se seguiram, cheguei a uma conclusão. Ao provar que era incapaz de conviver em segurança com um dicionário completo, eu tinha pouco a perder indo atrás dos meus interesses em outro lugar, um lugar distante da minha área de conhecimento, onde o risco de fracasso seria grande, mas as interações seriam bem mais significativas.

Eu sentira falta de livros de não ficção sobre a Índia: histórias contadas com profundidade mostrando como as pessoas das classes mais baixas — especialmente mulheres e crianças — estavam negociando na era dos mercados globais. Eu tinha lido casos de pessoas que estavam se refazendo e triunfando com softwares na Índia, casos que, às vezes, omitiam os privilégios iniciais de casta, riquezas de família e educação em escolas particulares. Tinha lido histórias sobre favelados santificados, aprisionados em um lugar monocromático e miserável até que salvadores (geralmente brancos vindo do Ocidente) se apressassem para libertá-los. Tinha lido contos de *gangsters* e barões da droga que se expressavam em uma linguagem que deixaria Salman Rushdie com inveja.

Os moradores da favela que eu conhecera na Índia não eram nem míticos nem patéticos. Eles certamente não eram passivos. Do outro lado do país, em comunidades onde decididamente faltavam heróis, eles estavam improvisando, quase sempre habilidosamente, em busca de novas possibilidades econômicas do século 21. Estatísticas oficiais davam uma mostra de como tais famílias estavam se saindo. Mas, na Índia, como em muitos outros lugares no mundo, incluindo meu próprio país, as estatísticas sobre os pobres, às vezes, relacionam-se muito tenuemente à experiência vivida.

Para mim, estar ligada a um país envolve fazer uma série de perguntas desconfortáveis sobre justiça e oportunidade para seus cidadãos menos favorecidos. Quanto mais conhecemos um povo, maior a compulsão para pressionar. Embora eu não tivesse a pretensão de julgar o todo por uma parcela, achava que poderia ser útil acompanhar os habitantes de uma única e simples favela durante vários anos para ver quem seguia adiante e quem não conseguia, e por que isso acontecia enquanto a Índia prosperava. Sem ter o que fazer a respeito de eu mesma não ser indiana, tentei compensar minhas limitações do mesmo jeito que faço em um território americano que não me é familiar: passando tempo lá, prestando atenção, guardando documentação e cruzando as histórias.

Os eventos recontados nas páginas anteriores são reais, assim como o são todos os nomes. Desde o dia, em novembro de 2007, que entrei em Annawadi e conheci Asha e Manju, até março de 2011, quando completei meu relato, documentei as experiências dos moradores com notas escritas, gravações em vídeo, audiotapes e fotografias. Várias crianças da favela, que aprenderam a manejar minha câmera, também documentaram acontecimentos recontados neste livro. Devo Kadam, um dos antigos alunos de Manju, era um documentarista apaixonado.

Também usei mais de três mil registros públicos, muitos deles obtidos depois de anos de petições às agências do governo, agora sob o grande marco histórico da Índia, o Ato de Direito de Informação. Os documentos oficiais de agências que incluíam o Departamento de Polícia de Mumbai e o Departamento de Estado de Saúde Pública, as burocracias da educação central e do estado, escritórios eleitorais, escritórios de custódia da cidade, hospitais públicos, necrotérios e os tribunais de justiça, foram cruciais sob dois aspectos. Eles validaram, em detalhes, muitos acontecimentos da história contada nessas páginas. Também revelaram os meios pelos quais a corrupção e a indiferença do governo apagam, dos registros públicos, as experiências dos cidadãos pobres.

Quando descrevo os pensamentos de alguma pessoa nas páginas anteriores, esses pensamentos foram relatados a mim, aos meus tradutores ou para outros na presença de um de nós. Retrospectivamente, quando tentava compreender o que uma pessoa estava pensando em um determinado momento, ou quando tive que repetir várias vezes a mesma entrevista para entender a complexidade da visão de alguém, o que, frequentemente, era o caso, eu parafraseei. Por exemplo, Abdul e Sunil falaram muito pouco sobre sua vida e seus sentimentos, até mesmo para suas próprias famílias. Consegui compreender o que se passava com eles ao pressioná-los com repetidas conversas (eles vão dizer que eram infindáveis) e entrevistas para checar os fatos, geralmente enquanto eles trabalhavam.

Embora estivesse atenta ao risco de interpretar demais, parecia mais desonesto devotar minha atenção a um punhado de annawadianos com mais destreza verbal e que poderiam fornecer mais cores à história. Entre aqueles que estavam sobrecarregados de trabalho, muitos dos quais passavam a maior parte do dia trabalhando silenciosamente com o lixo, a linguagem do dia a dia tendia a ser a da barganha. E de início não transmitiram a profundidade nem as inteligências idiossincráticas que, forçosamente, emergiram ao longo de uma história de quase quatro anos.

Quando me estabeleço num lugar, ouvindo e observando as coisas ao meu redor, não tento me enganar achando que as histórias das pessoas sejam, por si só, argumentos. Apenas acredito que melhores argumentos, até mesmo as melhores políticas, são formulados quando sabemos mais sobre vidas comuns.

Apesar de ter passado um tempo em outras favelas, para efeito comparativo, escolhi concentrar-me em Annawadi por dois motivos: por causa das possibilidades que vislumbrei ali, onde há riqueza por todos os lados, e por seu tamanho propiciar pesquisas porta a porta nos barracos, a errante abordagem sociológica. As pesquisas me ajudaram a começar a diferenciar os problemas isolados dos amplamente comuns a todos, como a privação dos direitos dos migrantes e os *hijras* de Annawadi.

Meu trabalho não foi muito bem recebido, especialmente no princípio. Para os annawadianos, eu era uma figura respeitável que dava um espetáculo ridículo ao desabar no lago de esgoto enquanto estava filmando ou quando entrava em conflito com a polícia. Entretanto, os moradores tinham mais com que se preocupar do que com minha presença ali. Depois de um mês ou dois de curiosidade, eles voltaram a cuidar de sua vida e de seus trabalhos, enquanto eu fazia a crônica da vida deles.

A talentosa e generosa Mrinmayee Ranade tornou possível essa transição. Ela foi minha tradutora nos primeiros três meses deste projeto e sua inteligência profunda, audição escrupulosa e presença acolhedora permitiram que eu viesse a conhecer o povo de Annawadi, e que eles me conhecessem também. Kavita Mishra, uma aluna da faculdade, também traduziu habilmente em 2008. E, no começo de abril daquele ano, Unnati Tripathi, uma jovem brilhante que estudou Sociologia na Universidade de Mumbai, uniu-se ao projeto como tradutora. Ela era um pouco cética em relação a uma ocidental escrevendo sobre moradores de favela, mas suas conexões com os annawadianos provaram ser mais fortes que suas reservas. Ela, rapidamente, se tornou uma feroz parceira de investigação e uma interlocutora crítica; suas observações estão espalhadas pelo livro. Juntas, ao longo de um trabalho de três anos, lutamos contra nossas dúvidas para saber se aqueles dias passados nos barracos de lixo infestados de ratos em Annawadi e se aquelas expedições noturnas com ladrões em um glamuroso novo aeroporto teriam algo a contribuir para a compreensão da busca de oportunidades em um mundo desigual, globalizado. Talvez esta seja a nossa firme conclusão.

Testemunhei a maioria dos acontecimentos descritos neste livro. Relatei outros eventos logo depois do ocorrido, usando entrevistas e documentos. Por exemplo, o relato das horas que antecederam a autoimolação de Fátima Shaikh, e sua consequência imediata, deriva de repetidas entrevistas com 186 pessoas, assim como os registros do departamento de polícia, do hospital público, do necrotério e dos tribunais.

Enquanto relatava este e outros aspectos da narrativa em que os fatos eram intensamente contestados, descobri que as crianças de Annawadi eram as testemunhas mais confiáveis. Elas eram largamente indiferentes às disputas políticas, econômicas e religiosas dos mais velhos, e não se preocupavam com o que diriam sobre seus relatos. Por exemplo, as filhas de Fátima, presentes durante a discussão que terminou com a queimadura de sua mãe, foram consistentes ao exonerar Abdul Husain, assim como as outras crianças de Annawadi, em cujos olhares atentos e inteligentes aprendi a confiar.

Era crucial estar presente nos acontecimentos, ou pelo menos conseguir relatá-los logo depois do fato acontecido, porque, à medida que os anos passavam, alguns moradores da favela retocavam suas histórias com medo de irritar as autoridades (o medo deles não era irracional: os policiais de Sahar costumavam ameaçar os favelados que conversavam comigo). Outros annawadianos refaziam suas narrativas para consolo psicológico: dando a si mesmos, em retrospectiva, mais controle sobre uma experiência do que de fato tiveram na época. Era considerado não auspicioso e contraprodutivo ficar relembrando coisas do passado, e Abdul falou por muitos de seus vizinhos um dia, quando protestou:

— Você está ficando retardada, Katherine? Já lhe falei isso três vezes e você colocou no seu computador. Já esqueci agora. Quero que isso continue esquecido. Então, por favor, não me pergunte mais nada novamente?

Ainda assim, de novembro de 2007 a março de 2011, ele e outros annawadianos trabalharam duramente para me ajudar a retratar suas vidas e dilemas. Eles fizeram isso mesmo sabendo que eu também mostraria suas falhas tanto quanto suas virtudes, e avisados de que, provavelmente, não gostariam ou não concordariam com o resultado de tudo que estava no livro.

Sinto-me segura ao dizer que eles não participaram desse projeto porque gostavam de mim. Quando eu não estava desencavando lembranças ruins, eles até que gostavam um pouco de mim, sim. Por outro lado, eu gostava muito deles. Mas eles me aguentavam, principalmente, porque compartilhavam de algumas das minhas ansiedades sobre a distribuição de oportunidades em um país que estava se transformando rapidamente e que eles amavam tanto. Manju Waghekar, por exemplo, falou francamente sobre corrupção, na esperança, ainda que frágil, de que, ao fazê-lo, ajudaria a criar um sistema mais justo para as outras crianças. Tais escolhas, dadas as vulnerabilidades socioeconômicas daqueles que as estavam fazendo, eram, no mínimo, corajosas.

Do mesmo modo que a história de Annawadi não é representativa de um país tão grande e diversificado como a Índia, também não é um retrato pouco importante do estado de pobreza e de oportunidade no mundo do século 21. Em cada comunidade, os detalhes são únicos e fazem a diferença. Apesar disso, em Annawadi, fiquei impressionada pelos aspectos comuns com outras comunidades pobres com que eu já convivera.

Na era da globalização e, por consequência, na era de empregos temporários e muita competição, a esperança não é apenas uma ficção. A pobreza extrema está sendo diminuída gradativamente, sem sobressaltos, mas significativamente. Todavia, enquanto o capital percorre o planeta e a ideia de trabalho permanente se torna anacrônica, a imprevisibilidade da vida diária tem seu jeito de esmagar as promessas individuais. Na verdade, o governo facilita um pouco esta instabilidade. Com frequência, governos fracos intensificam-na e mostram-se mais capazes de alimentar a corrupção que o mérito.

O efeito da corrupção que eu acho menos identificado é a contração, não da possibilidade econômica, mas do nosso universo moral. Em meu relatório, fico constantemente espantada pela imaginação ética dos jovens, mesmo daqueles que vivem em condições tão desesperadas em que o egoísmo seria considerado um ativo. As crianças têm pouco poder de viver este imaginário ético e, quando crescem, podem tornar-se adultos que continuam a caminhar enquanto um catador de lixo ensanguentado morre lentamente na beira da estrada; adultos que olham para o outro lado quando uma mulher queimada se contorce de dor; aqueles cuja primeira reação ao ver um adolescente vibrante beber veneno de rato é dar de ombros. Como isso acontece? Como, para usar a fórmula de Abdul, fazer uma criança prestar atenção em como o gelo vira água? Um clichê sobre a Índia permanece: o de que a perda de uma vida interessa menos aqui do que nos outros países, seja porque a fé do povo hindu acredita na reencarnação, seja pela vastidão de sua população. No meu relato, descobri que os jovens realmente sentem a perda da vida. O que parecia ser indiferença em relação ao sofrimento dos outros tinha pouco a ver com a reencarnação e menos ainda com terem nascido brutos. Acredito que tinha mais a ver com as condições infames que sabotaram suas capacidades internas de reagirem com uma ação moral.

Nos lugares onde as prioridades do governo e os imperativos do mercado criam um mundo tão volúvel que ajudar um vizinho é arriscar sua habilidade de sustentar sua família e, muitas vezes, é arriscar sua própria liberdade, a ideia de uma comunidade pobre que se apoie mutuamente é destruída. Os pobres se culpam uns aos outros pelas escolhas dos governos e dos mercados, e nós, que não somos pobres, estamos prontos a culpar os pobres com a mesma dureza.

É fácil, quando se está a uma distância segura, deixar de lado o fato de que as áreas pobres dentro da cidade são governadas pela corrupção, onde pessoas exaustas rivalizam em um terreno limitado e onde é dolorosamente difícil ser bom. O grande espanto é que, na verdade, algumas pessoas são boas e que muitas tentam ser, ao menos todos aqueles indivíduos invisíveis que enfrentam dilemas todos os dias, não diferentes daqueles que Abdul enfrentou, com uma laje de pedra na mão, em uma tarde de julho quando sua vida explodiu. Se a casa está torta e caindo aos pedaços e a terra em que foi construída é irregular, é possível fazer alguma coisa para que ela fique de pé?

Agradecimentos

Meus mais profundos agradecimentos aos moradores de Annawadi. Também sou muito grata pelo apoio e sensibilidade das seguintes pessoas e instituições:

Bharati Chaturvedi, Vijaya Chauhan, Benjamin Dreyer, Naresh Fernandes, Severina Fernandes, Mahendra Gamare, Shailesh Gandhi, Matthew Geczy, David Jackson, James John, Kumar Ketkar, Cressida Leyshon, The John D. e Catherine T. MacArthur Foundation, Nandini Mehta, Sharmistha Mohanty, Sumit Mullick, Shobha Murthy, Kiran Nagarkar, Alka Bhagvaan Nikale, Brijesh Patel, Gautam Patel, Jeet Narayan Patel, Rajendra Prasad Patel, Anna Pitoniak, Vikram Raghavan, Lindsey Schwoeri, Mike e Mark Seifert, Altamas Shaikh, Gary Smith e a Academia Americana em Berlim, Hilda Suarez, Arvind Subramanian, M. Jordan Tierney e Madhulika e Yogendra Yadav.

Binky Urban e Kate Medina, por acreditarem, contra todas as provas, que eu conseguiria fazer isso.

David Remnick, por seu comprometimento com um trabalho que é demorado para fazer e não é necessariamente atraente para os anunciantes.

David Finkel e Anne Hull, por seus conselhos que me apoiaram em cada fase deste projeto.

Unnati Tripathi, por sua genialidade e coragem.

Mrinmayee Ranade, por seus ensinamentos, seu otimismo e sua percepção sobre a vida doméstica das mulheres comuns.

Luca Giuliani, Joachim Nettelbeck e a equipe do Wissenschaftskolleg zu

Berlin, por me propiciarem um porto seguro quando me recuperava do trabalho e escrevia o primeiro rascunho deste livro.

Lorraine Adams, Jodie Allen, Evan Camfield, Elizabeth Dance, Ramachandra Guha, Anne Kornhauser, Molly McGrath, Amy Waldman e, especialmente, Dorothy Wickenden, por, entre outras coisas, fazerem as leituras críticas e cruciais que tornaram este livro bem melhor do que poderia ter sido.

Minha família, que há muitos anos investiu na ideia de fazer justiça para as vidas e os sonhos de Abdul Husain e seus vizinhos e que me guiou, profissional e emocionalmente, através deste projeto: meu falecido pai, Clinton Boo; John e Nick Boo; Tom Boo e Heleen Welvaart; Catherine Tashjean; Asha Sarabhai; Kyla Wyatt Leonor; Mary Richardson; Matt Buhr-Vogl, que me ajudou a ver as conexões; Jack Boo, o mais esperto editor de 12 anos que já existiu; duas Mary Boos — minha feroz e brilhante irmã e minha mãe, que continuam a ser minhas mais fiéis leitoras e inspirações; e Sunil Khilnani, meu amor, meu mundo melhor.

Sobre a autora

KATHERINE BOO, uma escritora da equipe da revista *The New Yorker,* passou os últimos 20 anos fazendo reportagens dentro de comunidades pobres, observando como as sociedades distribuem oportunidades e como os indivíduos escapam da pobreza. Sua reportagem foi premiada e recebeu da MacArthur Foundation um prêmio de "gênio", um prêmio da National Magazine Award for Feature Writing e o Pulitzer Prize para Serviços Públicos.

Boo aprendeu a fazer reportagens no *Washington City Paper.* Foi também editora do *The Washington Monthly* e, por quase uma década, repórter e editora no *The Washington Post*. Este é o seu primeiro livro.